COLLECTION FOLIO

Blaise Pascal

Pensées

I

Édition présentée,
établie et annotée
par Michel Le Guern
Professeur à l'Université Lyon II

Gallimard

PRÉFACE

Les Pensées *sont les papiers d'un mort. Non pas une œuvre posthume. A la mort de Pascal, le 19 août 1662, ses héritiers trouvèrent un certain nombre d'opuscules, plus ou moins achevés :* le Traité du triangle arithmétique, *déjà imprimé, les* Traités de l'équilibre des liqueurs et de la pesanteur de l'air, *prêts pour l'imprimeur, un* Abrégé de la vie de Jésus-Christ *complet, même si Pascal ne le destinait pas à être publié sous cette forme; les* Réflexions sur la géométrie en général, *que nous avons pris l'habitude d'appeler* L'Esprit géométrique, *et* L'Art de persuader, *annoncent des développements qui n'ont pas été rédigés; les* Écrits sur la grâce *ne sont que des ébauches, des morceaux qui s'ajustent mal et se répètent parfois, mais la perspective du lecteur éventuel y est toujours présente : on peut les considérer à bon droit comme une œuvre posthume.*

Mais, pour autant que l'on puisse se faire une idée de l'état d'esprit des héritiers lors de cet inventaire, le sentiment qui domine, c'est une grande déception. Ils s'attendaient à trouver cette apologie de la religion chrétienne qui était depuis cinq ans au centre des préoccupations de Pascal; il les en avait souvent entretenus; il les avait même mis à contribution, leur dictant quand il était trop fatigué pour tenir lui-même la plume. Sans doute s'imaginaient-ils un livre en voie d'achèvement, un manuscrit auquel ne manqueraient que les dernières révisions pour qu'on puisse le porter à l'imprimeur. On sent pointer le souvenir de la déception encore récente sous l'apparente sérénité avec laquelle Gilberte Pascal rappelle le projet de son frère, dans la première version de la Vie, *version rédigée, semble-t-il, dès la fin de 1662 :*

[La guérison miraculeuse de Marguerite Périer, sa nièce et filleule,] fut l'occasion qui fit naître cet extrême désir qu'il avait de travailler à réfuter les principaux et les plus forts raisonnements des athées. Il les avait étudiés avec grand soin et il avait employé tout son esprit à chercher les moyens de les convaincre. C'est à quoi il s'était mis tout entier ; et la dernière année de son travail a été toute employée à recueillir diverses pensées sur ce sujet. Mais Dieu, qui lui avait inspiré ce dessein et toutes ces pensées, n'a pas permis qu'il l'ait conduit à sa perfection, pour des raisons qui nous sont inconnues (éd. Mesnard, t. I, p. 584).

Au lieu d'une grande œuvre, proche de l'achèvement, ils ne trouvaient qu'une masse de papiers, dont la plupart, pourtant, ne pouvaient être que les matériaux amassés en vue de l'apologie. Peut-être pourrait-on en tirer quelque chose. Mais tous ces papiers étaient difficiles à manier, difficiles à déchiffrer. Il fallait, de toute évidence, commencer par les faire transcrire sous une forme plus maniable :

La première chose que l'on fit fut de les faire copier tels qu'ils étaient et dans la même confusion qu'on les avait trouvés. Mais lorsqu'on les vit en cet état, et qu'on eut plus de facilité de les lire et de les examiner que dans les originaux, ils parurent d'abord si informes, si peu suivis, et la plupart si peu expliqués, qu'on fut fort longtemps sans penser du tout à les faire imprimer (préface de l'édition de Port-Royal).

Ce témoignage d'Étienne Périer rend compte d'une attitude que, dans la seconde version de la Vie de M. Pascal, *Gilberte eclaire d'un jour assez différent. La déception s'y exprime sans ambiguïté, bien plus nettement que dans la première version, mais l'espoir apparaît, timidement certes, que quelqu'un d'autre pourra achever la grande œuvre, en se servant des notes de Pascal :*

On ne peut penser à cet ouvrage sans une affliction très sensible de voir que la plus belle chose et la plus utile peut-être dans le siècle où nous sommes n'ait pas été achevée. Je n'oserais dire que nous n'en étions pas dignes. Quoi qu'il en soit, Dieu a voulu faire voir par l'échantillon, pour ainsi dire, de quoi mon frère était capable par la grandeur de l'esprit et des talents qu'il lui avait donnés; et si cet ouvrage pouvait être accompli par un autre, je croirais que Dieu voudrait qu'un si grand bien ne pût être obtenu que par beaucoup de prières nouvelles (éd. Mesnard, t. I, p. 623).

De telles intentions peuvent surprendre. Il faut reconnaître toutefois qu'elles s'inscrivent dans une certaine logique. On s'attendait à trouver un ouvrage construit, on n'en trouve que les matériaux; quoi de plus naturel que de songer à faire construire l'édifice avec les matériaux déjà assemblés! Le projet est plus facile à envisager qu'à réaliser.

Aussi, moins d'un an après la mort de Pascal, on a songé à une autre solution. A en juger par ce qu'écrit Florin Périer, le beau-frère de Pascal, dans la préface des Traités de l'équilibre des liqueurs et de la pesanteur de l'air, *ce n'est pas encore une*

intention arrêtée, tout juste une possibilité qu'on n'écarte plus :
publier les brouillons dans l'état où ils se trouvent :

Ce que l'on a trouvé dans ses papiers... ne consiste
presque qu'en un amas de pensées détachées pour un
grand ouvrage qu'il méditait, lesquelles il produisait dans
les petits intervalles de loisir que lui laissaient ses autres
occupations, ou dans les entretiens qu'il en avait avec ses
amis. Mais quoique ces pensées ne soient rien en comparaison de ce qu'il eût fait s'il eût travaillé tout de bon à ces
ouvrages, on s'assure néanmoins que si le public les voit
jamais, il ne se tiendra pas peu obligé à ceux qui ont pris le
soin de les recueillir et de les conserver, et qu'il demeurera
persuadé que ces fragments, tout informes qu'ils sont, ne
se peuvent trop estimer, et qu'ils donnent des ouvertures
aux plus grandes choses, et auxquelles peut-être on
n'aurait jamais pensé (éd. Mesnard, t. I, p. 689).

C'est la solution à laquelle on s'arrêtera : la première édition
des Pensées, *en 1670, présente la plupart des fragments*
destinés à l'apologie, avec quelques corrections, trop nom-
breuses à notre goût, mais moins scandaleuses qu'on ne l'a dit
souvent. Les fragments sont découpés et rassemblés d'une
manière un peu trop arbitraire, dans un plan commode, mais
ces découpages et cette répartition ne trahissent pas plus
Pascal que la plupart des éditions fameuses parues depuis un
siècle. Il est peut-être plus gênant que les premiers éditeurs
n'aient pas su prendre parti sur un point essentiel : que fallait-il
donner au public, une œuvre posthume ou les papiers d'un
mort? L'idée de départ était sans doute de publier l'apologie en
l'état où elle se trouvait, de réunir les membra disjecta. *Mais*
on y ajoute des « Pensées chrétiennes », empruntées en partie à
une correspondance avec Mlle de Roannez, des « Pensées
morales » dont le lien avec le projet d'apologie n'apparaît pas,
des extraits de la lettre de Pascal sur la mort de son père, des

« *Pensées diverses* » et la Prière pour le bon usage des maladies.

Les apports des éditions successives, ajoutant chacune à la précédente des fragments inédits, ont tellement élargi l'écart entre les Pensées et l'apologie qu'il n'est plus possible d'hésiter aujourd'hui : les Pensées sont les papiers d'un mort, d'un mort certes qui avait entrepris de construire une apologie, mais qui n'a pas eu le temps de mener son entreprise assez loin pour que cela puisse constituer une œuvre posthume. Une part importante de ces papiers est étrangère à l'apologie : méditations personnelles que leur auteur ne destinait sans doute pas à un autre lecteur que lui-même, réflexions sur les sujets les plus divers, notes prises en vue d'autres ouvrages. Et même parmi les papiers qui concernent l'apologie, il en est assez peu à avoir été rédigés par Pascal à l'intention du lecteur ; et quand bien même les brouillons de ces fragments sont surchargés de ratures et de corrections successives, rien ne permet d'affirmer que leur état dernier ait été aux yeux de Pascal un état définitif. Quant au reste, ce sont des notes de lecture, ou des réflexions jetées sur le papier à seule fin de secourir la mémoire : tous ces fragments n'ont pour Pascal d'autre destinataire que lui-même, ils ne portent que la quantité d'information nécessaire pour qu'il les comprenne lui-même. C'est la tâche de l'éditeur, sans doute, de chercher à fournir les éléments complémentaires qui permettraient au lecteur de comprendre, mais c'est une tâche périlleuse, et bien souvent désespérée.

Pascal est mort trop tôt pour nous laisser l'œuvre achevée, mais ce qu'il nous laisse vaut peut-être mieux, d'une certaine manière. Nous n'avons pas l'œuvre, mais nous avons l'atelier. Ce n'était pas l'usage, au XVIIe siècle, de conserver religieusement des brouillons, des notes préparatoires, des esquisses. Une fois l'œuvre imprimée, on faisait place nette. Si Pascal avait terminé l'apologie, nous ne pourrions pas savoir comment il *travaillait. Les* Pensées *nous mettent en possession d'une masse immense d'informations sur l'activité d'un écrivain exceptionnel, d'autant plus précieuse que nous n'avons rien de comparable pour les autres grands écrivains de la période classique. Paradoxalement, c'est à peine si l'on a commencé à exploiter cette mine ; il y a sans doute des études sur la manière dont a été composé tel ou tel grand fragment, mais on n'a pas encore recherché de manière systématique et globale comment Pascal prend des notes de lecture, ou comment il modèle une remarque d'abord isolée et elliptique pour l'insérer dans un développement construit, comment s'articulent le travail du style et l'affinement de la pensée.*

Sans doute, pour qu'une telle recherche puisse s'édifier sur des bases solides, il faut d'abord surmonter une sérieuse difficulté. Nous ne savons que fort peu de chose sur la chronologie, même relative, des fragments. Lorsqu'une œuvre a trouvé sa cohérence dans son achèvement, il importe peu, en fin de compte, de savoir quelles ont été les étapes de la rédaction. Pour les Pensées, *c'est tout différent : elles traduisent une réflexion en devenir. A moins de cultiver l'acrobatie intellectuelle et le sophisme, il n'est pas possible de ramener à un système fixe et unique les étapes successives d'une pensée dont la cohérence ne peut être saisie que dans une évolution. Il n'est pas rare que deux fragments des* Pensées *apparaissent comme contradictoires ; plutôt que de torturer les textes pour concilier l'inconciliable, il vaut mieux admettre qu'on se trouve en présence d'étapes distinctes dans l'approfondissement de la réflexion. On voit combien il importe de savoir comment se situent dans le temps les deux opinions contradictoires, si l'on ne veut pas commettre les plus grossiers contresens dans l'interprétation globale de la démarche pascalienne. Tant qu'on ne disposera pas de certitudes suffisantes sur la chronologie des fragments, toute interprétation d'ensemble des* Pensées *restera nécessairement hypothétique.*

Et, depuis trois siècles, les interprétations n'ont pas manqué. Si les Pensées *ont continué à susciter un intérêt aussi aigu pendant tout ce temps-là, c'est peut-être parce que chaque époque les a comprises de manière différente. On le dit de toutes les grandes œuvres, mais ce n'est totalement vrai que pour Pascal. On peut légitimement estimer que ses papiers nous ont conservé tous les éléments essentiels de sa pensée. Mais, contrairement à ce qui se passerait avec une œuvre achevée, ils ne nous renseignent que fort discrètement sur la manière dont s'articulent tous ces éléments. Et, à partir des mêmes éléments, pourvu qu'on se donne la liberté de les agencer à sa guise, on pourra construire autant de systèmes qu'on voudra. On ne saurait se plaindre de cette liberté des commentateurs, si elle laissait indemne la liberté du lecteur de construire sa propre interprétation d'un texte fixe posé comme invariant. Mais, dans le cas des* Pensées, *les éditeurs, jusqu'à une date récente, se sont accordé la même liberté que les commentateurs, et leur liberté est devenue tyrannie. Puisqu'ils présentaient des fragments, ils s'estimaient en droit d'imposer au lecteur leur ordre, l'ordre qui imposait leur propre interprétation. Les uns prétendaient, avec quelque témérité, avoir reconstitué le plan que Pascal lui-même aurait adopté; les autres, qui affirmaient ne pas chercher autre chose que la commodité du lecteur, ne le contraignaient pas moins, par l'ordre qu'ils adoptaient, à trouver dans les* Pensées *le sens qu'ils y mettaient. La première édition, celle de Port-Royal, tire Pascal du côté du jansénisme. Celle de Condorcet, en 1776, en fait un sceptique. On a eu depuis un Pascal romantique, un Pascal rationaliste, un Pascal antijanséniste...*

Une seule solution permet à l'éditeur de respecter la liberté du lecteur et de ne pas effacer les signes ténus dont le décryptage ouvrira la voie, un jour peut-être, à une interprétation aussi peu arbitraire que possible : puisque les Pensées *sont les papiers d'un mort, il faut les présenter dans l'état où on les a trouvées dans le même ordre, même si l'on n'y voit que desordre. C'est le mérite de Zacharie Tourneur et de Louis Lafuma d'avoir montré qu'on le pouvait et qu'on le devait. Étienne Périer affirmait dans la Préface de l'édition de Port-Royal que, lorsque la famille s'était trouvée en présence des papiers de Pascal au lendemain de sa mort, « la première chose que l'on fit fut de les faire copier tels qu'ils étaient et dans la même confusion qu'on les avait trouvés ». Or ces copies se trouvent à la Bibliothèque nationale; la Première Copie (fonds français, n° 9203) provient de la bibliothèque de Saint-Germain-des-Prés, où elle avait rejoint en 1731 les brouillons autographes déposés vingt ans plus tôt par Louis Périer, le neveu de Pascal, la Seconde Copie (fonds français, n° 12449) est la pièce la plus importante d'un recueil donné à la Bibliothèque du Roi en 1779. L'éditeur des* Pensées *n'a plus le droit, après les démonstrations de Tourneur et de Lafuma, de choisir un ordre autre que celui des Copies.*

Ce qui est au cœur des Pensées*, c'est, non pas la grande apologie attendue, mais la démarche de Pascal vers l'apologie. La tradition familiale attribue un rôle prépondérant à la guérison miraculeuse de la petite Marguerite Périer, le 24 mars 1656. Que l'événement ait été ressenti par Pascal comme une incitation plus pressante, il n'est pas question d'en douter. Mais ses préoccupations apologétiques sont plus anciennes. Comme l'a montré Henri Gouhier, elles sont, dès le début de 1648, la cause du malentendu avec M. de Rebours, qui y voit un orgueil intellectuel. L'*Entretien avec M. de Saci *sur la lecture d'Épictète et de Montaigne, qui nous informe sur l'orientation de la réflexion pascalienne au début de 1655, insiste sur l'idée que les contradictions de la condition de l'homme ne peuvent être résolues sans le recours à la révélation chrétienne. Ce qui nous est parvenu des brouillons destinés à la grande apologie nous montre de manière assez* *explicite que ce thème devait y jouer un rôle important. Je crois avoir démontré que le fragment « Infini rien » (n° 397), le célèbre pari de Pascal, a été rédigé dès 1655 : c'est une apologie autonome, destinée à ce milieu de libertins joueurs et fêtards de l'entourage du duc de Roannez que Jean Mesnard décrit si minutieusement. Pascal connaît les libertins ; il sait que l'apologétique traditionnelle ne les atteint pas. A côté des joyeux drilles dont le jeu est toute la vie, il voit des libertins intelligents, comme ce Damien Mitton qui s'est fait le théoricien de l'« honnêteté » ; pour ceux-là, le pari ne suffit pas, il faut construire à leur intention une apologie plus ample qui utiliserait dans une perspective nouvelle ceux des arguments traditionnels qui ont gardé de leur efficacité.*

Le souci de l'efficacité, voilà qui caractérise Pascal. Pour s'en convaincre, il suffit de suivre son évolution par rapport à l'argument des miracles. Le 24 mars 1656, en pleine bataille des Provinciales, la nièce de Pascal est guérie d'une fistule lacrymale ; une enquête très officielle conclura au caractère miraculeux de cette guérison. Et, parallèlement à la controverse sur la morale des casuistes, voici que se développe une autre polémique, sur le sens qu'il faut donner au miracle. A l'automne 1656, Pascal se prépare à intervenir lui-même dans le nouveau débat ; il accumule les notes sur la question des miracles ; ses lectures lui remettent à l'esprit que c'est là un point important de l'apologétique traditionnelle. Alors, au lieu de perdre son temps et ses forces à se disputer avec des jésuites sur des points de détail, ne vaut-il pas mieux travailler à des choses plus essentielles, secouer l'indifférence des libertins, les rendre disponibles à la grâce de Dieu ? Dans les séries sur les miracles, les réflexions apologétiques l'emportent sur les notes polémiques. En 1658, Pascal classe ses papiers et confectionne les liasses de notes prises en vue de l'apologie. Fait surprenant, il n'y a pas de liasse sur les miracles. Entre-temps, Pascal s'est rendu compte du fait que l'argument des miracles n'atteignait plus le libertin, qu'il était inefficace. Le grand argument est celui des prophéties.

Pour comprendre les Pensées, *il faut chercher à situer chaque fragment, malgré les incertitudes, par rapport au projet d'apologie. De nombreux fragments, de toute évidence, lui sont étrangers ; il ne faut pas les annexer de force. Pour d'autres fragments, rien ne permet de trancher. Heureusement, pour les liasses classées, la destination ne fait pas de doute. Mais il faut se garder d'une erreur d'optique : le nombre et la dimension des fragments conservés ne permettent pas de tirer des conclusions sur l'importance relative de chaque thème pour Pascal. L'inachèvement a des degrés, et bien souvent les parties essentielles d'une œuvre aux dimensions amples sont rédigées les dernières. Les fragments les plus proches de la rédaction définitive sont ceux qui concernent la condition de l'homme. Mais ce serait un contresens de considérer que l'essentiel, dans les* Pensées, *c'est une anthropologie. L'objet de Pascal dans ses développements sur l'homme est justement de montrer qu'il n'y a pas d'anthropologie possible. Les contradictions de la nature humaine ne peuvent être résolues par les seules lumières de la raison, mais le christianisme les explique. L'étude de l'homme renvoie nécessairement à la religion chrétienne et, dans l'apologie, elle n'a pas d'autre fonction.*

Avec les réflexions sur la Bible et sur l'histoire du salut, on se trouve au cœur du projet. L'approche de la Bible, et surtout des livres historiques, nous semble bien vieillie même si, dans les fragments sur le Quatrième Livre d'Esdras, *s'esquisse un début de critique scientifique. Mais il ne faut pas oublier que Pascal est mort trop tôt pour voir les débuts de l'exégèse moderne. Et, malgré quelques détails désuets, l'essentiel de ses idées sur la Bible peut encore guider aujourd'hui une lecture des livres sacrés. Le relevé des contradictions apparentes et la recherche du sens profond qui les concilie sont encore* aujourd'hui à la base de l'herméneutique. *La théorie des figures, qui simplifie et systématise à la fois l'interprétation traditionnelle des Écritures, rend leur dimension spirituelle aux textes qui paraîtraient les plus anecdotiques. Ce n'est pas seulement à propos de la Bible que Pascal souligne la continuité de la tradition judéo-chrétienne; l'histoire du christianisme est pour lui l'histoire de l'humanité. Les saints de l'Ancien Testament étaient déjà des chrétiens avant l'heure, de la même manière que les chrétiens charnels sont dans le sillage des Juifs charnels. Tout se rejoint dans la dialectique de la lumière et de l'obscurité; tout est fait en même temps pour éclairer et pour aveugler.*

Le moindre paradoxe n'est pas que ce projet d'apologie ait été formé dans un milieu janséniste. On voit mal comment on pourrait déployer tous ces efforts pour ramener à la foi les libertins, si l'on pensait que ces efforts sont totalement inutiles, et que l'efficacité de la grâce divine est telle que rien ne peut lui résister. Si l'on en croit la tradition familiale, l'attachement de Pascal à la cause janséniste n'est pas seulement occasionnel, pour mener les luttes que l'intérêt d'une cause supérieure impose, mais c'est une adhésion totale. La vérité n'est sans doute pas si simple, et une note du fragment 654 oblige à admettre que Pascal a su garder une distance critique à l'égard des positions de ses amis jansénistes : « *S'il y a jamais un temps auquel on doive faire profession des deux contraires, c'est quand on reproche qu'on en omet un; donc les Jésuites et les Jansénistes ont tort en les celant, mais les Jansénistes plus, car les Jésuites en ont mieux fait profession des deux.* »

Pour bien saisir la signification de ce texte, il faut voir comment Pascal envisage la question de la vérité. Ce qui lui importe, ce n'est pas d'imposer au lecteur sa propre part de vérité, vérité partielle qu'il ferait sienne et dont il se ferait le propagandiste. Son objet est la vérité totale, et toute sa *démarche consiste à l'approcher sans cesse davantage et à y conduire le lecteur. Pascal a constaté que les données de l'expérience nous présentent parfois deux vérités qui semblent d'une certaine manière contradictoires ; notre comportement habituel est de choisir celle qui correspond le mieux à nos goûts et à nos intérêts, et d'oublier l'autre, quand nous n'allons pas jusqu'à la combattre ; c'est contre cette tendance que Pascal nous met en garde, et il nous fournit le remède : celui qui aperçoit une vérité doit se demander si ce qui semble être le contraire n'est pas également vrai. Cette orientation dialectique de la pensée pascalienne se combine à une vision hiérarchique du monde, que systématise la théorie des trois ordres : les vérités qui, à un niveau donné, apparaissent comme contraires sont aisément conciliées si on les envisage à un niveau supérieur. Et, au sommet de la hiérarchie, toutes les contradictions sont résolues en Dieu, qui est la Vérité totale. Le christianisme, loin de cacher cette coexistence des contraires qui gêne tant les philosophes et même les théologiens, les souligne pour mieux les concilier.*

La conciliation des contraires est, en même temps qu'une méthode de recherche de la vérité, une méthode de dialogue et de persuasion. Au lieu de concentrer l'attention sur les erreurs dans les propos d'un interlocuteur, il faut faire en sorte de découvrir ce qu'ils contiennent de vrai, et s'appuyer sur cette parcelle de vérité pour orienter l'interlocuteur vers une vérité plus complète. Cette attitude est aux antipodes de l'intolérance, et c'est la seule conforme à la charité exigée par le christianisme. Si Pascal est arrivé à en sentir la nécessité, c'est bien par une conversion, car la pente naturelle de son caractère ne l'y conduisait pas. La place de la polémique dans son œuvre scientifique, l'alacrité de l'attaque dans les Provinciales *expriment sans doute davantage les tendances de son tempérament. Quand, au début de 1647, Pascal et ses amis Hallé de Monflaines et Auzoult persécutaient Jacques Forton, sieur de*

Saint-Ange, pour ses opinions théologiques, ils se conduisaient en *véritables* inquisiteurs. Le Pascal des Pensées *a bien changé, puisqu'il reprend à son compte certaines idées de Saint-Ange, reconnaissant par là que lui aussi avait sa part de vérité.*

Ce souci de la conciliation des contraires a pris pour Pascal une telle importance que la question de savoir si les Pensées *sont jansénistes ou antijansénistes est un faux problème. En fait, la perspective apologétique de Pascal se situe bien au-delà de ces controverses. Pour elle, le clivage entre partisans et adversaires de Jansénius n'a plus de sens : ils sont les uns et les autres du côté de la vérité, et leur désaccord vient de ce qu'ils ne la voient qu'en partie.*

Au fond, la seule question qui importe, c'est celle de savoir si l'on est chrétien ou non. A cet égard, il est intéressant de comparer les Pensées *avec* Les Trois Vérités *de Pierre Charron, qu'on peut considérer comme l'œuvre la plus représentative de l'apologétique catholique de langue française avant Pascal. La « première vérité » montrait, contre les athées, qu'il y a un Dieu, la seconde affirmait que la seule vraie religion est le christianisme : Pascal leur a beaucoup emprunté. Mais il ne prend rien à la « troisième vérité », celle qui tient pourtant le plus de place dans le livre de Charron ; il y démontrait contre les protestants la supériorité du catholicisme. A la limite, on pourrait affirmer que, pour Pascal, les controverses théologiques comptent peu, parce qu'elles restent dans l'ordre des esprits. L'objet de l'apologie est de l'ordre de la charité : la foi en Jésus-Christ est l'unique nécessaire, la seule vraie certitude. Et les* Pensées *apparaissent comme l'ultime effort d'un homme qui a trouvé la certitude pour nous la faire partager.*

Michel Le Guern

NOTICE

I. LES MANUSCRITS

Nous connaissons le texte des *Pensées* par trois sources principales : le Recueil original, la Première Copie et la Seconde Copie. Le Recueil original (Bibliothèque nationale, fonds français, nº 9202) présente l'intérêt incomparable de nous fournir le texte autographe de la plus grande partie des fragments : il est donc indispensable d'y recourir pour établir le texte des *Pensées*. Malheureusement, il ne saurait être question d'y chercher un ordre qui rendrait compte d'une quelconque intention de Pascal; en effet, le Recueil ne présente pas les fragments dans l'ordre où ils se trouvaient à la mort de Pascal, puisqu'il n'a été constitué que bien plus tard, en 1710-1711. C'est à cette date que Louis Périer, neveu de Pascal, décide de coller les précieux brouillons sur de grandes feuilles de papier, afin de les déposer à la bibliothèque de Saint-Germain-des-Prés. Entre 1662 et 1711, l'ordre des papiers a sans doute été modifié; le souci d'utiliser le plus petit nombre possible de feuilles pour la confection du Recueil a encore provoqué de nombreux bouleversements. Enfin, en 1731, le relieur qui donne au

Recueil original son aspect définitif et sa reliure de cuir vert modifie encore l'ordre des cahiers.

Si l'on ne disposait que du Recueil original, il serait donc impossible de se faire une idée, même approximative, de l'ordre dans lequel se trouvaient les papiers de Pascal au moment de sa mort. Mais, rapporte Étienne Périer dans la préface à l'édition de 1670, « la première chose que l'on fit fut de les faire copier tels qu'ils étaient, et dans la même confusion qu'on les avait trouvés ». Le résultat de ce long travail est constitué par les deux Copies.

La Première Copie (B. N., f. fr., n° 9203), qui a servi de base à l'élaboration de l'édition de Port-Royal, comprend trois parties bien distinctes. La première partie présente un classement évident : les fragments y sont répartis en vingt-sept chapitres titrés, qui correspondent chacun à une liasse constituée par Pascal ; que l'ordre des liasses soit de Pascal est confirmé par une table des matières qui ne peut que reproduire très fidèlement une table établie par lui-même : un titre est rayé et, pour un autre titre, il n'y a pas de liasse correspondante. La seconde partie offre l'apparence d'un désordre total, dont rend bien compte le titre de « Papiers non classés » que lui donne l'édition Lafuma. Cette absence de classement n'est sans doute qu'apparente, comme l'a montré Lafuma lui-même, en indiquant que les fragments de cette section sont répartis en un certain nombre de « séries » (terme discutable, puisque quelques-unes de ces « séries » comportent un seul fragment) ; ce découpage, manifeste sur la Première Copie, puisque chaque série est transcrite sur un cahier distinct, rend certainement compte d'une particularité de la disposition des papiers de Pascal, sans toutefois que cette particularité puisse être précisée avec certitude. Une troisième partie, plus courte, contient trois séries de textes groupées sous le titre « Miracles » ; ces notes, prises de septembre 1656 à novembre 1657, d'après Louis Lafuma, reflètent les préoccupations de Pascal au moment où il songe à intervenir dans la polémique sur le miracle de la Sainte-Épine dont sa nièce et filleule, Marguerite Périer, avait été la bénéficiaire.

La Seconde Copie (B. N., f. fr. 12449) est un double de la précédente; elle est écrite de la même main et sur un papier de même format. Il semble que Gilberte Pascal l'ait fait établir pour son usage personnel. On y retrouve les vingt-sept liasses des papiers classés et les séries sur les miracles. Ce manuscrit apporte cependant un certain nombre d'informations supplémentaires par rapport au précédent. Il présente une liasse absente de la Première Copie, groupant des réflexions sur Esdras. En outre, il répartit les « papiers non classés » en trois ensembles bien délimités. Avant les liasses classées, il met la série I, qui ne comprend que des papiers découpés en attente de classement. Puis, après les vingt-sept liasses classées, la liasse supplémentaire sur Esdras et les séries sur les miracles, il donne, dans un ordre un peu différent, les séries XX à XXXI de la Première Copie; ce sont des notes diverses, dont rend bien compte le titre de la première, *Miscellanea*, mélanges. Enfin, les séries II à XIX, dans le même ordre que sur la Première Copie, sont réunies sous le titre « Preuves de la Religion par le peuple juif, les prophéties et quelques discours ».

Au moment de la constitution des Copies, la famille a écarté vingt-sept fragments, qu'elle jugeait sans doute être d'un caractère trop personnel. Ces pensées retranchées, numérotées de 1 A à 27 DD, ont été transcrites par Louis Périer sur un manuscrit aujourd'hui perdu, mais dont une copie ancienne existe toujours, elle a appartenu à Sainte-Beuve; Louis Lafuma, qui l'avait acquise en 1944, en a donné une description détaillée dans *Trois Pensées inédites de Pascal* (Paris, Éditions littéraires de France, 1945); elle appartient aujourd'hui à M. Léon Parce

Quelques fragments nous sont parvenus par d'autres sources, que nous signalons en note. Rien n'interdit de penser que des chercheurs perspicaces et heureux, à la suite de Louis Lafuma et de Jean Mesnard, découvriront encore de nouveaux fragments inédits.

II. LES ÉDITIONS

La tentation est grande de vouloir réunir tous les fragments des *Pensées* en un système logique, en une construction achevée, mais c'est un puzzle impossible, que seul le recours constant à l'arbitraire permettrait d'assembler. Ce recours à l'arbitraire caractérise la plupart des éditions des *Pensées*. La préface de l'édition de Port-Royal manifeste déjà cette attitude. Étienne Périer y fait le résumé de la conférence tenue à Port-Royal en 1658, où Pascal exposait « le plan de tout son ouvrage » ainsi que « l'ordre et la suite des choses qu'il y voulait traiter ». L'édition suit un tout autre plan, dont Étienne Périer semble reconnaître l'arbitraire, sans toutefois en être choqué :

> Au reste, il ne faut pas s'étonner si, dans le peu qu'on en donne, on n'a pas gardé son ordre et sa suite pour la distribution des matières. Comme on n'avait presque rien qui se suivît, il eût été inutile de s'attacher à cet ordre; et l'on s'est contenté de les disposer à peu près en la manière qu'on a jugée être plus propre et plus convenable à ce que l'on en avait.

Et, après tout, ce plan n'est pas tellement plus arbitraire que les corrections, les suppressions, les additions même que se sont permises les premiers éditeurs. Cette solution du classement arbitraire, qui se reconnaît comme tel et qui n'a d'autre ambition que la commodité du lecteur, est celle qu'a adoptée Léon Brunschvicg avec le succès que l'on sait; pourtant, dans son édition, la disposition des fragments introduit par son caractère logique un élément de rationalisme étranger à la pensée de Pascal.

Un parti plus audacieux mais tout aussi arbitraire consiste a présenter les fragments suivant le plan que Pascal aurait arrêté pour son apologie. Il est vrai que, dès 1670, Étienne Périer y invite, immédiatement après avoir parlé de l'ordre choisi par l'édition qu'il préface :

> On espère même qu'il y aura peu de personnes qui, après avoir bien conçu une fois le dessein de M. Pascal, ne suppléent d'elles-mêmes au défaut de cet ordre, et qui, en considérant avec attention les diverses matières répandues dans ces fragments, ne jugent facilement où elles doivent être rapportées suivant l'idée de celui qui les avait écrites.

Facilité bien illusoire! Les tentatives n'ont pas manqué pour retrouver cet ordre, mais l'extrême variété des résultats obtenus et leur fragilité montre que c'est là une tâche pratiquement impossible. Même lorsque cette reconstitution a pour point de départ une base objective, l'arbitraire prend toujours le dessus. Ainsi, Jacques Chevalier se sert de la relation de la conférence à Port-Royal-des-Champs publiée par Filleau de La Chaise dans son *Discours sur les Pensées*; en supposant que cette relation soit rigoureusement exacte, ce qui n'est pas évident, on voit mal comment on pourrait intégrer à un schéma de 1658 tous les développements ultérieurs de la pensée apologétique de Pascal. La même objection vaut pour les éditions publiées par Louis Lafuma chez Delmas : chacun, ou presque, reconnaît aujourd'hui que le classement en liasses est de Pascal, mais rien ne prouve

qu'il ait voulu faire de la table des liasses le plan définitif de
l'apologie ; le classement eût peut-être été différent en 1661 ;
alors, de quel droit va-t-on classer dans les liasses de 1658
des fragments rédigés après 1660 ? Pourquoi y intégrer des
fragments antérieurs au classement, comme celui du pari,
alors que Pascal ne les y avait pas fait entrer ? Si les
reconstitutions les plus sérieuses et les plus honnêtes du
dessein de Pascal provoquent de telles objections, que penser
des autres ?

La seule solution satisfaisante pour l'édition des *Pensées*
est donc un classement strictement objectif. La première
édition objective, celle de Gustave Michaut (Fribourg,
Librairie de l'Université, 1896), suit l'ordre du Recueil
original : elle a le mérite de ne pas imposer l'interprétation
de l'éditeur, qui se glisse inévitablement dans tout classement
fondé sur une logique interne, ou dans une reconstitution
plus ou moins arbitraire ; toutefois, l'ordre du Recueil
original est si éloigné de l'état des papiers à la mort de Pascal
qu'il ne présente que fort peu d'intérêt. Puisque les Copies
rendent compte de l'ordre des fragments au moment où les
héritiers en prirent connaissance, elles fournissent la seule
base acceptable pour une édition des *Pensées,* comme l'ont
vu Tourneur (Paris, Éditions de Cluny, 1938, 2 vol.) et
Lafuma (Paris, Éditions du Luxembourg, 1951, 3 vol.), qui
fondent tous deux l'ordre de leur édition sur la Première
Copie. L'édition de Philippe Sellier (Paris, Mercure de
France, 1976) suit l'ordre de la Seconde Copie. C'est celui de
la Première qui a été adopté pour la présente édition.

III. PRINCIPES ADOPTÉS
POUR LA PRÉSENTE ÉDITION

1. *L'ordre*

Même si les différences sont assez minimes, il fallait choisir entre les deux Copies. La Première Copie présente l'avantage de commencer par les liasses classées et de regrouper les fragments dont la destination est apologétique. C'est pourquoi nous avons choisi de suivre son ordre, en tenant compte des subdivisions qui ressortent de la comparaison des deux Copies, ce qui aboutit à délimiter les ensembles suivants :

1° Les liasses classées ;

2° Papiers découpés en attente de classement ;

3° « Preuves de la Religion par le peuple juif, les prophéties et quelques discours » ;

4° Mélanges ;

5° Miracles ;

6° Sur Esdras. Cet ensemble, que la Seconde Copie donne immédiatement après les liasses classées, est absent de la Première Copie ;

7° Papiers retranchés. Ces fragments, absents des deux Copies, ont été transcrits sur le petit manuscrit de l'abbé Périer, dont le texte a été conservé par la copie qui a appartenu à Sainte-Beuve et à Lafuma ;

8° Autres fragments autographes. Il s'agit, à quelques exceptions près, de notes préparatoires aux écrits polémiques (*Provinciales, Lettre d'un avocat au Parlement, Écrits des curés, Projet de mandement*). Ces fragments sont donnés dans l'ordre où ils se succèdent sur le Recueil original ;

9° Fragments connus par d'autres sources (la seconde partie du Recueil qui commence par la Seconde Copie, l'édition de 1678, le manuscrit de Sainte-Beuve, les Recueils Guerrier et Théméricourt, la collection Joly de Fleury).

En adoptant cette présentation, on respecte le principe établi par Louis Lafuma : « Une édition des *Pensées* doit respecter l'état des papiers laissés par Pascal tel qu'il nous est transmis par la Copie 9203, en mettant à la suite les textes connus par ailleurs. »

Toutefois, lorsqu'un fragment était retranscrit en partie sur les Copies, et que l'autre partie se trouvait parmi les papiers retranchés, il nous a paru préférable de donner le fragment dans son intégralité à la place où il figure partiellement dans les Copies.

2. *La numérotation des fragments*

Il ne nous a pas paru légitime de séparer les textes portés par le même papier. Les éditions précédentes procédaient à des découpages souvent explicables, mais plus souvent encore arbitraires. Ainsi se trouvent regroupés dans cette édition des textes que l'on avait pris l'habitude de considérer comme autonomes. Cela entraîne une numérotation nouvelle des fragments; une table de concordance avec les éditions Brunschvicg, Lafuma et Tourneur-Anzieu, à la fin du second volume, permettra de retrouver facilement les passages dont on aurait la référence à l'une de ces éditions; une seconde table de concordance permettra la démarche inverse.

3. *Établissement du texte*

Le texte des fragments conservés par le Recueil original a été établi sur les autographes; l'examen des manuscrits conduit à préférer souvent les lectures de Tourneur à celles de Lafuma, et il nous est arrivé d'en proposer de nouvelles, mais seulement dans les cas où tout ce que l'on avait proposé auparavant était incompatible avec la graphie de Pascal. Une nouvelle collation des Copies a permis, pour les fragments qui ne sont conservés que par elles, de corriger plusieurs erreurs que se transmettaient les éditeurs.

Les mots, ou parfois les lettres, qu'il a paru nécessaire d'ajouter au texte parce qu'il y avait inadvertance évidente de Pascal ou que le manuscrit avait été mutilé sont signalés par des crochets obliques (⟨ ⟩).

Une édition vraiment complète des *Pensées* devrait donner tous les mots rayés par Pascal et, pour les passages surchargés de corrections, tous les états successifs du texte. L'état dernier, ne pouvant pas être considéré comme l'état définitif, doit être senti comme une étape de la trajectoire créatrice de l'écrivain. Mais, pour fournir un texte facilement lisible tout en indiquant les états successifs du texte, il aurait fallu grossir le volume plus que ne le permettent les impératifs de la collection. Cette édition complète fait d'ailleurs partie de nos projets. Toutefois, la présente édition donne, outre tout ce qui n'est pas rayé, un certain nombre de passages raturés, lorsqu'ils pouvaient être insérés à leur place dans le texte sans gêner la lecture. Ils sont signalés par des crochets droits ([ ]). Le crochet ouvrant est répété en tête de chaque paragraphe rayé, mais le crochet fermant est omis à la fin des paragraphes qui ont été rayés par Pascal en même temps que la suite du texte.

Les notes marginales de Pascal à son propre texte auraient nui à la continuité de la lecture si elles y avaient été insérées suivant l'usage habituel des éditeurs. Elles sont données ici en bas de page, et des appels de notes en lettres indiquent le passage auquel elles se rapportent.

L'orthographe de Pascal est variable et archaïque, et son écriture est rarement assez lisible pour qu'il soit possible de la reconstituer vraiment; sa ponctuation est presque inexistante. Pour toutes ces raisons, et pour le confort du lecteur, il était nécessaire d'adopter l'usage contemporain, tant pour la ponctuation que pour l'orthographe.

Il arrive très souvent que Pascal sépare deux remarques, deux notes ou deux paragraphes par une amorce de trait; à cette amorce de trait sur le manuscrit correspond ici un interligne plus large.

4. *L'annotation*

Dans l'établissement des notes, les commentaires qui chercheraient à imposer une interprétation personnelle de l'éditeur ont été, on l'espère, réduits au minimum. Outre quelques éclaircissements historiques, on y trouvera surtout des citations. Dans le cas des notes effectivement utilisées par Pascal pour les *Provinciales* ou les *Écrits des curés de Paris,* il a semblé intéressant de montrer ce qu'elles devenaient dans la rédaction définitive. De très nombreux fragments sont des notes de lecture; beaucoup d'autres révèlent, dans leur originalité même, les réactions, favorables ou défavorables, de Pascal à une idée rencontrée au cours d'une conversation ou d'une lecture. Chaque fois qu'il a été possible de repérer avec une probabilité raisonnable les passages qui ont vraisemblablement servi de point de départ ou de catalyseur à la réflexion de Pascal, ils ont été signalés. Nous avons écarté, parmi les rapprochements proposés par les éditions précédentes, ceux que justifiait une simple possibilité d'influence, tout en introduisant de nouveaux éléments de comparaison. L'inventaire est certainement incomplet pourtant, puisqu'on ne connaît pas la liste des livres lus par Pascal. Et il y a ceux qu'il n'a pas lus lui-même, et qui ont pourtant exercé sur lui une influence, par l'intermédiaire des conversations.

La Bible est citée d'après *La Sainte Bible contenant le Vieil*

*et Nouveau Testament, traduite en français selon la vulgaire
édition latine, et version des Docteurs de Louvain,* Rouen,
David et Pierre Geoffroy, 1648. Si ce n'est pas l'édition
même dont s'est servi Pascal, elle en est certainement très
proche.

Les *Essais* de Montaigne sont cités d'après l'édition de
Pierre Michel, Paris, Gallimard, « Folio », 1965, 3 vol. Les
différences avec l'édition de 1652, dont se servait Pascal, ont
été signalées.

La Sagesse de Pierre Charron est citée d'après l'édition
de 1836 (Paris, Lefèvre).

Pour Pascal, les œuvres composées jusqu'en 1654 sont
citées d'après Pascal, *Œuvres complètes,* éd. Mesnard, Paris,
Desclée de Brouwer, 1964... Les *Provinciales* et les autres
écrits polémiques, d'après l'édition Cognet, Paris, Garnier,
1965. Les *Écrits sur la grâce,* d'après l'édition des *Œuvres
complètes* par Jacques Chevalier, Paris, Gallimard, « Bibl. de
la Pléiade », 1954.

CHRONOLOGIE

1623. – 19 juin : naissance de Blaise Pascal, fils d'Étienne Pascal et d'Antoinette Begon, à Clermont en Auvergne. Gilberte, la sœur aînée de Pascal, était née en 1620.

1625. – 5 octobre : naissance de Jacqueline, sœur cadette de Pascal.

1626. – Mort d'Antoinette Begon.

1631. Novembre : Étienne Pascal et ses trois enfants quittent Clermont pour Paris.

1632. – 1ᵉʳ janvier : la famille Pascal s'installe rue de la Tixanderie, non loin de l'Hôtel de Ville.

1634. 16 avril : les Pascal s'établissent rue Neuve-Saint-Lambert, paroisse de Saint-Sulpice.

1635. Pascal retrouve seul la trente-deuxième proposition d'Euclide; dès lors, il est admis aux réunions de l'académie Mersenne.

   24 juin : les Pascal s'établissent rue Brisemiche, près de Saint-Merry.

1638. 24 mars : manifestation pour protester contre le non-paiement des rentes sur l'Hôtel de Ville; Étienne Pascal doit se cacher pour éviter d'être mis à la Bastille.

1639. 3 avril : après une représentation de *L'Amour tyrannique* de Scudéry où elle jouait le rôle de Cassandre, devant Richelieu et la duchesse d'Aiguillon, Jacqueline Pascal obtient du cardinal le retour de son père.

   Automne : Étienne Pascal est nommé commissaire en Normandie pour le prélèvement de l'impôt.

1640. Janvier : Étienne Pascal arrive à Rouen, où ses enfants le rejoindront au printemps.

   Février : *Essai pour les coniques.*

1641. 13 juin : mariage de Florin Périer et Gilberte Pascal, en l'église Sainte-Croix-Saint-Ouen.

1642. – Pascal commence à travailler à sa machine d'arithmétique.

1645. – Mise au point définitive de la machine d'arithmétique et *Lettre dédicatoire à Monseigneur le Chancelier sur le sujet de la machine nouvellement inventée par le sieur B. P.*

1646. – Janvier : Étienne Pascal tombe sur la glace et se démet la cuisse. Il est soigné par les frères Deschamps, qui font lire à Blaise Pascal des ouvrages de piété émanant de Port-Royal et le conduisent à sa « première conversion ».

Automne : avec son père et Pierre Petit, Pascal répète l'expérience de Torricelli ; début des recherches sur le vide.

1647. – Janvier-février : réalisation d'une série d'expériences sur le vide à la Verrerie de Rouen. Controverse avec Jacques Forton, sieur de Saint-Ange, que Pascal et ses amis Hallé de Monflaines et Auzoult accusent de soutenir des thèses proches de l'hérésie.

Été : Pascal, malade depuis quelques mois, revient à Paris, accompagné de sa sœur Jacqueline.

23-24 septembre : visites de Descartes à Pascal.

Octobre : *Expériences nouvelles touchant le vide.*

29 octobre : lettre de Pascal au P. Noël.

15 novembre : lettre de Pascal à Florin Périer pour lui demander de réaliser l'expérience du puy de Dôme.

1648. – 26 janvier : lettre de Pascal à sa sœur Gilberte sur ses entretiens avec M. de Rebours.

Février : lettre à Le Pailleur.

19 septembre : Florin Périer réalise l'expérience du puy de Dôme.

1er octobre : Étienne, Blaise et Jacqueline Pascal s'établissent rue de Touraine, dans le quartier du Marais.

Automne : *Récit de la grande expérience de l'équilibre des liqueurs.*

1649. – Mai : les Pascal, fuyant les troubles de la Fronde, vont habiter chez les Périer, à Clermont.

1650. – Novembre : les Pascal reviennent à Paris.

1651. – Juillet-août : lettres de Pascal à M. de Ribeyre, où il indique qu'il achève un *Traité du vide*, dont ne restent qu'une préface et quelques fragments.

24 septembre : mort d'Étienne Pascal.

17 octobre : lettre de Pascal sur la mort de son père.

25 décembre : Blaise et Jacqueline Pascal s'installent rue Beaubourg.

1652. – 4 janvier Jacqueline entre à Port-Royal de Paris, malgré les réticences de son frère.

26 mai prise d'habit de Jacqueline, en religion sœur Jacqueline de Sainte-Euphémie.

Juin : *Lettre à la reine Christine de Suède.*
Fin octobre : Pascal quitte Paris pour Clermont.

1653. Fin mai : retour de Pascal à Paris. Démêlés avec Jacqueline à propos de la constitution de sa dot de religieuse.

5 juin : profession religieuse de Jacqueline à Port-Royal de Paris.

Été · débuts de l'amitié de Pascal et du duc de Roannez, rencontre de Méré et de Mitton.

1654. Printemps : *Adresse à l'illustre Académie parisienne de mathématiques* et *Traités de l'équilibre des liqueurs et de la pesanteur de la masse de l'air.*

Juillet-août : *Traité du triangle arithmétique* et correspondance avec Fermat sur la « règle des partis ».

1er octobre : Pascal s'installe rue des Francs-Bourgeois-Saint-Michel (aujourd'hui le 54 de la rue Monsieur-le-Prince) ; ce sera son dernier domicile.

23 novembre : nuit du *Mémorial,* qui marque la « seconde conversion » de Pascal.

1655. – Janvier : Pascal séjourne à Port-Royal-des-Champs avec les solitaires, pendant environ trois semaines ; date probable où se serait tenu l'*Entretien avec M. de Saci.*

Écrit sur la conversion du pécheur, Le Mystère de Jésus, Abrégé de la vie de Jésus-Christ (?), *Comparaison des chrétiens des premiers temps avec ceux d'aujourd'hui* (?), *Infini rien* (le pari).

1656. Janvier : retraite de Pascal aux Granges de Port-Royal-des-Champs ; il s'engage dans la polémique des *Provinciales.*

23 janvier : *Lettre écrite à un provincial par un de ses amis, sur le sujet des disputes présentes de la Sorbonne.*

24 mars : guérison miraculeuse de Marguerite Périer.

Automne : notes sur les miracles, lettres à Mlle de Roannez.

1657. – 23 janvier : dix-septième *Provinciale.*

24 mars : dix-huitième *Provinciale.*

1er juin : *Lettre d'un avocat au Parlement.*

Réflexions sur la géométrie en général (?).

6 septembre : mise à l'*Index* des *Provinciales.*

Écrits sur la grâce (?).

1658. 25 janvier : *Factum pour les curés de Paris* (Premier écrit).

2 avril : *Second Écrit des curés de Paris.*

11 juin : *Cinquième Écrit des curés de Paris.*

Projet de mandement contre l'Apologie pour les casuistes.

Constitution des liasses classées des *Pensées* et conférence à Port-Royal pour y exposer le plan de l'apologie en chantier.

24 juillet : *Sixième Écrit des curés de Paris*.
Juin-décembre : lettres et traités relatifs à la roulette ou cycloïde.

1659. – Février : *Lettre sur la dimension des lignes courbes*.
Début de la maladie de langueur de Pascal.
Novembre : *Prière pour demander à Dieu le bon usage des maladies*.

1660. – Mai-septembre : séjour chez les Périer, au château de Bien-Assis près de Clermont. L'état de Pascal s'améliore.
Novembre : *Trois discours sur la condition des grands*.

1661. – Été : *Écrit sur la signature du formulaire*.
4 octobre : mort de Jacqueline.
Pascal se retire de toutes les controverses.

1662. – Janvier-mars : Pascal organise les carrosses à cinq sols, premier système urbain de transports en commun.
29 juin : Pascal, très gravement malade, se fait transporter chez les Périer, rue des Fossés-Saint-Marcel, sur la paroisse Saint-Étienne-du-Mont.
3 août : testament de Pascal.
17 août : Pascal reçoit les derniers sacrements.
19 août : mort de Pascal, à une heure du matin.
21 août : enterrement de Pascal, inhumé en l'église Saint-Étienne-du-Mont.

1670. – Janvier : publication de la première édition des *Pensées*.

INDICATIONS BIBLIOGRAPHIQUES

Éditions

Pour les *Œuvres complètes,* l'édition de référence reste celle de Léon BRUNSCHVICG, Pierre BOUTROUX et Félix GAZIER (Paris, Hachette, 1904-1914, 14 vol.); elle est encore très utile, à l'exception des trois volumes des *Pensées,* excessivement vieillis et dépassés, aussi longtemps que ne sera pas achevée la publication de l'édition de Jean MESNARD (Paris, Desclée de Brouwer; t. I, 1964; t. II, vol. I, 1970; il reste encore au moins quatre volumes à paraître).

Pour les *Provinciales* et les *Écrits des curés de Paris,* la meilleure édition est celle de Louis COGNET (Paris, Garnier, 1965), mais l'exceptionnelle qualité du commentaire n'empêche pas de regretter qu'on y donne le texte de 1659, et non le texte original de 1656-1657.

Il existe deux éditions des *Pensées* qui respectent l'ordre de la Première Copie et donnent les textes raturés : celle de Louis LAFUMA (Paris, Éditions du Luxembourg, 1952, 3 vol. : I, Texte; II, Notes; III, Documents; il faut éviter le tirage de 1951, défiguré par de nombreuses coquilles) et celle de Zacharie TOURNEUR et Didier ANZIEU (Paris, Colin, 1960, 2 vol.). Philippe SELLIER adopte l'ordre de la Seconde Copie (Paris, Mercure de France, 1976).

Le Manuscrit des Pensées de Pascal, 1662 (Paris, Les Libraires associés, 1962), présente les fac-similés des fragments autographes dans l'ordre de la Première Copie. Leur lecture est facilitée par l'édition paléographique des *Pensées,* établie par Zacharie TOURNEUR (Paris, Vrin, 1942).

Le texte de l'édition de Port-Royal des *Pensées* (1670) a été publié par Georges COUTON et Jean JEHASSE (Saint-Étienne, Centre interuniversitaire d'éditions et de rééditions, 1971).

Études générales sur Pascal

L'étude d'ensemble la plus commode est le *Pascal* de Jean MESNARD

(Paris, Hatier, « « Connaissance des lettres », 5ᵉ éd., 1967); on la complétera par trois ouvrages collectifs :

Blaise Pascal, l'homme et l'œuvre, Cahiers de Royaumont, Philosophie nº 1, Paris, Éditions de Minuit, 1956.
Pascal présent, Clermont-Ferrand, Bussac, 2ᵉ éd., 1963.
Pascal, textes du tricentenaire, Paris, Fayard, 1963.

Voir aussi Pierre HUMBERT, *L'Œuvre scientifique de Blaise Pascal*, Paris, Albin Michel, 1947.

Le meilleur livre sur Pascal paru au cours de ces dernières années est celui d'Henri GOUHIER, *Blaise Pascal, commentaires*, Paris, Vrin, 1966.

Langue et style

Michel JUNGO, *Le Vocabulaire de Pascal étudié dans les fragments pour une apologie*, Paris, d'Artrey, 1950.
Jean-Jacques DEMOREST, *Dans Pascal, essai en partant de son style*, Paris, Éditions de Minuit, 1953.
Patricia TOPLISS, *The Rhetoric of Pascal*, Leicester University Press, 1966.
Michel LE GUERN, *L'Image dans l'œuvre de Pascal*, Paris, Colin, 1969.

Les sources de Pascal

J. LHERMET, *Pascal et la Bible*, Paris, Vrin, 1931.
JULIEN-EYMARD D'ANGERS, *Pascal et ses précurseurs*, Paris, Nouvelles Éditions latines, 1954.
Philippe SELLIER, *Pascal et la liturgie*, Paris, P.U.F., 1966.
Philippe SELLIER, *Pascal et saint Augustin*, Paris, Colin, 1970.
Michel LE GUERN, *Pascal et Descartes*, Paris, Nizet, 1971
Bernard CROQUETTE, *Pascal et Montaigne*, Genève, Droz, 1974.

Études particulières sur les Pensées

Sur l'histoire de la composition et l'histoire du texte, voir Louis LAFUMA, *Histoire des Pensées de Pascal (1656-1952)*, Paris, Éditions du Luxembourg, 1954, ainsi que Jean MESNARD, « Aux origines de l'édition des *Pensées* : les deux Copies », dans *Les Pensées de Pascal ont trois cents ans*, Clermont-Ferrand, Bussac, 1971.

Sur l'interprétation des *Pensées*, voir :

Roger-E. LACOMBE, *L'Apologétique de Pascal, étude critique*, Paris, P.U.F., 1958.

Pol ERNST, *Approches pascaliennes*, Gembloux, Duculot, 1970.

Marie-Rose et Michel LE GUERN, *Les Pensées de Pascal, de l'anthropologie à la théologie*, Paris, Larousse, « Thèmes et textes », 1972.

Jean MESNARD, *Les Pensées de Pascal*, Paris, S.E.D.E.S., 1976.

Bibliographie

Albert MAIRE, *Bibliographie générale des œuvres de Blaise Pascal*, Paris, Giraud-Badin, 1925-1927, 5 vol.

Voir aussi la bibliographie chronologique publiée en appendice à la thèse de Raymond FRANCIS, *Les Pensées de Pascal en France de 1842 à 1942*, Paris, Nizet, 1959.

PRÉFACE ⟨DE L'ÉDITION
DE PORT-ROYAL⟩

CONTENANT DE QUELLE MANIÈRE CES PENSÉES ONT ÉTÉ ÉCRITES
ET RECUEILLIES; CE QUI EN A FAIT RETARDER L'IMPRESSION;
QUEL ÉTAIT LE DESSEIN DE MONSIEUR PASCAL DANS CET
OUVRAGE; ET DE QUELLE SORTE IL A PASSÉ LES DERNIÈRES
ANNÉES DE SA VIE [1].

Monsieur Pascal ayant quitté fort jeune l'étude des
mathématiques, de la physique et des autres sciences
profanes, dans lesquelles il avait fait un si grand progrès qu'il
y a eu assurément peu de personnes qui aient pénétré plus
avant que lui dans les manières particulières qu'il en a
traitées, il commença vers la trentième année de son âge à
s'appliquer à des choses plus sérieuses et plus relevées, et à
s'adonner uniquement, autant que sa santé le put permettre,
à l'étude de l'Écriture, des Pères et de la morale chrétienne [2].
Mais quoiqu'il n'ait pas moins excellé dans ces sortes de
sciences qu'il avait fait dans les autres, comme il l'a bien fait
paraître par des ouvrages qui passent pour assez achevés en
leur genre, on peut dire néanmoins que, si Dieu eût permis
qu'il eût travaillé quelque temps à celui qu'il avait dessein de

faire sur la Religion, et auquel il voulait employer tout le reste de sa vie, cet ouvrage eût beaucoup surpassé tous les autres qu'on a vus de lui ; parce qu'en effet les vues qu'il avait sur ce sujet étaient infiniment au-dessus de celles qu'il avait sur toutes les autres choses.

Je crois qu'il n'y aura personne qui n'en soit facilement persuadé en voyant seulement le peu que l'on en donne à présent, quelque imparfait qu'il paraisse, et principalement sachant la manière dont il y a travaillé, et toute l'histoire du recueil qu'on en a fait. Voici comment tout cela s'est passé.

Monsieur Pascal conçut le dessein de cet ouvrage plusieurs années avant sa mort ; mais il ne faut pas néanmoins s'étonner s'il fut si longtemps sans en rien mettre par écrit ; car il avait toujours accoutumé de songer beaucoup aux choses et de les disposer dans son esprit avant que de les produire au dehors, pour bien considérer et examiner avec soin celles qu'il fallait mettre les premières ou les dernières, et l'ordre qu'il leur devait donner à toutes, afin qu'elles pussent faire l'effet qu'il désirait. Et comme il avait une mémoire excellente, et qu'on peut dire même prodigieuse, en sorte qu'il a souvent assuré qu'il n'avait jamais rien oublié de ce qu'il avait une fois bien imprimé dans son esprit ; lorsqu'il s'était ainsi quelque temps appliqué à un sujet, il ne craignait pas que les pensées qui lui étaient venues lui pussent jamais échapper ; et c'est pourquoi il différait assez souvent de les écrire, soit qu'il n'en eût pas le loisir, soit que sa santé, qui a presque toujours été languissante et imparfaite, ne fût pas assez forte pour lui permettre de travailler avec application.

C'est ce qui a été cause que l'on a perdu à sa mort la plus grande partie de ce qu'il avait déjà conçu touchant son dessein. Car il n'a presque rien écrit des principales raisons dont il voulait se servir, des fondements sur lesquels il prétendait appuyer son ouvrage, et de l'ordre qu'il voulait y garder ; ce qui était assurément très considérable. Tout cela était tellement gravé dans son esprit et dans sa mémoire qu'ayant négligé de l'écrire lorsqu'il l'aurait peut-être pu faire, il se trouva, lorsqu'il l'aurait bien voulu, hors d'état d'y pouvoir du tout travailler.

Il se rencontra néanmoins une occasion, il y a environ dix ou douze ans, en laquelle on l'obligea, non pas d'écrire ce qu'il avait dans l'esprit sur ce sujet-là, mais d'en dire quelque chose de vive voix [3]. Il le fit donc en présence et à la prière de plusieurs personnes très considérables de ses amis. Il leur développa en peu de mots le plan de tout son ouvrage; il leur représenta ce qui en devait faire le sujet et la matière; il leur en rapporta en abrégé les raisons et les principes, et il leur expliqua l'ordre et la suite des choses qu'il y voulait traiter. Et ces personnes, qui sont aussi capables qu'on le puisse être de juger de ces sortes de choses, avouent qu'elles n'ont jamais rien entendu de plus beau, de plus fort, de plus touchant, ni de plus convaincant; qu'elles en furent charmées; et que ce qu'elles virent de ce projet et de ce dessein dans un discours de deux ou trois heures, fait ainsi sur-le-champ et sans avoir été prémédité ni travaillé, leur fit juger ce que ce pourrait être un jour, s'il était jamais exécuté et conduit à sa perfection par une personne dont elles connaissaient la force et la capacité, qui avait accoutumé de tant travailler tous ses ouvrages, qui ne se contentait presque jamais de ses premières pensées, quelque bonnes qu'elles parussent aux autres, et qui a refait souvent jusqu'à huit ou dix fois des pièces que tout autre que lui trouvait admirables dès la première.

Après qu'il leur eut fait voir quelles sont les preuves qui font le plus d'impression sur l'esprit des hommes, et qui sont les plus propres à les persuader, il entreprit de montrer que la Religion chrétienne avait autant de marques de certitude et d'évidence que les choses qui sont reçues dans le monde pour les plus indubitables.

Pour entrer dans ce dessein, il commença d'abord par une peinture de l'homme, où il n'oublia rien de tout ce qui le pouvait faire connaître et au dedans et au dehors de lui-même, jusqu'aux plus secrets mouvements de son cœur. Il supposa ensuite un homme qui, ayant toujours vécu dans une ignorance générale, et dans l'indifférence à l'égard de toutes choses, et surtout à l'égard de soi-même, vient enfin à se considérer dans ce tableau, et à examiner ce qu'il est. Il est surpris d'y découvrir une infinité de choses auxquelles il n'a jamais pensé; et il ne saurait remarquer sans étonnement et sans admiration tout ce que Monsieur Pascal lui fait sentir de sa grandeur et de sa bassesse, de ses avantages et de ses faiblesses, du peu de lumières qui lui reste, et des ténèbres qui l'environnent presque de toutes parts; et enfin de toutes les contrariétés étonnantes qui se trouvent dans sa nature. Il ne peut plus après cela demeurer dans l'indifférence, s'il a tant soit peu de raison; et quelque insensible qu'il ait été jusqu'alors, il doit souhaiter, après avoir ainsi connu ce qu'il est, de connaître aussi d'où il vient et ce qu'il doit devenir.

Monsieur Pascal, l'ayant mis dans cette disposition de chercher à s'instruire sur un doute si important, il l'adresse premièrement aux philosophes; et c'est là qu'après lui avoir développé tout ce que les plus grands philosophes de toutes les sectes ont dit sur le sujet de l'homme, il lui fait observer tant de défauts, tant de faiblesses, tant de contradictions et tant de faussetés dans tout ce qu'ils en ont avancé, qu'il n'est pas difficile à cet homme de juger que ce n'est pas là où il s'en doit tenir.

Il lui fait ensuite parcourir tout l'univers et tous les âges, pour lui faire remarquer une infinité de religions qui s'y rencontrent; mais il lui fait voir en même temps, par des raisons si fortes et si convaincantes, que toutes ces religions ne sont remplies que de vanité, que de folies, que d'erreurs, que d'égarements et d'extravagances, qu'il n'y trouve rien encore qui le puisse satisfaire.

Enfin il lui fait jeter les yeux sur le peuple juif, et il lui en fait observer des circonstances si extraordinaires qu'il attire facilement son attention. Après lui avoir représenté tout ce que ce peuple a de singulier, il s'arrête particulièrement à lui faire remarquer un livre unique par lequel il se gouverne, et qui comprend tout ensemble son histoire, sa loi et sa religion. A peine a-t-il ouvert ce livre qu'il y apprend que le monde est l'ouvrage d'un Dieu et que c'est ce même Dieu qui a créé l'homme à son image, et qui l'a doué de tous les avantages du corps et de l'esprit qui convenaient à cet état. Quoiqu'il n'ait rien encore qui le convainque de cette vérité, elle ne laisse pas de lui plaire, et la raison seule suffit pour lui faire trouver plus de vraisemblance dans cette supposition qu'un Dieu est l'auteur des hommes et de tout ce qu'il y a dans l'univers, que dans tout ce que ces mêmes hommes se sont imaginé par leurs propres lumières. Ce qui l'arrête en cet endroit est de voir, par la peinture qu'on lui a faite de l'homme, qu'il est bien éloigné de posséder tous ces avantages qu'il a dû avoir lorsqu'il est sorti des mains de son auteur. Mais il ne demeure pas longtemps dans ce doute, car dès qu'il poursuit la lecture de ce même livre, il y trouve qu'après que l'homme eut été créé de Dieu dans l'état d'innocence et avec toutes sortes de perfections, la première action qu'il fit fut de se révolter contre son Créateur, et d'employer tous les avantages qu'il en avait reçus pour l'offenser.

Monsieur Pascal lui fait alors comprendre que ce crime ayant été le plus grand de tous les crimes en toutes ses circonstances, il avait été puni non seulement dans ce premier homme, qui, étant déchu par là de son état, tomba tout d'un coup dans la misère, dans la faiblesse, dans l'erreur et dans l'aveuglement; mais encore dans tous ses descendants, à qui ce même homme a communiqué et communiquera encore sa corruption dans toute la suite des temps.

Il lui fait ensuite parcourir divers endroits de ce livre où il a découvert cette vérité. Il lui fait prendre garde qu'il n'y est plus parlé de l'homme que par rapport à cet état de faiblesse et de désordre; qu'il y est dit souvent que toute chair est corrompue, que les hommes sont abandonnés à leurs sens, et qu'ils ont une pente au mal dès leur naissance. Il lui fait voir encore que cette première chute est la source, non seulement de tout ce qu'il y a de plus incompréhensible dans la nature de l'homme, mais aussi d'une infinité d'effets qui sont hors de lui, et dont la cause lui est inconnue. Enfin il lui représente l'homme si bien dépeint dans tout ce livre, qu'il ne lui paraît plus différent de la première page qu'il lui en a tracée.

Ce n'est pas assez d'avoir fait connaître à cet homme son état plein de misère; Monsieur Pascal lui apprend encore qu'il trouvera dans ce même livre de quoi se consoler. Et en effet, il lui fait remarquer qu'il y est dit que le remède est entre les mains de Dieu; que c'est à lui que nous devons recourir pour avoir les forces qui nous manquent; qu'il se laissera fléchir, et qu'il enverra même un libérateur aux hommes, qui satisfera pour eux, et qui réparera leur impuissance.

Après qu'il lui a expliqué un grand nombre de remarques très particulières sur le livre de ce peuple, il lui fait encore considérer que c'est le seul qui ait parlé dignement de l'Être souverain, et qui ait donné l'idée d'une véritable Religion. Il lui en fait concevoir les marques les plus sensibles qu'il applique à celles que ce livre a enseignées; et il lui fait faire une attention particulière sur ce qu'elle fait consister l'essence de son culte dans l'amour du Dieu qu'elle adore; ce qui est un caractère tout singulier, et qui la distingue visiblement de toutes les autres religions, dont la fausseté paraît par le défaut de cette marque si essentielle.

Quoique Monsieur Pascal, après avoir conduit si avant cet homme qu'il s'était proposé de persuader insensiblement, ne lui ait encore rien dit qui le puisse convaincre des vérités qu'il lui a fait découvrir, il l'a mis néanmoins dans la disposition de les recevoir avec plaisir, pourvu qu'on puisse lui faire voir qu'il doit s'y rendre, et de souhaiter même de tout son cœur qu'elles soient solides et bien fondées, puisqu'il y trouve de si grands avantages pour son repos et pour l'éclaircissement de ses doutes. C'est aussi l'état où devrait être tout homme raisonnable, s'il était une fois bien entré dans la suite de toutes les choses que Monsieur Pascal vient de représenter, et il y a sujet de croire qu'après cela il se rendrait facilement à toutes les preuves qu'il apporta ensuite pour confirmer la certitude et l'évidence de toutes ces vérités importantes dont il avait parlé, et qui font le fondement de la Religion chrétienne, qu'il avait dessein de persuader.

Pour dire en peu de mots quelque chose de ces preuves, après qu'il eut montré en général que les vérités dont il s'agissait étaient contenues dans un livre de la certitude duquel tout homme de bon sens ne pouvait douter, il s'arrêta principalement au livre de Moïse, où ces vérités sont particulièrement répandues, et il fit voir, par un très grand nombre de circonstances indubitables, qu'il était également impossible que Moïse eût laissé par écrit des choses fausses, ou que le peuple à qui il les avait laissées s'y fût laissé tromper, quand même Moïse aurait été capable d'être fourbe.

Il parla aussi de tous les grands miracles qui sont rapportés dans ce livre; et comme ils sont d'une grande conséquence pour la Religion qui y est enseignée, il prouva qu'il n'était pas possible qu'ils ne fussent vrais, non seulement par l'autorité du livre où ils sont contenus, mais encore par toutes les circonstances qui les accompagnent, et qui les rendent indubitables.

Il fit voir encore de quelle manière toute la loi de Moïse était figurative : que tout ce qui était arrivé aux Juifs n'avait été que la figure des vérités accomplies à la venue du Messie, et que, le voile qui couvrait ces figures ayant été levé, il était aisé d'en voir l'accomplissement et la consommation parfaite en faveur de ceux qui ont reçu Jésus-Christ.

Monsieur Pascal entreprit ensuite de prouver la vérité de la Religion par les prophéties; et ce fut sur ce sujet qu'il s'étendit beaucoup plus que sur les autres. Comme il avait beaucoup travaillé là-dessus, et qu'il y avait des vues qui lui étaient toutes particulières, il les expliqua d'une manière fort intelligible; il en fit voir le sens et la suite avec une facilité merveilleuse; et il les mit dans tout leur jour et dans toute leur force.

Enfin, après avoir parcouru les livres de l'Ancien Testament, et fait encore plusieurs observations convaincantes pour servir de fondements et de preuves à la vérité de la Religion, il entreprit encore de parler du Nouveau Testament, et de tirer ses preuves de la vérité même de l'Évangile.

Il commença par Jésus-Christ; et quoiqu'il l'eût déjà prouvé invinciblement par les prophéties et par toutes les figures de la loi dont on voyait en lui l'accomplissement parfait, il apporta encore beaucoup de preuves tirées de sa personne même, de ses miracles, de sa doctrine et des circonstances de sa vie.

Il s'arrêta ensuite sur les apôtres; et pour faire voir la vérité de la foi qu'ils ont publiée hautement partout, après avoir établi qu'on ne pouvait les accuser de fausseté qu'en supposant ou qu'ils avaient été des fourbes, ou qu'ils avaient été trompés eux-mêmes, il fit voir clairement que l'une et l'autre de ces suppositions étaient également impossibles.

Enfin il n'oublia rien de tout ce qui pouvait servir à la

vérité de l'histoire évangélique, faisant de très belles remarques sur l'Évangile même, sur le style des évangélistes, et sur leurs personnes; sur les apôtres en particulier, et sur leurs écrits; sur le nombre prodigieux de miracles; sur les martyrs; sur les saints; en un mot, sur toutes les voies par lesquelles la Religion chrétienne s'est entièrement établie. Et quoiqu'il n'eût pas le loisir, dans un simple discours, de traiter au long une si vaste matière, comme il avait dessein de faire dans son ouvrage, il en dit néanmoins assez pour convaincre que tout cela ne pouvait être l'ouvrage des hommes, et qu'il n'y avait que Dieu seul qui eût pu conduire l'événement de tant d'effets différents qui concourent tous également à prouver d'une manière invincible la Religion qu'il est venu lui-même établir parmi les hommes.

Voilà en substance les principales choses dont il entreprit de parler dans tout ce discours, qu'il ne proposa à ceux qui l'entendirent que comme l'abrégé du grand ouvrage qu'il méditait, et c'est par le moyen d'un de ceux qui y furent présents qu'on a su depuis le peu que je viens d'en rapporter.

On verra parmi les fragments que l'on donne au public quelque chose de ce grand dessein de Monsieur Pascal, mais on y en verra bien peu; et les choses mêmes que l'on y trouvera sont si imparfaites, si peu étendues et si peu digérées qu'elles ne peuvent donner qu'une idée très grossière de la manière dont il avait envie de les traiter.

Au reste, il ne faut pas s'étonner si, dans le peu qu'on en donne, on n'a pas gardé son ordre et sa suite pour la distribution des matières. Comme on n'avait presque rien qui se suivît, il eût été inutile de s'attacher à cet ordre; et l'on s'est contenté de les disposer à peu près en la manière qu'on a jugée être plus propre et plus convenable à ce que l'on en avait. On espère même qu'il y aura peu de personnes qui, après avoir bien conçu une fois le dessein de Monsieur Pascal, ne suppléent d'elles-mêmes au défaut de cet ordre, et

qui, en considérant avec attention les diverses matières
répandues dans ces fragments, ne jugent facilement où elles
doivent être rapportées suivant l'idée de celui qui les avait
écrites.

Si l'on avait seulement ce discours-là par écrit tout au long
et en la manière qu'il fut prononcé, l'on aurait quelque sujet
de se consoler de la perte de cet ouvrage, et l'on pourrait dire
qu'on en aurait au moins un petit échantillon, quoique fort
imparfait. Mais Dieu n'a pas permis qu'il nous ait laissé ni
l'un ni l'autre. Car peu de temps après il tomba malade d'une
maladie de langueur et de faiblesse qui dura les quatre
dernières années de sa vie, et qui, quoiqu'elle parût fort peu
au dehors, et qu'elle ne l'obligeât pas de garder le lit ni la
chambre, ne laissait pas de l'incommoder beaucoup, et de le
rendre presque incapable de s'appliquer à quoi que ce fût :
de sorte que le plus grand soin et la principale occupation de
ceux qui étaient auprès de lui étaient de le détourner d'écrire,
et même de parler de tout ce qui demandait quelque
application et quelque contention d'esprit, et de ne l'entretenir que de choses indifférentes et incapables de le fatiguer.

C'est néanmoins pendant ces quatre années de langueur et
de maladie qu'il a fait et écrit tout ce que l'on a de lui de cet
ouvrage qu'il méditait, et tout ce que l'on en donne au
public[4]. Car, quoiqu'il attendît que sa santé fût entièrement
rétablie pour y travailler tout de bon, et pour écrire les
choses qu'il avait déjà digérées et disposées dans son esprit;
cependant, lorsqu'il lui survenait quelques nouvelles pensées,
quelques vues, quelques idées, ou même quelque tour et
quelques expressions qu'il prévoyait lui pouvoir un jour
servir pour son dessein, comme il n'était pas alors en état de
s'y appliquer aussi fortement qu'il faisait quand il se portait
bien, ni de les imprimer dans son esprit et dans sa mémoire,
il aimait mieux en mettre quelque chose par écrit pour ne le
pas oublier; et pour cela il prenait le premier morceau de

papier qu'il trouvait sous sa main[5], sur lequel il mettait sa pensée en peu de mots, et fort souvent même seulement à demi-mot; car il ne l'écrivait que pour lui; et c'est pourquoi il se contentait de le faire fort légèrement, pour ne se pas fatiguer l'esprit, et d'y mettre seulement les choses qui étaient nécessaires pour le faire ressouvenir des vues et des idées qu'il avait.

C'est ainsi qu'il a fait la plupart des fragments qu'on trouvera dans ce recueil; de sorte qu'il ne faut pas s'étonner s'il y en a quelques-uns qui semblent assez imparfaits, trop courts et trop peu expliqués, et dans lesquels on peut même trouver des termes et des expressions moins propres et moins élégantes. Il arrivait néanmoins quelquefois qu'ayant la plume à la main, il ne pouvait s'empêcher, en suivant son inclination, de pousser ses pensées, et de les étendre un peu davantage, quoique ce ne fût jamais avec la force et l'application d'esprit qu'il aurait pu faire en parfaite santé. Et c'est pourquoi l'on en trouvera aussi quelques-unes plus étendues et mieux écrites, et des chapitres plus suivis et plus parfaits que les autres.

Voilà de quelle manière ont été écrites ces pensées. Et je crois qu'il n'y aura personne qui ne juge facilement par ces légers commencements et par ces faibles essais d'une personne malade, qu'il n'avait écrits que pour lui seul, et pour se remettre dans l'esprit des pensées qu'il craignait de perdre, et qu'il n'a jamais revus ni retouchés, quel eût été l'ouvrage entier, si Monsieur Pascal eût pu recouvrer sa parfaite santé et y mettre la dernière main, lui qui savait disposer les choses dans un si beau jour et un si bel ordre, qui donnait un tour si particulier, si noble et si relevé a tout ce qu'il voulait dire, qui avait dessein de travailler cet ouvrage plus que tous ceux qu'il avait jamais faits, qui y voulait employer toute la force d'esprit et tous les talents que

Dieu lui avait donnés, et duquel il a dit souvent qu'il lui fallait dix ans de santé pour l'achever.

Comme l'on savait le dessein qu'avait Monsieur Pascal de travailler sur la Religion, l'on eut un très grand soin, après sa mort, de recueillir tous les écrits qu'il avait faits sur cette matière. On les trouva tous ensemble enfilés en diverses liasses, mais sans aucun ordre et sans aucune suite, parce que, comme je l'ai déjà remarqué, ce n'était que les premières expressions de ses pensées qu'il écrivait sur de petits morceaux de papier à mesure qu'elles lui venaient dans l'esprit[6]. Et tout cela était si imparfait et si mal écrit qu'on a eu toutes les peines du monde à le déchiffrer.

La première chose que l'on fit fut de les faire copier tels qu'ils étaient, et dans la même confusion qu'on les avait trouvés. Mais lorsqu'on les vit en cet état, et qu'on eut plus de facilité de les lire et de les examiner que dans les originaux, ils parurent d'abord si informes, si peu suivis, et la plupart si peu expliqués, qu'on fut fort longtemps sans penser du tout à les faire imprimer, quoique plusieurs personnes de très grande considération le demandassent souvent avec des instances et des sollicitations fort pressantes; parce que l'on jugeait bien que l'on ne pouvait pas remplir l'attente et l'idée que tout le monde avait de cet ouvrage, dont l'on avait déjà entendu parler, en donnant ces écrits en l'état qu'ils étaient.

Mais enfin on fut obligé de céder à l'impatience et au grand désir que tout le monde témoignait de les voir imprimés. Et l'on s'y porta d'autant plus aisément que l'on crut que ceux qui les liraient seraient assez équitables pour faire le discernement d'un dessein ébauché d'avec une pièce achevée, et pour juger de l'ouvrage par l'échantillon, quelque imparfait qu'il fût. Et ainsi l'on se résolut de les donner au public. Mais, comme il y avait plusieurs manières de l'exécuter, l'on a été quelque temps à se déterminer sur celle que l'on devait prendre.

La première qui vint dans l'esprit, et celle qui était sans doute la plus facile, était de les faire imprimer tout de suite dans le même état qu'on les avait trouvés. Mais l'on jugea bientôt que, de le faire de cette sorte, c'eût été perdre presque tout le fruit qu'on en pouvait espérer ; parce que les pensées plus parfaites, plus suivies, plus claires et plus étendues étant mêlées et comme absorbées parmi tant d'autres imparfaites, obscures, à demi digérées, et quelques-unes même presque inintelligibles à tout autre qu'à celui qui les avait écrites, il y avait tout sujet de croire que les unes feraient rebuter les autres, et que l'on ne considérerait ce volume grossi inutilement de tant de pensées imparfaites que comme un amas confus, sans ordre, sans suite, et qui ne pouvait servir à rien.

Il y avait une autre manière de donner ces écrits au public, qui était d'y travailler auparavant, d'éclaircir les pensées obscures, d'achever celles qui étaient imparfaites, et, en prenant dans tous ces fragments le dessein de Monsieur Pascal, de suppléer en quelque sorte l'ouvrage qu'il voulait faire. Cette voie eût été assurément la plus parfaite ; mais il était aussi très difficile de la bien exécuter. L'on s'y est néanmoins arrêté assez longtemps, et l'on avait en effet commencé à y travailler. Mais enfin l'on s'est résolu de la rejeter aussi bien que la première, parce que l'on a considéré qu'il était presque impossible de bien entrer dans la pensée et dans le dessein d'un auteur, et surtout d'un auteur mort, et que ce n'eût pas été donner l'ouvrage de Monsieur Pascal, mais un ouvrage tout différent.

Ainsi, pour éviter les inconvénients qui se trouvaient dans l'une et l'autre de ces manières de faire paraître ces écrits, l'on en a choisi une entre deux, qui est celle que l'on a suivie dans ce recueil. L'on a pris seulement parmi ce grand nombre de pensées celles qui ont paru les plus claires et les plus achevées; et on les donne telles qu'on les a trouvées sans y rien ajouter ni changer, si ce n'est qu'au lieu qu'elles étaient sans suite, sans liaison, et dispersées confusément de côté et d'autre, on les a mises dans quelque sorte d'ordre, et réduit sous les mêmes titres celles qui étaient sur les mêmes sujets; et l'on a supprimé toutes les autres qui étaient ou trop obscures, ou trop imparfaites.

Ce n'est pas qu'elles ne continssent aussi de très belles choses, et qu'elles ne fussent capables de donner de grandes vues à ceux qui les entendraient bien. Mais comme l'on ne voulait pas travailler à les éclaircir et à les achever, elles eussent été entièrement inutiles en l'état qu'elles sont. Et afin que l'on en ait quelque idée, j'en rapporterai ici seulement une pour servir d'exemple, et par laquelle on pourra juger de toutes les autres que l'on a retranchées. Voici donc quelle est cette pensée, et en quel état on l'a trouvée parmi ces fragments : *Un artisan qui parle des richesses, un procureur qui parle de la guerre, de la royauté, etc. Mais le riche parle bien des richesses, le roi parle froidement d'un grand don qu'il vient de faire, et Dieu parle bien de Dieu*[7].

Il y a dans ce fragment une fort belle pensée; mais il y a peu de personnes qui la puissent voir, parce qu'elle y est expliquée très imparfaitement et d'une manière fort obscure, fort courte et fort abrégée; en sorte que, si on ne lui avait souvent ouï dire de bouche la même pensée, il serait difficile de la reconnaître dans une expression si confuse et si embrouillée. Voici à peu près en quoi elle consiste.

Il avait fait plusieurs remarques très particulières sur le style de l'Écriture, et principalement de l'Évangile, et il y trouvait des beautés que peut-être personne n'avait remarquées avant lui. Il admirait entre autres choses la naïveté, la simplicité, et, pour le dire ainsi, la froideur avec laquelle il semble que Jésus-Christ y parle des choses les plus grandes et les plus relevées, comme sont, par exemple, le royaume de Dieu, la gloire que posséderont les saints dans le ciel, les peines de l'enfer, sans s'y étendre, comme ont fait les Pères et tous ceux qui ont écrit sur ces matières. Et il disait que la véritable cause de cela était que ces choses, qui à la vérité sont infiniment grandes et relevées à notre égard, ne le sont pas de même à l'égard de Jésus-Christ, et qu'ainsi il ne faut pas trouver étrange qu'il en parle de cette sorte sans étonnement et sans admiration, comme l'on voit, sans comparaison, qu'un général d'armée parle tout simplement et sans s'émouvoir du siège d'une place importante et du gain d'une grande bataille, et qu'un roi parle froidement d'une somme de quinze ou vingt millions, dont un particulier et un artisan ne parleraient qu'avec de grandes exagérations.

Voilà quelle est la pensée qui est contenue et renfermée sous le peu de paroles qui composent ce fragment; et cette considération, jointe à quantité d'autres semblables, pouvait servir assurément, dans l'esprit des personnes raisonnables et qui agissent de bonne foi, de quelque preuve de la divinité de Jésus-Christ.

Je crois que ce seul exemple peut suffire, non seulement pour faire juger quels sont à peu près les autres fragments qu'on a retranchés, mais aussi pour faire voir le peu d'application et la négligence, pour ainsi dire, avec laquelle ils ont presque tous été écrits, ce qui doit bien convaincre de ce que j'ai dit, que Monsieur Pascal ne les avait écrits en effet que pour lui seul, et sans aucune pensée qu'ils dussent jamais paraître en cet état. Et c'est aussi ce qui fait espérer que l'on sera assez porté à excuser les défauts qui s'y pourront rencontrer.

Que s'il se trouve encore dans ce recueil quelques pensées un peu obscures, je pense que, pour peu qu'on s'y veuille appliquer, on les comprendra néanmoins très facilement, et qu'on demeurera d'accord que ce ne sont pas les moins belles, et qu'on a mieux fait de les donner telles qu'elles sont que de les éclaircir par un grand nombre de paroles qui n'auraient servi qu'à les rendre traînantes et languissantes, et qui en auraient ôté une des principales beautés, qui consiste à dire beaucoup de choses en peu de mots.

L'on en peut voir un exemple dans un des fragments du chapitre des *Preuves de Jésus-Christ par les prophéties,* qui est conçu en ces termes : *Les prophètes sont mêlés de prophéties particulières et de celles du Messie, afin que les prophéties du Messie ne fussent pas sans preuves, et que les prophéties particulières ne fussent pas sans fruit*[8]. Il rapporte dans ce fragment la raison pour laquelle les prophètes, qui n'avaient en vue que le Messie et qui semblaient ne devoir prophétiser que de lui et de ce qui le regardait, ont néanmoins souvent prédit des choses particulières qui paraissaient assez indifférentes et inutiles à leur dessein. Il dit que c'était afin que, ces événements particuliers s'accomplissant de jour en jour aux yeux de tout le monde en la manière qu'ils les avaient prédits, ils fussent incontestablement reconnus pour prophètes, et qu'ainsi l'on ne pût douter de la vérité et de la certitude de toutes les choses qu'ils prophétisaient du Messie. De sorte que, par ce moyen, les prophéties du Messie tiraient en quelque façon leurs preuves et leur autorité de ces prophéties particulières vérifiées et accomplies ; et ces prophéties particulières servant ainsi à prouver et à autoriser celles du Messie, elles n'étaient pas inutiles et infructueuses. Voilà le sens de ce fragment étendu et développé. Mais il n'y a sans doute personne qui ne prît bien plus de plaisir de le découvrir soi-même dans ces paroles obscures que de le voir ainsi éclairci et expliqué.

Il est encore, ce me semble, assez à propos, pour détromper quelques personnes qui pourraient peut-être s'attendre de trouver ici des preuves et des démonstrations géométriques de l'existence de Dieu, de l'immortalité de l'âme, et de plusieurs autres articles de la foi chrétienne, de les avertir que ce n'était pas là le dessein de Monsieur Pascal. Il ne prétendait point prouver toutes ces vérités de la Religion par de telles démonstrations fondées sur des principes évidents, capables de convaincre l'obstination des plus endurcis, ni par des raisonnements métaphysiques qui souvent égarent plus l'esprit qu'ils ne le persuadent, ni par des lieux communs tirés de divers effets de la nature; mais par des preuves morales qui vont plus au cœur qu'à l'esprit. C'est-à-dire qu'il voulait plus travailler à toucher et à disposer le cœur, qu'à convaincre et à persuader l'esprit, parce qu'il savait que les passions et les attachements vicieux qui corrompent le cœur et la volonté sont les plus grands obstacles et les principaux empêchements que nous ayons à la foi, et que, pourvu qu'on pût lever ces obstacles, il n'était pas difficile de faire recevoir à l'esprit les lumières et les raisons qui pouvaient le convaincre.

L'on sera facilement persuadé de tout cela en lisant ces écrits. Mais Monsieur Pascal s'en est encore expliqué lui-même dans un de ses fragments qui a été trouvé parmi les autres, et que l'on n'a point mis dans ce recueil. Voici ce qu'il dit dans ce fragment : *Je n'entreprendrai pas ici de prouver par des raisons naturelles, ou l'existence de Dieu, ou la Trinité, ou l'immortalité de l'âme, ni aucune des choses de cette nature; non seulement parce que je ne me sentirais pas assez fort pour trouver dans la nature de quoi convaincre des athées endurcis, mais encore parce que cette connaissance, sans Jésus-Christ, est inutile et stérile. Quand un homme serait persuadé que les proportions des nombres sont des vérités immatérielles, éternelles, et dépendantes d'une première vérité en qui elles subsistent et qu'on appelle Dieu, je ne le trouverais pas beaucoup avancé pour son salut* [9].

L'on s'étonnera peut-être aussi de trouver dans ce recueil une si grande diversité de pensées, dont il y en a même plusieurs qui semblent assez éloignées du sujet que Monsieur Pascal avait entrepris de traiter. Mais il faut considérer que son dessein était bien plus ample et plus étendu que l'on ne se l'imagine, et qu'il ne se bornait pas seulement à réfuter les raisonnements des athées et de ceux qui combattent quelques-unes des vérités de la foi chrétienne. Le grand amour et l'estime singulière qu'il avait pour la Religion faisait que non seulement il ne pouvait souffrir qu'on la voulût détruire et anéantir tout à fait, mais même qu'on la blessât et qu'on la corrompît en la moindre chose. De sorte qu'il voulait déclarer la guerre à tous ceux qui en attaquent ou la vérité ou la sainteté : c'est-à-dire non seulement aux athées, aux infidèles et aux hérétiques, qui refusent de soumettre les fausses lumières de leur raison à la foi, et de reconnaître les vérités qu'elle nous enseigne ; mais même aux chrétiens et aux catholiques, qui, étant dans le corps de la véritable Église, ne vivent pas néanmoins selon la pureté des maximes de l'Évangile qui nous y sont proposées comme le modèle sur lequel nous devons régler et conformer toutes nos actions.

Voilà quel était son dessein, et ce dessein était assez vaste et assez grand pour pouvoir comprendre la plupart des choses qui sont répandues dans ce recueil. Il s'y en pourra néanmoins trouver quelques-unes qui n'y ont nul rapport, et qui en effet n'y étaient pas destinées, comme par exemple la plupart de celles qui sont dans le chapitre des *Pensées diverses,* lesquelles on a aussi trouvées parmi les papiers de Monsieur Pascal et que l'on a jugé à propos de joindre aux autres ; parce que l'on ne donne pas ce livre-ci simplement comme un ouvrage fait contre les athées ou sur la Religion, mais comme un recueil de *Pensées de Monsieur Pascal sur la Religion et sur quelques autres sujets.*

Je pense qu'il ne reste plus, pour achever cette préface, que de dire quelque chose de l'auteur après avoir parlé de son ouvrage. Je crois que non seulement cela sera assez à propos, mais que ce que j'ai dessein d'en écrire pourra même être très utile pour faire connaître comment Monsieur Pascal est entré dans l'estime et dans les sentiments qu'il avait pour la Religion, qui lui firent concevoir le dessein d'entreprendre cet ouvrage.

L'on a déjà rapporté en abrégé, dans la préface des *Traités de l'équilibre des liqueurs et de la pesanteur de l'air*[10], de quelle manière il a passé sa jeunesse, et le grand progrès qu'il y fit en peu de temps dans toutes les sciences humaines et profanes auxquelles il voulut s'appliquer, et particulièrement en la géométrie et aux mathématiques; la manière étrange et surprenante dont il les apprit à l'âge d'onze ou douze ans; les petits ouvrages qu'il faisait quelquefois et qui surpassaient toujours beaucoup la force et la portée d'une personne de son âge; l'effort étonnant et prodigieux de son imagination et de son esprit qui parut dans sa machine d'arithmétique qu'il inventa âgé seulement de dix-neuf à vingt ans; et enfin les belles expériences du vide qu'il fit en présence des personnes les plus considérables de la ville de Rouen où il demeura quelque temps, pendant que Monsieur le Président Pascal, son père, y était employé pour le service du roi dans la fonction d'intendant de justice. Ainsi je ne répéterai rien ici de tout cela, et je me contenterai seulement de représenter en peu de mots comment il a méprisé toutes ces choses, et dans quel esprit il a passé les dernières années de sa vie; en quoi il n'a pas moins fait paraître la grandeur et la solidité de sa vertu et de sa piété qu'il avait montré auparavant la force, l'étendue et la pénétration admirable de son esprit.

Il avait été préservé pendant sa jeunesse, par une protection particulière de Dieu, des vices où tombent la plupart des jeunes gens; et ce qui est assez extraordinaire à un esprit aussi curieux que le sien, il ne s'était jamais porté au libertinage pour ce qui regarde la Religion, ayant toujours borné sa curiosité aux choses naturelles. Et il a dit plusieurs fois qu'il joignait cette obligation à toutes les autres qu'il avait à Monsieur son père, qui, ayant lui-même un très grand respect pour la Religion, le lui avait inspiré dès l'enfance, lui donnant pour maxime que tout ce qui est l'objet de la foi ne saurait l'être de la raison, et beaucoup moins y être soumis [11].

Ces instructions, qui lui étaient souvent réitérées par un père pour qui il avait une très grande estime, et en qui il voyait une grande science accompagnée d'un raisonnement fort et puissant, faisaient tant d'impression sur son esprit que, quelques discours qu'il entendît faire aux libertins, il n'en était nullement ému; et, quoiqu'il fût fort jeune, il les regardait comme des gens qui étaient dans ce faux principe que la raison humaine est au-dessus de toutes choses, et qui ne connaissaient pas la nature de la foi.

Mais enfin, après avoir ainsi passé sa jeunesse dans des occupations et des divertissements qui paraissaient assez innocents aux yeux du monde, Dieu le toucha de telle sorte qu'il lui fit comprendre parfaitement que la Religion chrétienne nous oblige à ne vivre que pour lui, et à n'avoir point d'autre objet que lui. Et cette vérité lui parut si évidente, si utile et si nécessaire, qu'elle le fit résoudre de se retirer, et de se dégager peu à peu de tous les attachements qu'il avait au monde, pour pouvoir s'y appliquer uniquement.

Ce désir de la retraite et de mener une vie plus chrétienne et plus réglée lui vint lorsqu'il était encore fort jeune; et il le porta dès lors à quitter entièrement l'étude des sciences profanes pour ne s'appliquer plus qu'à celles qui pouvaient contribuer à son salut et à celui des autres. Mais de continuelles maladies qui lui survinrent le détournèrent quelque temps de son dessein, et l'empêchèrent de le pouvoir exécuter plus tôt qu'à l'âge de trente ans [12].

Ce fut alors qu'il commença à y travailler tout de bon, et, pour y parvenir plus facilement, et rompre tout d'un coup toutes ses habitudes, il changea de quartier, et ensuite se retira à la campagne, où il demeura quelque temps; d'où étant de retour, il témoigna si bien qu'il voulait quitter le monde, qu'enfin le monde le quitta. Il établit le règlement de sa vie dans sa retraite sur deux maximes principales, qui sont de renoncer à tout plaisir et à toute superfluité. Il les avait sans cesse devant les yeux, et il tâchait de s'y avancer et de s'y perfectionner toujours de plus en plus.

C'est ''application continuelle qu'il avait à ces deux grandes maximes qui lui faisait témoigner une si grande patience dans ses maux et dans ses maladies, qui ne l'ont presque jamais laissé sans douleur pendant toute sa vie; qui lui faisait pratiquer des mortifications très rudes et très sévères envers lui-même; qui faisait que non seulement il refusait à ses sens tout ce qui pouvait leur être agréable, mais encore qu'il prenait sans peine, sans dégoût, et même avec joie, lorsqu'il le fallait, tout ce qui leur pouvait déplaire, soit pour la nourriture, soit pour les remèdes; qui le portait à se retrancher tous les jours de plus en plus tout ce qu'il ne jugeait pas lui être absolument nécessaire, soit pour le vêtement, soit pour la nourriture, pour les meubles, et pour toutes les autres choses; qui lui donnait un amour si grand et si ardent pour la pauvreté, qu'elle lui était toujours présente, et que, lorsqu'il voulait entreprendre quelque chose, la première pensée qui lui venait en l'esprit était de voir si la pauvreté y pouvait être pratiquée; et qui lui faisait avoir en même temps tant de tendresse et tant d'affection pour les pauvres qu'il ne leur a jamais pu refuser l'aumône, et qu'il en a fait même fort souvent d'assez considérables, quoiqu'il n'en fît que de son nécessaire; qui faisait qu'il ne pouvait souffrir qu'on cherchât avec soin toutes ses commodités, et qu'il blâmait tant cette recherche curieuse et cette fantaisie de vouloir exceller en tout, comme de se servir en toutes choses des meilleurs ouvriers, d'avoir toujours du meilleur et du mieux fait, et mille autres choses semblables qu'on fait sans scrupule parce qu'on ne croit pas qu'il y ait de mal, mais dont il ne jugeait pas de même; et enfin qui lui a fait faire plusieurs actions très remarquables et très chrétiennes, que je ne rapporte pas ici de peur d'être trop long, et parce que mon dessein n'est pas de faire une vie, mais seulement de donner quelque idée de la piété et de la vertu de Monsieur Pascal à ceux qui ne l'ont pas connu; car pour ceux qui l'ont vu, et qui l'ont un peu fréquenté pendant les dernières années de sa vie, je ne prétends pas leur rien apprendre par là, et je crois qu'ils jugeront, bien au contraire, que j'aurais pu dire encore beaucoup d'autres choses que je passe sous silence.

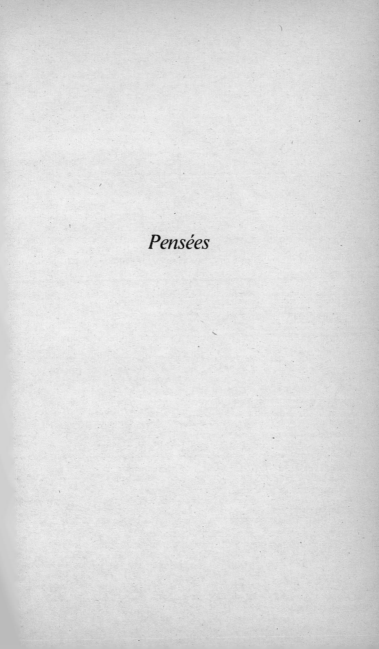

Pensées

LES LIASSES CLASSÉES

I. ORDRE

1

Les psaumes chantés par toute la terre [1].

Qui rend témoignage de Mahomet [2]? lui-même. Jésus-Christ veut que son témoignage ne soit rien [3].

La qualité de témoins fait qu'il faut qu'ils soient toujours et partout, et, misérable, il [4] est seul.

2

Ordre par dialogues.

Que dois-je faire? Je ne vois partout qu'obscurités. Croirai-je que je ne suis rien? Croirai-je que je suis Dieu?

Toutes choses changent et se succèdent.

Vous vous trompez, il y a...

Et quoi? Ne dites-vous pas vous-même que le ciel et les oiseaux prouvent Dieu [1]? Non. Et votre religion ne le dit-elle pas? Non. Car encore que cela est vrai en un sens pour quelques âmes à qui Dieu donna cette lumière, néanmoins cela est faux à l'égard de la plupart [2].

Lettre [3] pour porter à rechercher Dieu.

Et puis il faut chercher chez les philosophes, pyrrhoniens [4] et dogmatistes, qui travailleront celui qui les recherche.

3

Une lettre d'exhortation à un ami pour le porter à chercher, et il répondra : mais à quoi me servira de chercher, rien ne paraît[1]. Et lui répondre : ne désespérez pas. Et il répondrait qu'il serait heureux de trouver quelque lumière, mais que selon cette religion, même quand il croirait ainsi, cela ne lui servirait de rien[2], et qu'ainsi il aime autant ne point chercher. Et à cela lui répondre : la Machine[3].

4

1re partie. Misère de l'homme sans Dieu.
2e partie. Félicité de l'homme avec Dieu[1].

autrement

1re part. Que la nature est corrompue, par la nature même.
2e partie. Qu'il y a un Réparateur, par l'Écriture[2].

5

Lettre qui marque l'utilité des preuves. Par la Machine.
La foi est différente de la preuve. L'une est humaine, l'autre est un don de Dieu. *Justus ex fide vivit*[1]. C'est de cette foi que Dieu lui-même met dans le cœur, dont la preuve est souvent l'instrument, *fides ex auditu*[2], mais cette foi est dans le cœur et fait dire non *scio* mais *credo*[3].

6

Ordre.
Voir ce qu'il y a de clair dans tout l'état des Juifs et d'incontestable.

7

Dans la lettre de l'injustice peut venir :
La plaisanterie des aînés qui ont tout. Mon ami, vous êtes

né de ce côté de la montagne; il est donc juste que votre aîné ait tout [1].

Pourquoi me tuez-vous [2]?

8

Les misères de la vie humaine ont frondé [1] tout cela. Comme ils ont vu cela, ils ont pris le divertissement.

9

Ordre.

Après la lettre qu'on doit chercher Dieu, faire la lettre d'ôter les obstacles, qui est le discours de la Machine, de préparer la Machine [1], de chercher par raison.

10

Ordre

Les hommes ont mépris pour la Religion. Ils en ont haine et peur qu'elle soit vraie; pour guérir cela, il faut commencer par montrer que la Religion n'est point contraire à la raison [1], vénérable, en donner respect.

La rendre ensuite aimable [2], faire souhaiter aux bons qu'elle fût vraie et puis montrer qu'elle est vraie

Vénérable parce qu'elle a bien connu l'homme

Aimable parce qu'elle promet le vrai bien

II. VANITÉ

11

Deux visages semblables, dont aucun ne fait rire en particulier, font rire ensemble par leur ressemblance.

12

Les vrais chrétiens obeissent aux folies néanmoins, non pas qu'ils respectent les folies, mais l'ordre de Dieu qui pour la punition des hommes les a asservis à ces folies[1]. *Omnis creatura subjecta est vanitati, liberabitur*[2]. Ainsi saint Thomas explique le lieu de saint Jacques sur la préférence des riches[3], que s'ils ne le font dans la vue de Dieu ils sortent de l'ordre de la Religion.

13

Persée, roi de Macédoine. Paul Emile.
On reprochait à Persée de ce qu'il ne se tuait pas[*].

14

Vanité.
Qu'une chose aussi visible qu'est la vanité du monde[1] soit si peu connue, que ce soit une chose étrange et surprenante

de dire que c'est une sottise de chercher les grandeurs, cela
est admirable.

15

Inconstance et bizarrerie.

Ne vivre que de son travail, et régner sur le plus puissant
État du monde sont choses très opposées. Elles sont unies
dans la personne du Grand Seigneur des Turcs [1].

16

751 [1]. Un bout de capuchon arme 25 000 moines [2].

17

Il a quatre laquais [1].

18

Il demeure au-delà de l'eau [1].

19

Si on est trop jeune on ne juge pas bien, trop vieil de
même [1].

Si on n'y songe pas assez... Si on y songe trop, on s'entête
et on s'en coiffe.

Si on considère son ouvrage incontinent après l'avoir fait,
on en est encore tout prévenu ; si trop longtemps après, on
n'y entre plus [2].

Ainsi les tableaux vus de trop loin et de trop près. Et il n'y
a qu'un point indivisible qui soit le véritable lieu, les autres
sont trop près, trop loin, trop haut ou trop bas. La
perspective l'assigne dans l'art de la peinture. Mais dans la
vérité et dans la morale qui l'assignera ?

20

La puissance des mouches, elles gagnent des batailles[1] empêchent notre âme d'agir[2], mangent notre corps.

21

Vanité des sciences.

La science des choses extérieures ne nous consolera pas de l'ignorance de la morale au temps d'affliction, mais la science des mœurs me consolera toujours de l'ignorance des sciences extérieures[1].

22

Condition de l'homme.
Inconstance, ennui, inquiétude.

23

La coutume de voir les rois accompagnés de gardes, de tambours, d'officiers et de toutes les choses qui ploient la machine[1] vers le respect et la terreur font que leur visage, quand il est quelquefois seul et sans ses accompagnements, imprime dans leurs sujets le respect et la terreur parce qu'on ne sépare point dans la pensée leurs personnes d'avec leurs suites qu'on y voit d'ordinaire jointes[2]; et le monde qui ne sait pas que cet effet vient de cette coutume croit qu'il vient d'une force naturelle, et de là viennent ces mots : le caractère de la divinité est empreint sur son visage, etc.

24

La puissance des rois est fondée sur la raison et sur la folie du peuple, et bien plus sur la folie. La plus grande et importante chose du monde a pour fondement la faiblesse. Et ce fondement-là est admirablement sûr car il n'y a rien de plus que cela [1] que le peuple sera faible. Ce qui est fondé sur la saine raison est bien mal fondé, comme l'estime de la sagesse.

25

La nature de l'homme n'est pas d'aller toujours. Elle a ses allées et venues [1].

La fièvre [2] a ses frissons et ses ardeurs, et le froid montre aussi bien la grandeur de l'ardeur de la fièvre que le chaud même.

Les inventions des hommes de siècle en siècle vont de même [3]. La bonté et la malice du monde en général en est de même.

Plerumque gratae principibus vices [4].

26 [1]

Faiblesse.

Toutes les occupations des hommes sont à avoir du bien et ils ne sauraient avoir de titre pour montrer qu'ils le possèdent par justice, car ils n'ont que la fantaisie des hommes, ni force pour le posséder sûrement.

Il en est de même de la science car la maladie l'ôte. Nous sommes incapables et de vrai et de bien.

27

Ferox gens nullam esse vitam sine armis rati [1].

Ils aiment mieux la mort que la paix, les autres aiment mieux la mort que la guerre. Toute opinion peut être préférable à la vie, dont l'amour paraît si fort et si naturel [2].

28

On ne choisit pas pour gouverner un vaisseau celui des voyageurs qui est de la meilleure maison [1]

29

Les villes par où on passe, on ne se soucie pas d'y être estimé. Mais quand on y doit demeurer un peu de temps, on s'en soucie. Combien de temps faut-il? Un temps proportionné à notre durée vaine et chétive.

30

Vanité.
Les respects signifient : incommodez-vous [1]

31 [1]

Ce qui m'étonne le plus est de voir que tout le monde n'est pas étonné de sa faiblesse. On agit sérieusement et chacun suit sa condition, non pas parce qu'il est bon en effet de la suivre puisque la mode en est, mais comme si chacun savait certainement où est la raison et la justice. On se trouve déçu à toute heure, et par une plaisante humilité on croit que c'est sa faute et non pas celle de l'art qu'on se vante toujours d'avoir. Mais il est bon qu'il y ait tant de ces gens-là au monde qui ne soient pas pyrrhoniens pour la gloire du pyrrhonisme, afin de montrer que l'homme est bien capable des plus extravagantes opinions puisqu'il est capable de croire qu'il n'est pas dans cette faiblesse naturelle et inévitable et de croire qu'il est au contraire dans la sagesse naturelle.

Rien ne fortifie plus le pyrrhonisme que ce qu'il y en a qui ne sont point pyrrhoniens. Si tous l'étaient, ils auraient tort. Cette secte se fortifie par ses ennemis plus que par ses amis car la faiblesse de l'homme paraît bien davantage en ceux qui ne la connaissent pas qu'en ceux qui la connaissent.

32

Talon de soulier [1]

Ô que cela est bien tourné! que voilà un habile ouvrier! que ce soldat est hardi! Voilà la source de nos inclinations et du choix des conditions. Que celui-là boit bien! que celui-là boit peu! Voilà ce qui fait les gens sobres et ivrognes, soldats, poltrons, etc.

33

Qui ne voit pas la vanité du monde est bien vain lui-même. Aussi qui ne la voit excepté de jeunes gens qui sont tous dans le bruit, dans le divertissement et dans la pensée de l'avenir? Mais ôtez leur divertissement, vous les verrez se sécher d'ennui. Ils sentent alors leur néant sans le connaître, car c'est bien être malheureux que d'être dans une tristesse insupportable aussitôt qu'on est réduit à se considérer, et à n'en être point diverti.

34

Métiers [*].
La douceur de la gloire est si grande qu'à quelque objet qu'on l'attache, même à la mort [2], on l'aime.

35

Trop et trop peu de vin.
Ne lui en donnez pas, il ne peut trouver la vérité. Donnez-lui en trop : de même [1].

36

Les hommes s'occupent à suivre une balle et un lièvre ' c'est le plaisir même des Rois [1].

37

Quelle vanité que la peinture qui attire l'admiration pour

la ressemblance des choses dont on n'admire point les originaux!

38

Deux infinis, milieu.

Quand on lit trop vite ou trop doucement, on n'entend rien [1].

39

Combien de royaumes nous ignorent!

40

Peu de chose nous console parce que peu de chose nous afflige [1].

41

Imagination.

C'est cette partie dominante dans l'homme, cette maîtresse d'erreur et de fausseté, et d'autant plus fourbe qu'elle ne l'est pas toujours, car elle serait règle infaillible de vérité si elle l'était infaillible du mensonge. Mais étant le plus souvent fausse, elle ne donne aucune marque de sa qualité, marquant du même caractère le vrai et le faux. Je ne parle pas des fous, je parle des plus sages, et c'est parmi eux que l'imagination a le grand droit de persuader les hommes. La raison a beau crier, elle ne peut mettre le prix aux choses [1].

Cette superbe puissance ennemie de la raison, qui se plaît à la contrôler et à la dominer, pour montrer combien elle peut en toutes choses, a établi dans l'homme une seconde nature. Elle a ses heureux, ses malheureux, ses sains, ses malades, ses riches, ses pauvres. Elle fait croire, douter, nier la raison. Elle suspend les sens, elle les fait sentir. Elle a ses fous et ses sages. Et rien ne nous dépite davantage que de voir qu'elle remplit ses hôtes d'une satisfaction bien autrement pleine et entière que la raison. Les habiles par imagination se plaisent tout autrement à eux-mêmes que les prudents ne se peuvent raisonnablement plaire. Ils regardent les gens avec empire. Ils disputent avec hardiesse et confiance, les autres avec crainte et défiance, et cette gaîté de visage leur donne souvent l'avantage dans l'opinion des écoutants, tant les sages imaginaires ont de faveur auprès des juges de même nature[2]. Elle ne peut rendre sages les fous, mais elle les rend heureux, à l'envi de la raison qui ne peut rendre ses amis que misérables, l'une le couvrant de gloire, l'autre de honte[3].

Qui dispense la réputation, qui donne le respect et la vénération aux personnes, aux ouvrages, aux lois, aux grands, sinon cette faculté imaginante? Toutes les richesses de la terre insuffisantes sans son consentement. Ne diriez-vous pas que ce magistrat dont la vieillesse vénérable impose le respect à tout un peuple se gouverne par une raison pure et sublime, et qu'il juge des choses dans leur nature sans s'arrêter à ces vaines circonstances qui ne blessent que l'imagination des faibles? Voyez-le entrer dans un sermon où il apporte un zèle tout dévot, renforçant la solidité de sa raison par l'ardeur de sa charité; le voilà prêt à l'ouïr avec un respect exemplaire. Que le prédicateur vienne à paraître, si la nature lui a donné une voix enrouée et un tour de visage bizarre, que son barbier l'ait mal rasé, si le hasard l'a encore barbouillé de surcroît, quelques grandes vérités qu'il annonce, je parie la perte de la gravité de notre sénateur.

Le plus grand philosophe du monde[4] sur une planche plus large qu'il ne faut, s'il y a au-dessous un précipice, quoique sa raison le convainque de sa sûreté, son imagination prévaudra. Plusieurs n'en sauraient soutenir la pensée sans pâlir et suer.

Je ne veux pas rapporter tous ses effets. Qui ne sait que la vue des chats, des rats, l'écrasement d'un charbon, etc., emportent la raison hors des gonds[5]? Le ton de voix impose aux plus sages et change un discours et un poème de force[6]. L'affection ou la haine changent la justice de face et combien un avocat bien payé par avance trouve-t-il plus juste la cause qu'il plaide[7]! Combien son geste hardi la fait-il paraître meilleure aux juges dupés par cette apparence! Plaisante raison qu'un vent manie et à tout sens[8]. Je rapporterais presque toutes les actions des hommes qui ne branlent presque que par ses secousses[9]. Car la raison a été obligée de céder, et la plus sage prend pour ses principes ceux que l'imagination des hommes a témérairement introduits en chaque lieu.

[Qui voudrait ne suivre que la raison serait fou prouvé au jugement de la plus grande partie des hommes du monde. Il faut puisqu'il y a plu travailler tout le jour et se fatiguer pour des biens reconnus pour imaginaires. Et quand le sommeil nous a délassés des fatigues de notre raison imaginaire et mis dans un calme admirable, il faut incontinent le détruire et se lever en sursaut pour aller courir après les fumées et essuyer les impressions de cette maîtresse du monde.

[Voilà un des principes d'erreur mais ce n'est pas le seul.

[L'homme a eu bien raison d'allier ces deux puissances quoique dans cette paix l'imagination ait bien amplement l'avantage, car dans la guerre elle l'a bien plus entier. La raison ne surmonte jamais tant l'imagination au lieu que l'imagination démonte souvent tout à fait la raison de son siège.]

Nos magistrats ont bien connu ce mystère. Leurs robes rouges, leurs hermines dont ils s'emmaillotent en chats-fourrés, les palais où ils jugent, les fleurs de lys, tout cet appareil auguste était fort nécessaire, et si les médecins n'avaient des soutanes et des mules, et que les docteurs n'eussent des bonnets carrés et des robes trop amples de quatre parties, jamais ils n'auraient dupé le monde qui ne peut résister à cette montre si authentique [10]. S'ils avaient la véritable justice et si les médecins avaient le vrai art de guérir, ils n'auraient que faire de bonnets carrés ; la majesté de ces sciences serait assez vénérable d'elle-même, mais n'ayant que des sciences imaginaires, il faut qu'ils prennent ces vains instruments qui frappent l'imagination à laquelle ils ont à faire et par là en effet ils s'attirent le respect. Les seuls gens de guerre ne se sont pas déguisés de la sorte parce qu'en effet leur part est plus essentielle : ils s'établissent par la force, les autres par grimace.

C'est ainsi que nos rois n'ont pas recherché ces déguisements. Ils ne se sont pas masqués d'habits extraordinaires pour paraître tels. Mais ils se sont accompagnés de gardes, de balourds [11]. Ces trognes [12] armées qui n'ont de mains et de force que pour eux, les trompettes et les tambours qui marchent au-devant et ces légions qui les environnent font trembler les plus fermes. Ils n'ont pas l'habit, seulement ils ont la force. Il faudrait avoir une raison bien épurée pour regarder comme un autre homme le Grand Seigneur environné dans son superbe sérail de quarante mille janissaires.

Nous ne pouvons pas seulement voir un avocat en soutane et le bonnet en tête sans une opinion avantageuse de sa suffisance.

L'imagination dispose de tout, elle fait la beauté, la justice et le bonheur qui est le tout du monde. Je voudrais de bon cœur voir le livre italien dont je ne connais que le titre, qui vaut lui seul bien des livres : *Dell' opinione regina del mondo* [13]. J'y souscris sans le connaître, sauf le mal s'il y en a.

Voilà à peu près les effets de cette faculté trompeuse qui semble nous être donnée exprès pour nous induire à une erreur nécessaire. Nous en avons bien d'autres principes.

Les impressions anciennes ne sont pas seules capables de nous abuser, les charmes de la nouveauté ont le même pouvoir. De là vient toute la dispute des hommes, qui se reprochent ou de suivre leurs fausses impressions de l'enfance [14], ou de courir témérairement après les nouvelles. Qui tient le juste milieu, qu'il paraisse et qu'il le prouve. Il n'y a principe quelque naturel qu'il puisse être, même depuis l'enfance, qu'on ne fasse passer pour une fausse impression, soit de l'instruction, soit des sens.

« Parce, dit-on, que vous avez cru dès l'enfance qu'un coffre était vide lorsque vous n'y voyiez rien, vous avez cru le vide possible [15]. C'est une illusion de vos sens, fortifiée par la coutume, qu'il faut que la science corrige. » Et les autres disent : « Parce qu'on vous a dit dans l'école qu'il n'y a point de vide, on a corrompu votre sens commun qui le comprenait si nettement avant cette mauvaise impression qu'il faut corriger en recourant à votre première nature. » Qui a donc trompé, les sens ou l'instruction ?

Nous avons un autre principe d'erreur, les maladies. Elles nous gâtent le jugement et le sens. Et si les grandes l'altèrent sensiblement, je ne doute pas que les petites n'y fassent impression à leur proportion [16].

Notre propre intérêt est encore un merveilleux instrument pour nous crever les yeux agréablement. Il n'est pas permis au plus équitable homme du monde d'être juge en sa cause. J'en sais qui, pour ne pas tomber dans cet amour-propre, ont été les plus injustes du monde à contrebiais. Le moyen sûr de perdre une affaire toute juste était de la leur faire recommander par leurs proches parents [17]. La justice et la vérité sont deux pointes si subtiles que nos instruments sont trop mousses [18] pour y toucher exactement. S'ils y arrivent, ils en écachent la pointe et appuient tout autour plus sur le faux que sur le vrai.

[L'homme est donc si heureusement fabriqué qu'il n'a aucun principe juste du vrai et plusieurs excellents du faux. Voyons maintenant combien. Mais la plus plaisante cause de ses erreurs est la guerre qui est entre les sens et la raison.]

[a] L'homme n'est qu'un sujet plein d'erreur naturelle, et ineffaçable sans la grâce. Rien ne lui montre la vérité. Tout l'abuse. Ces deux principes de vérité, la raison et les sens, outre qu'ils manquent chacun de sincérité, s'abusent réciproquement l'un l'autre; les sens abusent la raison par de fausses apparences, et cette même piperie qu'ils apportent à l'âme, ils la reçoivent d'elle à leur tour; elle s'en revanche. Les passions de l'âme les troublent et leur font des impressions fausses. Ils mentent et se trompent à l'envi [19].

Mais outre cette erreur qui vient par accident et par le manque d'intelligence entre ces facultés hétérogènes...

42

Vanité.
La cause et les effets de l'amour.
Cléopâtre [1].

43

Nous ne nous tenons jamais au temps présent. Nous anticipons l'avenir comme trop lent à venir, comme pour hâter son cours, ou nous rappelons le passé pour l'arrêter comme trop prompt, si imprudents que nous errons dans des temps qui ne sont point nôtres, et ne pensons point au seul qui nous appartient, et si vains que nous songeons à ceux qui ne sont rien, et échappons sans réflexion le seul qui subsiste. C'est que le présent d'ordinaire nous blesse. Nous le cachons

---

a. Il faut commencer par là le chapitre des puissances trompeuses.

à notre vue parce qu'il nous afflige, et s'il nous est agréable nous regrettons de le voir échapper. Nous tâchons de le soutenir par l'avenir, et pensons à disposer les choses qui ne sont pas en notre puissance pour un temps où nous n'avons aucune assurance d'arriver [1].

Que chacun examine ses pensées. Il les trouvera toutes occupées au passé ou à l'avenir. Nous ne pensons presque point au présent, et si nous y pensons ce n'est que pour en prendre la lumière pour disposer de l'avenir. Le présent n'est jamais notre fin. Le passé et le présent sont nos moyens; le seul avenir est notre fin. Ainsi nous ne vivons jamais, mais nous espérons de vivre, et nous disposant toujours à être heureux il est inévitable que nous ne le soyons jamais.

44

L'esprit de ce souverain juge du monde n'est pas si indépendant qu'il ne soit sujet à être troublé par le premier tintamarre qui se fait autour de lui. Il ne faut pas le bruit d'un canon pour empêcher ses pensées. Il ne faut que le bruit d'une girouette ou d'une poulie. Ne vous étonnez point s'il ne raisonne pas bien à présent, une mouche bourdonne à ses oreilles [1] : c'en est assez pour le rendre incapable de bon conseil. Si vous voulez qu'il puisse trouver la vérité, chassez cet animal qui tient sa raison en échec et trouble cette puissante intelligence qui gouverne les villes et les royaumes.

Le plaisant dieu que voilà! O ridicolosissime heroe [2] !

45

César était trop vieil, ce me semble, pour s'aller amuser à conquérir le monde. Cet amusement était bon à Auguste ou à Alexandre. C'étaient des jeunes gens qu'il est difficile d'arrêter, mais César devait être plus mûr [1].

46

Les Suisses s'offensent d'être dits gentilshommes et prouvent leur roture de race pour être jugés dignes des grands emplois [1].

47

Pourquoi me tuez-vous? — Et quoi! Ne demeurez-vous pas de l'autre côté de l'eau [1]? Mon ami, si vous demeuriez de ce côté je serais un assassin, et cela serait injuste de vous tuer de la sorte. Mais puisque vous demeurez de l'autre côté je suis un brave et cela est juste.

48

Le bon sens.

Ils sont contraints de dire : « Vous n'agissez pas de bonne foi, nous ne dormons pas [1], etc. » Que j'aime à voir cette superbe raison humiliée et suppliante [2]! Car ce n'est pas là le langage d'un homme à qui on dispute son droit, et qui le défend les armes et la force à la main. Il ne s'amuse pas à dire qu'on n'agit pas de bonne foi, mais il punit cette mauvaise foi par la force.

III. MISÈRE

49

Bassesse de l'homme jusqu'à se soumettre aux bêtes, jusques à les adorer [1].

50

Inconstance.

Les choses ont diverses qualités et l'âme diverses inclinations, car rien n'est simple de ce qui s'offre à l'âme, et l'âme ne s'offre jamais simple à aucun sujet. De là vient qu'on pleure et qu'on rit d'une même chose [1].

51

Inconstance.

On croit toucher des orgues ordinaires en touchant l'homme Ce sont des orgues a la vérité, mais bizarres, changeantes, variables Ceux qui ne savent toucher que les ordinaires ne feraient pas d'accords sur celles-là. Il faut savoir ou sont les ╱marches╱ [1]

52

Nous sommes si malheureux que nous ne pouvons prendre

plaisir à une chose qu'à condition de nous fâcher si elle réussit mal, ce que mille choses peuvent faire et font à toute heure. ⟨Qui⟩ aurait trouvé le secret de se réjouir du bien sans se fâcher du mal contraire aurait trouvé le point. C'est le mouvement perpétuel.

53

Il n'est pas bon d'être trop libre.

Il n'est pas bon d'avoir toutes les nécessités.

54

La Tyrannie consiste au désir de domination universel et hors de son ordre.

Diverses chambres de forts, de beaux, de bons esprits, de pieux, dont chacun règne chez soi, non ailleurs. Et quelquefois ils se rencontrent et le fort et le beau se battent sottement à qui sera le maître l'un de l'autre, car leur maîtrise est de divers genre. Ils ne s'entendent pas. Et leur faute est de vouloir régner partout. Rien ne le peut, non pas même la force : elle ne fait rien au royaume des savants[1], elle n'est maîtresse que des actions extérieures.

Tyrannie.
La tyrannie est de vouloir avoir par une voie ce qu'on ne peut avoir que par une autre. On rend différents devoirs aux différents mérites, devoir d'amour à l'agrément, devoir de crainte à la force, devoir de créance à la science.

On doit rendre ces devoirs-là, on est injuste de les refuser, et injuste d'en demander d'autres.

Ainsi ces discours sont faux et tyranniques : « Je suis beau, donc on doit me craindre[2] ; je suis fort, donc on doit m'aimer ; je suis... » Et c'est de même être faux et tyrannique

de dire « Il n'est pas fort, donc je ne l'estimerai pas. Il n'est
pas habile, donc je ne le craindrai pas. »

55

Quand il est question de juger si on doit faire la guerre et
tuer tant d'hommes, condamner tant d'Espagnols[1] à la
mort, c'est un homme seul qui en juge, et encore intéressé ; ce
devrait être un tiers indifférent.

56[·]

[Mais peut-être que ce sujet passe la portée de la raison.
Examinons donc ses inventions sur les choses de sa force. S'il
y a quelque chose où son intérêt propre ait dû la faire
appliquer de son plus sérieux, c'est à la recherche de son
souverain bien[2]. Voyons donc où ces âmes fortes et
clairvoyantes l'ont placé et si elles en sont d'accord.

[L'un dit que le souverain bien est en la vertu[3], l'autre le
met en la volupté, l'autre à suivre la nature, l'autre en la
vérité (« *felix qui potuit rerum cognoscere causas*[4] »), l'autre
à l'ignorance totale, l'autre en l'indolence, d'autres à résister
aux apparences, l'autre à n'admirer rien (« *nihil mirari prope
res una quae possit facere et servare beatum*[5] »), les braves
pyrrhoniens en leur ataraxie, doute et suspension perpétuelle,
et d'autres plus sages qu'on ne le peut trouver, non pas
même par souhait[6]. Nous voilà bien payés.]

Sur quoi fondera-t-il l'économie du monde qu'il veut
gouverner ? Sera-ce sur le caprice de chaque particulier ?
Quelle confusion ! Sera-ce sur la justice ? Il l'ignore. Certainement s'il la connaissait il n'aurait pas établi cette maxime, la
plus générale de toutes celles qui sont parmi les hommes, que
chacun suive les mœurs de son pays[7]. L'éclat de la véritable
équité aurait assujetti tous les peuples. Et les législateurs
n'auraient pas pris pour modèle, au lieu de cette justice

constante, les fantaisies et les caprices des Perses et Allemands[8]. On la verrait plantée par tous les états du monde, et dans tous les temps, au lieu qu'on ne voit rien de juste ou d'injuste qui ne change de qualité en changeant de climat. Trois degrés d'élévation du pôle renversent toute la jurisprudence. Un méridien décide de la vérité. En peu d'années de possession, les lois fondamentales changent, le droit a ses époques, l'entrée de Saturne au Lion nous marque l'origine d'un tel crime. Plaisante justice qu'une rivière borne! Vérité au-deçà des Pyrénées, erreur au-delà[9].

Ils confessent que la justice n'est pas dans ces coutumes, mais qu'elle réside dans les lois naturelles communes en tout pays. Certainement ils la soutiendraient opiniâtrement si la témérité du hasard qui a semé les lois humaines en avait rencontré au moins une qui fût universelle. Mais la plaisanterie est telle que le caprice des hommes s'est si bien diversifié qu'il n'y en a point[10].

Le larcin, l'inceste, le meurtre des enfants et des pères, tout a eu sa place entre les actions vertueuses[11]. Se peut-il rien de plus plaisant qu'un homme ait droit de me tuer parce qu'il demeure au-delà de l'eau et que son prince a querelle contre le mien, quoique je n'en aie aucune avec lui[12]?

Il y a sans doute des lois naturelles, mais cette belle raison corrompue a tout corrompu[13]. *Nihil amplius nostrum est, quod nostrum dicimus artis est*[14]. *Ex senatusconsultis et plebiscitis crimina exercentur*[15]. *Ut olim vitiis sic nunc legibus laboramus*[16].

De cette confusion arrive que l'un dit que l'essence de la justice est l'autorité du législateur, l'autre la commodité du souverain[17], l'autre la coutume présente, et c'est le plus sûr[18]. Rien suivant la seule raison n'est juste de soi, tout brante avec le temps. La coutume fait toute l'équité, par cette seule raison qu'elle est reçue[19]. C'est le fondement mystique de son autorité. Qui la ramenera à son principe l'anéantit

Rien n'est si fautif que ces lois qui redressent les fautes. Qui leur obéit parce qu'elles sont justes, obéit à la justice qu'il imagine, mais non pas à l'essence de la loi[20]. Elle est toute ramassée en soi. Elle est loi et rien davantage. Qui voudra en examiner le motif le trouvera si faible et si léger que s'il n'est accoutumé à contempler les prodiges de l'imagination humaine, il admirera qu'un siècle lui ait tant acquis de pompe et de révérence[21]. L'art de fronder ⟨et de⟩ boulever- ser les États est d'ébranler les coutumes établies, en sondant jusque dans leur source pour marquer leur défaut d'autorité et de justice. « Il faut, dit-on, recourir aux lois fondamen- tales et primitives de l'État qu'une coutume injuste a abolies. » C'est un jeu sûr pour tout perdre; rien ne sera juste à cette balance. Cependant le peuple prête aisément l'oreille à ces discours. Ils secouent le joug dès qu'ils le reconnaissent[22], et les grands en profitent à sa ruine, et à celle de ces curieux examinateurs des coutumes reçues. C'est pourquoi le plus sage législateur disait que pour le bien des hommes, il faut souvent les piper[23], et un autre bon politique : « *Cum veritatem qua liberetur ignoret, expedit quod fallatur*[24]. » Il ne faut pas qu'il sente la vérité de l'usurpation, elle a été introduite autrefois sans raison, elle est devenue raisonnable. Il faut la faire regarder comme authentique, éternelle et en cacher le commencement si on ne veut qu'elle ne prenne bientôt fin.

[ᵃ Si faut-il voir si cette belle philosophie n'a rien acquis de certain par un travail si long et si tendu, peut-être qu'au moins l'âme se connaîtra soi-même. Écoutons les régents du monde sur ce sujet. Qu'ont-ils pensé de sa substance?

[395[25].

[Ont-ils été plus heureux à la loger?

a. Transposez après les lois, article suivant.

[395 [26].

[Qu'ont-ils trouvé de son origine, de sa durée et de son départ?

[399 [27].

[Est-ce donc que l'âme est encore un sujet trop noble pour ses faibles lumières? Abaissons-la donc à la matière[28]. Voyons si elle sait de quoi est fait le propre corps qu'elle anime[29], et les autres qu'elle contemple et qu'elle remue à son gré. Qu'en ont-ils connu, ces grands dogmatistes qui n'ignorent rien?

[393 [30].

[« *Harum sententiarum* [31]. »

[Cela suffirait sans doute si la raison était raisonnable. Elle l'est bien assez pour avouer qu'elle n'a pu encore trouver rien de ferme, mais elle ne désespère pas encore d'y arriver. Au contraire, elle est aussi ardente que jamais dans cette recherche et s'assure d'avoir en soi les forces nécessaires pour cette conquête.

[Il faut donc l'achever, et après avoir examiné ses puissances dans leurs effets, reconnaissons-les en elles-mêmes. Voyons si elle a quelques forces et quelques prises capables de saisir la vérité.]

57

Justice.
Comme la mode fait l'agrément, aussi fait-elle la justice

58

Qui aurait eu l'amitié du roi d'Angleterre, du roi de Pologne et de la reine de Suède[1], aurait-il cru manquer de retraite et d'asile au monde?

59

La gloire.

L'admiration gâte tout dès l'enfance[1]. « Ô que cela est
bien dit ! ô qu'il a bien fait, qu'il est sage, etc. »

Les enfants de P. R.[2] auxquels on ne donne point cet
aiguillon d'envie et de gloire[3] tombent dans la nonchalance.

60

Mien, tien.

« Ce chien est à moi », disaient ces pauvres enfants.
« C'est là ma place au soleil. » Voilà le commencement et
l'image de l'usurpation[1] de toute la terre.

61

Diversité.

La théologie est une science, mais en même temps combien
est-ce de sciences ? Un homme est un suppôt[1], mais si on
l'anatomise, que sera-ce ? la tête, le cœur, l'estomac, les
veines, chaque veine, chaque portion de veine, le sang,
chaque humeur de sang.

Une ville, une campagne, de loin est une ville et une
campagne, mais à mesure qu'on s'approche, ce sont des
maisons, des arbres, des tuiles, des feuilles, des herbes, des
fourmis, des jambes de fourmis, à l'infini. Tout cela
s'enveloppe sous le nom de campagne.

62

Injustice.

Il est dangereux de dire au peuple que les lois ne sont pas
justes, car il n'y obéit qu'à cause qu'il les croit justes. C'est
pourquoi il lui faut dire en même temps qu'il y faut obéir
parce qu'elles sont lois, comme il faut obéir aux supérieurs
non pas parce qu'ils sont justes, mais parce qu'ils sont
supérieurs[1] Par là voilà toute sédition prévenue, si on

peut faire entendre cela et que proprement ⟨c'est⟩ la définition de la justice

63

Injustice.

La juridiction ne se donne pas pour ⟨le⟩ juridiciant mais pour le juridicié [1] : il est dangereux de le dire au peuple, mais le peuple a trop de croyance en vous; cela ne lui nuira pas et peut vous servir. Il faut donc le publier. « *Pasce oves meas non tuas* [2]. » Vous me devez pâture.

64

Quand je considère la petite durée de ma vie, absorbée devant l'éternité précédant et suivant (« *memoria hospitis unius diei praetereuntis* [1] »), le petit espace que je remplis et même que je vois, abîmé dans l'infinie immensité des espaces que j'ignore et qui m'ignorent, je m'effraie et m'étonne de me voir ici plutôt que là, car il n'y a point de raison pourquoi ici plutôt que là, pourquoi à présent plutôt que lors. Qui m'y a mis? Par l'ordre et la conduite de qui ce lieu et ce temps a-t-il été destiné à moi [2]?

65

Misère.
Job et Salomon [1].

66

Si notre condition était véritablement heureuse, il ne faudrait pas nous divertir d'y penser [1]

67

Contradiction.

Orgueil contrepesant toutes les misères [1] : ou il cache ses misères, ou, s'il les découvre, il se glorifie de les connaître.

68

Il faut se connaître soi-même [1]. Quand cela ne servirait pas à trouver le vrai, cela au moins sert à régler sa vie, et il n'y a rien de plus juste.

69

Le sentiment de la fausseté des plaisirs présents et l'ignorance de la vanité des plaisirs absents cause l'inconstance [1].

70

Injustice.
Ils n'ont point trouvé d'autre moyen de satisfaire leur concupiscence sans faire tort aux autres.

71

L'Ecclésiaste [1] montre que l'homme sans Dieu est dans l'ignorance de tout et dans un malheur inévitable, car c'est être malheureux que de vouloir et ne pouvoir. Or il veut être heureux et assuré de quelque vérité. Et cependant il ne peut ni savoir ni ne désirer point de savoir. Il ne peut même douter.

IV. ENNUI
ET QUALITÉS ESSENTIELLES
À L'HOMME

72

Orgueil [1].
Curiosité n'est que vanité le plus souvent [2] ; on ne veut savoir que pour en parler [3] ; autrement on ne voyagerait pas sur la mer pour ne jamais en rien dire et pour le seul plaisir de voir, sans espérance d'en jamais communiquer.

73

Description de l'homme.
Dépendance, désir d'indépendance, besoins.

74

L'ennui qu'on a de quitter les occupations où l'on s'est attaché. Un homme vit avec plaisir en son ménage, qu'il voie une femme qui lui plaise, qu'il joue cinq ou six jours avec plaisir, le voilà misérable s'il retourne à sa première occupation Rien n'est plus ordinaire que cela.

V. RAISONS DES EFFETS

75

Le respect est : « Incommodez-vous [1]. »

Cela est vain en apparence, mais très juste, car c'est dire : « Je m'incommoderais bien si vous en aviez besoin, puisque je le fais bien sans que cela vous serve », outre que le respect est pour distinguer les grands. Or si le respect était d'être en fauteuil, on respecterait tout le monde et ainsi on ne distinguerait pas. Mais étant incommodé on distingue fort bien.

76

Les seules règles universelles sont les lois du pays aux choses ordinaires et la pluralité aux autres. D'où vient cela? de la force qui y est.

Et de là vient que les rois qui ont la force d'ailleurs ne suivent pas la pluralité de leurs ministres.

Sans doute l'égalité des biens est juste mais...

Ne pouvant faire qu'il soit forcé d'obéir à la justice, on a fait qu'il soit juste d'obéir à la force. Ne pouvant fortifier la justice, on a justifié la force, afin que le juste et le fort fussent ensemble et que la paix fût, qui est le souverain bien [1].

La sagesse nous envoie à l'enfance : « *Nisi efficiamini sicut parvuli*[2]. »

77

[Descartes.

[Il faut dire en gros : « Cela se fait par figure et mouvement », car cela est vrai. Mais de dire quels, et composer la machine[1], cela est ridicule, car cela est inutile et incertain[2] et pénible. Et quand cela serait vrai, nous n'estimons pas que toute la philosophie vaille une heure de peine[3].]

Le monde juge bien des choses, car il est dans l'ignorance naturelle qui est le vrai siège de l'homme. Les sciences ont deux extrémités qui se touchent, la première est la pure ignorance naturelle où se trouvent tous les hommes en naissant, l'autre extrémité est celle où arrivent les grandes âmes qui, ayant parcouru tout ce que les hommes peuvent savoir, trouvent qu'ils ne savent rien et se rencontrent en cette même ignorance d'où ils étaient partis, mais c'est une ignorance savante qui se connaît[4]. Ceux d'entre deux, qui sont sortis de l'ignorance naturelle et n'ont pu arriver à l'autre, ont quelque teinture de sotte science suffisante et font les entendus. Ceux-là troublent le monde et jugent mal de tout[5].

Le peuple et les habiles composent le train du monde ; ceux-là le méprisent et sont méprisés. Ils jugent mal de toutes choses, et le monde en juge bien.

78

« *Summum jus, summa injuria*[1]. »

La pluralité est la meilleure voie parce qu'elle est visible et qu'elle a la force pour se faire obéir. Cependant c'est l'avis des moins habiles.

Si l'on avait pu, l'on aurait mis la force entre les mains de la justice. Mais comme la force ne se laisse pas manier comme on veut parce que c'est une qualité palpable, au lieu que la justice est une qualité spirituelle dont on dispose comme on veut, on l'a mise entre les mains de la force et ainsi on appelle juste ce qu'il est force d'observer.

⟨De là⟩ vient le droit de l'épée[2], car l'épée donne un véritable droit.

Autrement on verrait la violence d'un côté et la justice de l'autre. Fin de la 12ᵉ provinciale[3].

De là vient l'injustice de la Fronde, qui élève sa prétendue justice contre la force.

Il n'en est pas de même dans l'Église, car il y a une justice véritable et nulle violence.

79

Veri juris[1], nous n'en avons plus. Si nous en avions, nous ne prendrions pas pour règle de justice de suivre les mœurs de son pays[2].

C'est là que ne pouvant trouver le juste, on a trouvé le fort, etc.

80

Le chancelier est grave et revêtu d'ornements, car son poste est faux, et non le roi. Il a la force, il n'a que faire de l'imagination. Les juges, médecins, etc., n'ont que l'imagination[1]

81

C'est l'effet de la force, non de la coutume, car ceux qui sont capables d'inventer sont rares[1] Les plus forts en nombre ne veulent que suivre et refusent la gloire à ces inventeurs qui la cherchent par leurs inventions et s'ils s'obstinent à la vouloir obtenir et à mépriser ceux qui n'inventent pas, les autres leur donneront des noms ridicules, leur donneraient des coups de bâton. Qu'on ne se pique donc pas de cette subtilité, ou qu'on se contente en soi-même.

82

Raison des effets.

Cela est admirable : on ne veut pas que j'honore un homme vêtu de brocatelle [1], et suivi de sept ou huit laquais [2]. Et quoi ! il me fera donner les étrivières si je ne le salue. Cet habit, c'est une force. C'est bien de même qu'un cheval bien enharnaché à l'égard d'un autre ! Montaigne [3] est plaisant de ne pas voir quelle différence il y a et d'admirer qu'on y en trouve et d'en demander la raison : « De vrai, dit-il, d'où vient, etc. »

83

Raison des effets.

Gradation. Le peuple honore les personnes de grande naissance ; les demi-habiles les méprisent disant que la naissance n'est pas un avantage de la personne mais du hasard. Les habiles les honorent, non par la pensée du peuple, mais par la pensée de derrière. Les dévots qui ont plus de zèle que de science les méprisent malgré cette considération qui les fait honorer par les habiles, parce qu'ils en jugent par une nouvelle lumière que la piété leur donne, mais les chrétiens parfaits les honorent par une autre lumière supérieure.

Ainsi se vont les opinions succédantes du pour au contre selon qu'on a de lumière.

84

Raison des effets.

Il faut avoir une pensée de derrière [1], et juger de tout par là, en parlant cependant comme le peuple [2]

85

Raison des effets.

Il est donc vrai de dire que tout le monde est dans l'illusion car encore que les opinions du peuple soient saines, elles ne le sont pas dans sa tête, car il pense que la vérité est où elle n'est pas. La vérité est bien dans leurs opinions, mais non pas au point où ils se figurent. Il est vrai qu'il faut honorer les gentilshommes, mais non pas parce que la naissance est un avantage effectif, etc.

86

Raison des effets.

Renversement continuel du pour au contre.

Nous avons donc montré que l'homme est vain par l'estime qu'il fait des choses qui ne sont point essentielles. Et toutes ces opinions sont détruites.

Nous avons montré ensuite que toutes ces opinions sont très saines, et qu'ainsi toutes ces vanités étant très bien fondées, le peuple n'est pas si vain qu'on dit. Et ainsi nous avons détruit l'opinion qui détruisait celle du peuple.

Mais il faut détruire maintenant cette dernière proposition et montrer qu'il demeure toujours vrai que le peuple est vain, quoique ses opinions soient saines, parce qu'il n'en sent pas la vérité où elle est et que, la mettant où elle n'est pas, ses opinions sont toujours très fausses et très malsaines.

87

Opinions du peuple saines.

Le plus grand des maux est les guerres civiles. Elles sont sûres si on veut récompenser les mérites, car tous diront qu'ils méritent. Le mal à craindre d'un sot qui succède par droit de naissance n'est ni si grand, ni si sûr [1].

88

Opinions du peuple saines.

Être brave [1] n'est pas trop vain, car c'est montrer qu'un grand nombre de gens travaillent pour soi, c'est montrer par ses cheveux qu'on a un valet de chambre, un parfumeur, etc., par son rabat, le fil, le passement, etc. Or ce n'est pas une simple superficie, ni un simple harnais d'avoir plusieurs bras.

Plus on a de bras, plus on est fort. Être brave, c'est montrer sa force.

89

Raison des effets.

La faiblesse de l'homme est la cause de tant de beautés qu'on établit, comme de savoir bien jouer du luth n'est un mal qu'à cause de notre faiblesse [1].

90

Raison des effets.

La concupiscence et la force sont les sources de toutes nos actions. La concupiscence fait les volontaires, la force les involontaires.

91

D'où vient qu'un boiteux ne nous irrite pas et un esprit boiteux nous irrite [1]? A cause qu'un boiteux reconnaît que nous allons droit et qu'un esprit boiteux dit que c'est nous qui boitons. Sans cela nous en aurions pitié et non colère.

Épictète demande bien plus fortement : « Pourquoi ne nous fâchons-nous pas si on dit que nous avons mal à la tête, et que nous nous fâchons de ce qu'on dit que nous raisonnons mal ou que nous choisissons mal[2] ? »

Ce qui cause cela est que nous sommes bien certains que nous n'avons pas mal à la tête et que nous ne sommes pas boiteux, mais nous ne sommes pas si assurés que nous choisissons le vrai, de sorte que n'en ayant d'assurance qu'à cause que nous le voyons de toute notre vue, quand un autre voit de toute sa vue le contraire, cela nous met en suspens et nous étonne. Et encore plus quand mille autres se moquent de notre choix, car il faut préférer nos lumières à celles de tant d'autres, et cela est hardi et difficile. Il n'y a jamais cette contradiction dans les sens touchant un boiteux.

L'homme est ainsi fait qu'à force de lui dire qu'il est un sot, il le croit ; et à force de se le dire à soi-même on se le fait croire, car l'homme fait lui seul une conversation intérieure, qu'il importe de bien régler. « *Corrumpunt bonos mores colloquia prava*[3]. » Il faut se tenir en silence autant qu'on peut, et ne s'entretenir que de Dieu qu'on sait être la vérité ; et ainsi on se le persuade à soi-même.

92

Raison des effets.

Épictète. Ceux qui disent : « Vous ⟨avez⟩ mal à la tête[1] », ce n'est pas de même. On est assuré de la santé, et non pas de la justice, et en effet la sienne était une niaiserie.

Et cependant il la croyait démontrer en disant ou en notre puissance ou non[2].

Mais il ne s'apercevait pas qu'il n'est pas en notre pouvoir de régler le cœur, et il avait tort de le conclure de ce qu'il y avait des chrétiens[3].

93

Le peuple a des opinions très saines. Par exemple .

1. d'avoir choisi le divertissement [1], et la chasse plutôt que la prise. Les demi-savants s'en moquent et triomphent à montrer là-dessus la folie du monde, mais par une raison qu'ils ne pénètrent pas, on a raison.

2. d'avoir distingué les hommes par le dehors, comme par la noblesse ou le bien [2]. Le monde triomphe encore à montrer combien cela est déraisonnable. Mais cela est très raisonnable. Cannibales se rient d'un enfant roi [3].

3. de s'offenser pour avoir reçu un soufflet, ou de tant désirer la gloire, mais cela est très souhaitable à cause des autres biens essentiels qui y sont joints. Et un homme qui a reçu un soufflet sans s'en ressentir est accablé d'injures et de nécessités.

4. travailler pour l'incertain, aller sur la mer [4], passer sur une planche.

94

Justice, force.

Il est juste que ce qui est juste soit suivi ; il est nécessaire que ce qui est le plus fort soit suivi.

La justice sans la force est impuissante ; la force sans la justice est tyrannique.

La justice sans force est contredite, parce qu'il y a toujours des méchants. La force sans la justice est accusée. Il faut donc mettre ensemble la justice et la force, et pour cela faire que ce qui est juste soit fort ou que ce qui est fort soit juste.

La justice est sujette à dispute. La force est très reconnaissable et sans dispute. Aussi on n'a pu donner la force à la justice, parce que la force a contredit la justice et a dit qu'elle était injuste, et a dit que c'était elle qui était juste.

Et ainsi ne pouvant faire que ce qui est juste fût fort, on a fait que ce qui est fort fût juste.

95

Que la noblesse est un grand avantage, qui dès dix-huit ans met un homme en passe [1], connu et respecté comme un autre pourrait avoir mérité à cinquante ans. C'est trente ans gagnés sans peine.

VI. GRANDEUR

96

Si un animal faisait par esprit ce qu'il fait par instinct, et s'il parlait par esprit ce qu'il parle par instinct pour la chasse et pour avertir ses camarades que la proie est trouvée ou perdue, il parlerait bien aussi pour des choses où il a plus d'affection, comme pour dire : « Rongez cette corde qui me blesse et où je ne puis atteindre [1]. »

97

Grandeur.
Les raisons des effets marquent la grandeur de l'homme, d'avoir tiré de la concupiscence un si bel ordre [1].

98

Le bec du perroquet qu'il essuie quoiqu'il soit net [1].

99

Qu'est-ce qui sent du plaisir en nous ? Est-ce la main, est-ce le bras, est-ce la chair, est-ce le sang ? On verra qu'il faut que ce soit quelque chose d'immatériel [1].

100

Contre le pyrrhonisme.

Nous supposons que tous les conçoivent de même sorte [1].
Mais nous le supposons bien gratuitement, car nous n'en
avons aucune preuve. Je vois bien qu'on applique ces mots
dans les mêmes occasions, et que toutes les fois que deux
hommes voient un corps changer de place, ils expriment tous
deux la vue de ce même objet par le même mot, en disant
l'un et l'autre qu'il s'est mû, et de cette conformité
d'application on tire une puissante conjecture d'une conformité d'idée, mais cela n'est pas absolument convaincant de la
dernière conviction quoiqu'il y ait bien à parier pour
l'affirmative, puisqu'on sait qu'on tire souvent les mêmes
conséquences des suppositions différentes.

Cela suffit pour embrouiller au moins la matière, non que
cela éteigne absolument la clarté naturelle qui nous assure de
ces choses. Les académiciens auraient gagé, mais cela la
ternit et trouble les dogmatistes, à la gloire de la cabale
pyrrhonienne qui consiste à cette ambiguïté ambiguë, et dans
une certaine obscurité douteuse dont nos doutes ne peuvent
ôter toute la clarté ni nos lumières naturelles en chasser
toutes les ténèbres.

101

Nous connaissons la vérité non seulement par la raison
mais encore par le cœur. C'est de cette dernière sorte que
nous connaissons les premiers principes et c'est en vain que
le raisonnement, qui n'y a point de part, essaie de les
combattre. Les pyrrhoniens, qui n'ont que cela pour objet, y
travaillent inutilement. Nous savons que nous ne rêvons
point, quelque impuissance où nous soyons de le prouver par
raison; cette impuissance ne conclut autre chose que la
faiblesse de notre raison, mais non pas l'incertitude de toutes

nos connaissances, comme ils le prétendent. Car la connaissance des premiers principes, comme qu'il y a espace, temps,
mouvement, nombres, ⟨est⟩ aussi ferme qu'aucune de celles
que nos raisonnements nous donnent, et c'est sur ces
connaissances du cœur et de l'instinct qu'il faut que la raison
s'appuie et qu'elle y fonde tout son discours[1]. Le cœur sent
qu'il y a trois dimensions dans l'espace et que les nombres
sont infinis et la raison démontre ensuite qu'il n'y a point
deux nombres carrés dont l'un soit double de l'autre[2]. Les
principes se sentent, les propositions se concluent et le tout
avec certitude quoique par différentes voies. Et il est aussi
inutile et aussi ridicule que la raison demande au cœur des
preuves de ses premiers principes pour vouloir y consentir,
qu'il serait ridicule que le cœur demandât à la raison un
sentiment de toutes les propositions qu'elle démontre pour
vouloir les recevoir.

Cette impuissance ne doit donc servir qu'à humilier la
raison, qui voudrait juger de tout, mais non pas à combattre
notre certitude comme s'il n'y avait que la raison capable de
nous instruire. Plût à Dieu que nous n'en eussions au
contraire jamais besoin et que nous connussions toutes
choses par instinct et par sentiment! Mais la nature nous a
refusé ce bien; elle ne nous a au contraire donné que très peu
de connaissances de cette sorte; toutes les autres ne peuvent
être acquises que par raisonnement.

Et c'est pourquoi ceux à qui Dieu a donné la Religion par
sentiment du cœur sont bienheureux et bien légitimement
persuadés; mais ⟨à⟩ ceux qui ne l'ont pas, nous ne pouvons
la donner que par raisonnement, en attendant que Dieu la
leur donne par sentiment de cœur, sans quoi la foi n'est
qu'humaine et inutile pour le salut[3].

102

Je puis bien concevoir un homme sans mains, pieds, tête,

car ce n'est que l'expérience qui nous apprend que la tête est plus nécessaire que les pieds. Mais je ne puis concevoir l'homme sans pensée [1]. Ce serait une pierre ou une brute [2].

103

Instinct [1] et raison, marques de deux natures.

104

Roseau pensant [1].

Ce n'est point de l'espace [2] que je dois chercher ma dignité, mais c'est du règlement de ma pensée. Je n'aurais point davantage en possédant des terres. Par l'espace, l'univers me comprend et m'engloutit comme un point ; par la pensée, je le comprends.

105

La grandeur de l'homme est grande en ce qu'il se connaît misérable [1] ; un arbre ne se connaît pas misérable.

C'est donc être misérable que de ⟨se⟩ connaître misérable, mais c'est être grand que de connaître qu'on est misérable.

106

Immatérialité de l'âme.

Les philosophes qui ont dompté leurs passions, quelle matière l'a pu faire ?

107

Toutes ces misères-là même prouvent sa grandeur. Ce sont misères de grand seigneur, misères d'un roi dépossédé.

108

La grandeur de l'homme.

La grandeur de l'homme est si visible qu'elle se tire même de sa misère, car ce qui est nature aux animaux nous l'appelons misère en l'homme[1] ; par où nous reconnaissons que sa nature étant aujourd'hui pareille à celle des animaux, il est déchu d'une meilleure nature qui lui était propre autrefois.

Car qui se trouve malheureux de n'être pas roi sinon un roi dépossédé ? Trouvait-on Paul Émile malheureux de n'être pas consul ? Au contraire, tout le monde trouvait qu'il était heureux de l'avoir été, parce que sa condition n'était pas de l'être toujours. Mais on trouvait Persée si malheureux de n'être plus roi, parce que sa condition était de l'être toujours, qu'on trouvait étrange de ce qu'il supportait la vie[2]. Qui se trouve malheureux de n'avoir qu'une bouche et qui ne se trouverait malheureux de n'avoir qu'un œil ? On ne s'est peut-être jamais avisé de s'affliger de n'avoir pas trois yeux, mais on est inconsolable de n'en point avoir.

109

Grandeur de l'homme dans sa concupiscence même, d'en avoir su tirer un règlement admirable[1] et en avoir fait un tableau de la charité.

VII. CONTRARIÉTÉS

110

Contrariétés.

Après avoir montré la bassesse et la grandeur de l'homme.

Que l'homme maintenant s'estime son prix. Qu'il s'aime, car il y a en lui une nature capable de bien ; mais qu'il n'aime pas pour cela les bassesses qui y sont. Qu'il se méprise, parce que cette capacité est vide ; mais qu'il ne méprise pas pour cela cette capacité naturelle. Qu'il se haïsse, qu'il s'aime : il a en lui la capacité de connaître la vérité et d'être heureux ; mais il n'a point de vérité, ou constante, ou satisfaisante.

Je voudrais donc porter l'homme à désirer d'en trouver, à être prêt et dégagé de passions, pour la suivre où il la trouvera, sachant combien sa connaissance s'est obscurcie par les passions ; je voudrais bien qu'il haït en soi la concupiscence qui le détermine d'elle-même, afin qu'elle ne l'aveuglât point pour faire son choix, et qu'elle ne l'arrêtât point quand il aura choisi [1].

111

Nous sommes si présomptueux que nous voudrions être connus de toute la terre et même des gens qui viendront quand nous ne serons plus. Et nous sommes si vains que l'estime de cinq ou six personnes qui nous environnent nous amuse et nous contente.

112

Il est dangereux de trop faire croire à l'homme combien il est égal aux bêtes[1], sans lui montrer sa grandeur. Il est encore dangereux de lui trop faire voir sa grandeur sans sa bassesse. Il est encore plus dangereux de lui laisser ignorer l'un et l'autre, mais il est très avantageux de lui représenter l'un et l'autre.

Il ne faut pas que l'homme croie qu'il est égal aux bêtes, ni aux anges[2], ni qu'il ignore l'un et l'autre, mais qu'il sache l'un et l'autre.

113

A P.R.[1]
Grandeur et misère.

La misère se concluant de la grandeur et la grandeur de la misère, les uns ont conclu la misère d'autant plus qu'ils en ont pris pour preuve la grandeur, et les autres concluant la grandeur avec d'autant plus de force qu'ils l'ont conclue de la misère même, tout ce que les uns ont pu dire pour montrer la grandeur n'a servi que d'un argument aux autres pour conclure la misère, puisque c'est être d'autant plus misérable qu'on est tombé de plus haut, et les autres au contraire. Ils se sont portés les uns sur les autres, par un cercle sans fin, étant certain qu'à mesure que les hommes ont de lumière, ils trouvent et grandeur et misère en l'homme. En un mot l'homme connaît qu'il est misérable. Il est donc misérable puisqu'il l'est, mais il est bien grand puisqu'il le connaît[2].

114

Contradiction, mépris de notre être, mourir pour rien, haine de notre être.

115

Contrariétés.
L'homme est naturellement crédule, incrédule, timide, téméraire.

116

Qu'est-ce que nos principes naturels sinon nos principes accoutumés? Et dans les enfants ceux qu'ils ont reçus de la coutume de leurs pères [1], comme la chasse dans les animaux.
Une différente coutume en donnera d'autres principes naturels. Cela se voit par expérience. Et s'il y en a d'ineffaçables à la coutume, il y en a aussi de la coutume contre la nature ineffaçables à la nature et à une seconde coutume. Cela dépend de la disposition.

117

Les pères craignent que l'amour naturel des enfants ne s'efface. Quelle est donc cette nature sujette à être effacée?
La coutume est une seconde nature qui détruit la première [1]. Mais qu'est-ce que nature? Pourquoi la coutume n'est-elle pas naturelle? J'ai grand peur que cette nature ne soit elle-même qu'une première coutume, comme la coutume est une seconde nature.

118

La nature de l'homme se considère en deux manières, l'une selon sa fin, et alors il est grand et incomparable; l'autre selon la multitude, comme on juge de la nature du cheval et du chien par la multitude, d'y voir [1] la course, *et animum arcendi* [2], et alors l'homme est abject et vil. Et voilà les deux voies qui en font juger diversement et qui font tant disputer les philosophes.

Car l'un nie la supposition de l'autre. L'un dit : « Il n'est point né à cette fin, car toutes ses actions y répugnent. » L'autre dit : « Il s'éloigne de la fin quand il fait ces basses actions [3]. »

119

Deux choses instruisent l'homme de toute sa nature : l'instinct et l'expérience.

120

Métier.
Pensées.
Tout est un, tout est divers.
Que de natures en celle de l'homme ! Que de vacations et par quel hasard ! Chacun prend d'ordinaire ce qu'il a ouï estimer.
Talon bien tourné [1].

121

S'il se vante, je l'abaisse ;
s'il s'abaisse, je le vante
et le contredis toujours
jusqu'à ce qu'il comprenne
qu'il est un monstre incompréhensible.

122 [1]

Les principales forces des pyrrhoniens, je laisse les moindres, sont que nous n'avons aucune certitude de la vérité de ces principes, hors la foi et la révélation, sinon en ⟨ce⟩ que nous les sentons naturellement en nous. Or ce sentiment naturel n'est pas une preuve convaincante de leur vérité, puisque, n'y ayant point de certitude hors la foi si l'homme est créé par un dieu bon, par un démon méchant ou à l'aventure, il est en doute si ces principes nous sont donnés ou véritables, ou faux, ou incertains selon notre origine[2].

De plus que personne n'a d'assurance hors de la foi s'il veille ou s'il dort, vu que durant le sommeil on croit veiller aussi fermement que nous faisons. On croit voir les espaces, les figures, les mouvements, on sent couler le temps, on le mesure, et enfin on agit de même qu'éveillé. De sorte que, la moitié de la vie se passant en sommeil, par notre propre aveu ou quoi qu'il nous en paraisse, nous n'avons aucune idée du vrai, tous nos sentiments étant alors des illusions. Qui sait si cette autre moitié de la vie où nous pensons veiller n'est pas un autre sommeil un peu différent du premier, dont nous nous éveillons quand nous pensons dormir[3]?

[Et qui doute que si on rêvait en compagnie et que par hasard les songes s'accordassent, ce qui est assez ordinaire, et qu'on veillât en solitude, on ne crût les choses renversées[4]? Enfin, comme on rêve souvent qu'on rêve, entassant un songe sur l'autre, ne se peut-il pas faire que cette moitié de la vie n'est elle-même qu'un songe sur lequel les autres sont entés, dont nous nous éveillons à la mort, pendant ⟨lequel⟩ nous avons aussi peu les principes du vrai et du bien que pendant le sommeil naturel, ces différentes pensées qui nous y agitent n'étant peut-être que des illusions pareilles à l'écoulement du temps, et aux vains fantômes de nos songes?]

Voilà les principales forces de part et d'autre[5], je laisse les moindres comme les discours qu'ont faits les pyrrhoniens contre les impressions de la coutume, de l'éducation, des mœurs des pays, et les autres choses semblables qui, quoiqu'elles entraînent la plus grande partie des hommes communs qui ne dogmatisent que sur ces vains fondements, sont renversées par le moindre souffle des pyrrhoniens. On n'a qu'à voir leurs livres[6] ; si l'on n'en est pas assez persuadé, on le deviendra bien vite et peut-être trop.

Je m'arrête à l'unique fort des dogmatistes qui est qu'en parlant de bonne foi et sincèrement, on ne peut douter des principes naturels.

Contre quoi les pyrrhoniens opposent, en un mot, l'incertitude de notre origine qui enferme celle de notre nature. A quoi les dogmatistes sont encore à répondre depuis que le monde dure.

Voilà la guerre ouverte entre les hommes, où il faut que chacun prenne parti, et se range nécessairement ou au dogmatisme ou au pyrrhonisme[7]. Car qui pensera demeurer neutre sera pyrrhonien par excellence. Cette neutralité est l'essence de la cabale. Qui n'est pas contre eux est excellemment pour eux ; ils ne sont pas pour eux-mêmes ; ils sont neutres et indifférents, suspendus à tout sans s'excepter.

Que fera donc l'homme dans cet état ? Doutera-t-il de tout ? Doutera-t-il s'il veille, si on le pince, si on le brûle ? Doutera-t-il s'il doute ? Doutera-t-il s'il est ? On n'en peut venir là, et je mets en fait qu'il n'y a jamais eu de pyrrhonien effectif parfait. La nature soutient la raison impuissante et l'empêche d'extravaguer jusqu'à ce point.

Dira-t-il donc au contraire qu'il possède certainement la vérité, lui qui, si peu qu'on le pousse, ne peut en montrer aucun titre et est forcé de lâcher prise ?

Quelle chimère est-ce donc que l'homme ? quelle nouveauté, quel monstre, quel chaos, quel sujet de contradictions, quel prodige ? Juge de toutes choses, imbécile ver de terre, dépositaire du vrai, cloaque d'incertitude et d'erreur, gloire et rebut de l'univers.

Qui démêlera cet embrouillement ? [Certainement cela

passe le dogmatisme et pyrrhonisme, et toute la philosophie humaine. L'homme passe l'homme. Qu'on accorde donc aux pyrrhoniens ce qu'ils ont tant crié, que la vérité n'est pas de notre portée ni de notre gibier, qu'elle ne demeure pas en terre, qu'elle est domestique du ciel, qu'elle loge dans le sein de Dieu, et que l'on ne la peut connaître qu'à mesure qu'il lui plaît de la révéler[8]. Apprenons donc de la vérité incréée et incarnée notre véritable nature.]

[On ne peut éviter, en cherchant la vérité par la raison, l'une de ces trois sectes.]

[On ne peut être pyrrhonien ni académicien sans étouffer la nature, on ne peut être dogmatiste sans renoncer à la raison.]

La nature confond les pyrrhoniens et la raison confond les dogmatiques[9]. Que deviendrez-vous donc, ô homme qui cherchez quelle est votre véritable condition par votre raison naturelle? Vous ne pouvez fuir une de ces sectes ni subsister dans aucune.

Connaissez donc, superbe, quel paradoxe vous êtes à vous-même. Humiliez-vous, raison impuissante! Taisez-vous, nature imbécile, apprenez que l'homme passe infiniment l'homme et entendez de votre maître votre condition véritable que vous ignorez.

Écoutez Dieu.

Car enfin, si l'homme n'avait jamais été corrompu, il jouirait dans son innocence et de la vérité et de la félicité avec assurance. Et si l'homme n'avait jamais été que corrompu, il n'aurait aucune idée ni de la vérité ni de la béatitude. Mais, malheureux que nous sommes, et plus que s'il n'y avait point de grandeur dans notre condition, nous avons une idée du bonheur et ne pouvons y arriver, nous sentons une image de la vérité et ne possédons que le mensonge, incapables d'ignorer absolument et de savoir certainement, tant il est manifeste que nous avons été dans un degre de perfection dont nous sommes malheureusemenι déchus.

[Concevons donc que l'homme passe infiniment l'homme et qu'il était inconcevable à soi-même sans le secours de la foi. Car qui ne voit que sans la connaissance de cette double condition de la nature, on était dans une ignorance invincible de la vérité de sa nature?]

Chose étonnante, cependant, que le mystère le plus éloigné de notre connaissance, qui est celui de la transmission du péché, soit une chose sans laquelle nous ne pouvons avoir aucune connaissance de nous-même!

Car il est sans doute qu'il n'y a rien qui choque plus notre raison que de dire que le péché du premier homme ait rendu coupables ceux qui, étant si éloignés de cette source, semblent incapables d'y participer. Cet écoulement ne nous paraît pas seulement impossible, il nous semble même très injuste : car qu'y a-t-il de plus contraire aux règles de notre misérable justice que de damner éternellement un enfant incapable de volonté pour un péché où il paraît avoir si peu de part qu'il est commis six mille ans avant qu'il fût en être? Certainement, rien ne nous heurte plus rudement que cette doctrine, et cependant sans ce mystère, le plus incompréhensible de tous, nous sommes incompréhensibles à nous-mêmes. Le nœud de notre condition prend ses replis et ses tours dans cet abîme[10]. De sorte que l'homme est plus inconcevable sans ce mystère que ce mystère n'est inconcevable à l'homme.

[D'où il paraît que Dieu, voulant nous rendre la difficulté de notre être inintelligible à nous-mêmes, en a caché le nœud si haut, ou pour mieux dire si bas. que nous étions bien incapables d'y arriver. De sorte que ce n'est point par les superbes agitations de notre raison, mais par la simple soumission de la raison, que nous pouvons véritablement nous connaître.

[Ces fondements solidement établis sur l'autorité invio-
lable de la religion nous font connaître qu'il y a deux vérités
de foi également constantes : l'une que l'homme dans l'état
de la création ou dans celui de la grâce est élevé au-dessus de
toute la nature, rendu comme semblable à Dieu et participant de la divinité ; l'autre qu'en l'état de la corruption et du
péché, il est déchu de cet état et rendu semblable aux bêtes.
Ces deux propositions sont également fermes et certaines.

[L'Écriture nous les déclare manifestement lorsqu'elle dit
en quelques lieux : « *deliciae meae esse cum filiis hominum*[11] », « *effundam spiritum meum super omnem car-
nem*[12] », « *dii estis*[13] », etc., et qu'elle dit en d'autres :
« *omnis caro foenum*[14] », « *homo asssimilatus est jumentis
insipientibus et similis factus est illis*[15] », « *dixi in corde meo
de filiis hominum*[16] », *eccle* 3.]

VIII. DIVERTISSEMENT

123

Divertissement.

Si l'homme était heureux, il le serait d'autant plus qu'il serait moins diverti, comme les saints et Dieu.

— Oui[1] ; mais n'est-ce pas être heureux que de pouvoir être réjoui par le divertissement ?

— Non ; car il vient d'ailleurs et de dehors ; et ainsi il est dépendant, et partant sujet à être troublé par mille accidents, qui font les afflictions inévitables.

124

Divertissement.

Les hommes n'ayant pu guérir la mort, la misère, l'ignorance, ils se sont avisés, pour se rendre heureux, de n'y point penser[1].

Nonobstant ces misères il veut être heureux et ne veut être qu'heureux, et ne peut ne vouloir pas l'être.

Mais comment s'y prendra-t-il ? Il faudrait pour bien faire qu'il se rendît immortel, mais ne le pouvant il s'est avisé de s'empêcher d'y penser.

125

Je sens que je puis n'avoir point été, car le moi consiste
dans ma pensée[1]; donc moi qui pense n'aurais point été, si
ma mère eût été tuée avant que j'eusse été animé; donc je ne
suis pas un être nécessaire. Je ne suis pas aussi éternel ni
infini, mais je vois bien qu'il y a dans la nature un être
nécessaire, éternel et infini[2].

126

Divertissement[1].

Quand je m'y suis mis quelquefois à considérer les diverses
agitations des hommes et les périls et les peines où ils
s'exposent dans la cour, dans la guerre, d'où naissent tant de
querelles, de passions, d'entreprises hardies et souvent
mauvaises, j'ai dit souvent que tout le malheur des hommes
vient d'une seule chose, qui est de ne savoir pas demeurer en
repos dans une chambre. Un homme qui a assez de bien
pour vivre, s'il savait demeurer chez soi avec plaisir, n'en
sortirait pas pour aller sur la mer ou au siège d'une place, ou
n'achèterait une charge à l'armée si cher que parce qu'on
trouverait insupportable de ne bouger de la ville, et on ne
recherche les conversations et les divertissements des jeux
que parce qu'on ne peut demeurer chez soi avec plaisir.

Mais quand j'ai pensé de plus près et qu'après avoir trouvé
la cause de tous nos malheurs, j'ai voulu en découvrir les
raisons, j'ai trouvé qu'il y en a une bien effective, qui
consiste dans le malheur naturel de notre condition faible et
mortelle, et si misérable que rien ne peut nous consoler
lorsque nous y pensons de près[2].

Quelque condition qu'on se figure où l'on assemble tous
les biens qui peuvent nous appartenir, la royauté est le plus
beau poste du monde, et cependant qu'on s'en imagine[3]
accompagné de toutes les satisfactions qui peuvent le

coucher. S'il est sans divertissement, et qu'on le laisse considérer et faire réflexion sur ce qu'il est, cette félicité languissante ne le soutiendra point; il tombera par nécessité dans les vues qui le menacent des révoltes qui peuvent arriver et enfin de la mort et des maladies qui sont inévitables, de sorte que s'il est sans ce qu'on appelle divertissement, le voilà malheureux, et ⟨plus⟩ malheureux que le moindre de ses sujets qui joue et qui se divertit [4]. H [5].

De là vient que le jeu et la conversation des femmes, la guerre, les grands emplois sont si recherchés. Ce n'est pas qu'il y ait en effet du bonheur, ni qu'on s'imagine que la vraie béatitude soit d'avoir l'argent qu'on peut gagner au jeu, ou dans le lièvre qu'on court; on n'en voudrait pas s'il était offert [a]. Ce n'est pas cet usage mol et paisible et qui nous laisse penser à notre malheureuse condition qu'on recherche ni les dangers de la guerre ni la peine des emplois, mais c'est le tracas qui nous détourne d'y penser et nous divertit.

De là vient que les hommes aiment tant le bruit et le remuement. De là vient que la prison est un supplice si horrible, de là vient que le plaisir de la solitude est une chose incompréhensible. Et c'est enfin le plus grand sujet de félicité de la condition des rois, de ce qu'on essaie sans cesse à les divertir et à leur procurer toutes sortes de plaisirs [b].

Voilà tout ce que les hommes ont pu inventer pour se rendre heureux; et ceux qui font sur cela les philosophes et qui croient que le monde est bien peu raisonnable de passer tout le jour à courir après un lièvre qu'ils ne voudraient pas avoir acheté, ne connaissent guère notre nature [7]. Ce lièvre ne nous garantirait pas de la vue de la mort et des misères

---

a. Raison pour quoi on aime mieux la chasse que la prise [6].

b. Le roi est environné de gens qui ne pensent qu'à divertir le roi et à l'empêcher de penser à lui. Car il est malheureux, tout roi qu'il est, s'il y pense.

qui nous en détournent, mais la chasse nous en garantit[a].
A [5]. [b]Et ainsi quand on leur reproche que ce qu'ils
recherchent avec tant d'ardeur ne saurait les satisfaire, s'ils
répondaient, comme ils devraient le faire s'ils y pensaient
bien, qu'ils ne recherchent en cela qu'une occupation
violente et impétueuse qui les détourne de penser à soi, et
que c'est pour cela qu'ils se proposent un objet attirant qui
les charme et les attire avec ardeur, ils laisseraient leurs
adversaires sans repartie[c]. Mais ils ne répondent pas cela
parce qu'ils ne se connaissent pas eux-mêmes. Ils ne savent
pas que ce n'est que la chasse et non pas la prise qu'ils
recherchent[d]. Ils s'imaginent que s'ils avaient obtenu cette
charge, ils s'en reposeraient ensuite avec plaisir et ne sentent
pas la nature insatiable de leur cupidité; ils croient chercher
sincèrement le repos, et ne cherchent en effet que l'agitation. Ils ont un instinct secret qui les porte à chercher le
divertissement et l'occupation au dehors, qui vient du
ressentiment de leurs misères continuelles. Et ils ont un autre
instinct secret qui reste de la grandeur de notre première
nature, qui leur fait connaître que le bonheur n'est en effet
que dans le repos et non pas dans le tumulte [9], et de ces deux
instincts contraires ils se forment en eux un projet confus qui
se cache à leur vue dans le fond de leur âme, qui les porte à
tendre au repos par l'agitation, et à se figurer toujours que la
satisfaction qu'ils n'ont point leur arrivera si, en surmontant

---

a. Le conseil qu'on donnait à Pyrrhus de prendre le
repos qu'il allait chercher par tant de fatigues recevait bien
des difficultés [8].

b. La vanité, le plaisir de la montrer aux autres.

c. La danse, il faut bien penser où l'on mettra ses pieds.

d. Le gentilhomme croit sincèrement que la chasse est un
plaisir grand et un plaisir royal, mais son piqueur n'est pas de
ce sentiment-là.

quelques difficultés qu'ils envisagent, ils peuvent s'ouvrir par là la porte au repos. Ainsi s'écoule toute la vie : on cherche le repos en combattant quelques obstacles et, si on les a surmontés, le repos devient insupportable, par l'ennui qu'il engendre ; il en faut sortir et mendier le tumulte Car, ou l'on pense aux misères qu'on a ou à celles qui nous menacent. Et quand on se verrait même assez à l'abri de toutes parts, l'ennui, de son autorité privée [10], ne laisserait pas de sortir du fond du cœur où il a des racines naturelles, et de remplir l'esprit de son venin. B [5].

Ainsi l'homme est si malheureux qu'il s'ennuierait même sans aucune cause d'ennui par l'état propre de sa complexion. Et il est si vain qu'étant plein de mille causes essentielles d'ennui, la moindre chose comme un billard et une balle qu'il pousse suffisent pour le divertir [a]. C [5].

---

a. Mais, direz-vous, quel objet a-t-il en tout cela ? Celui de se vanter demain entre ses amis de ce qu'il a mieux joué qu'un autre. Ainsi les autres suent dans leur cabinet pour montrer aux savants qu'ils ont résolu une question d'algèbre qu'on n'aurait pu trouver jusqu'ici, et tant d'autres s'exposent aux derniers périls pour se vanter ensuite d'une place qu'ils auront prise aussi sottement à mon gré. Et enfin les autres se tuent pour remarquer toutes ces choses, non point pour en devenir plus sages, mais seulement pour montrer qu'ils les savent. Et ceux-là sont les plus sots de la bande, puisqu'ils le sont avec connaissance [11], au lieu qu'on peut penser des autres qu'ils ne le seraient plus s'ils avaient cette connaissance.

Tel homme passe sa vie sans ennui en jouant tous les jours peu de chose. Donnez-lui tous les matins l'argent qu'il peut gagner chaque jour, à la charge qu'il ne joue point, vous le rendez malheureux. On dira peut-être que c'est qu'il recherche l'amusement du jeu et non pas le gain. Faites-le

D'où vient que cet homme qui a perdu depuis peu de mois son fils unique et qui, accablé de procès et de querelles, était ce matin si troublé, n'y pense plus maintenant [13] ? Ne vous en étonnez pas, il est tout occupé à voir par où passera ce sanglier que les chiens poursuivent avec tant d'ardeur depuis six heures : il n'en faut pas davantage. L'homme, quelque plein de tristesse qu'il soit, si on peut gagner sur lui de le faire entrer en quelque divertissement, le voilà heureux pendant ce temps-là ; et l'homme, quelque heureux qu'il soit, s'il n'est diverti et occupé par quelque passion ou quelque amusement qui empêche l'ennui de se répandre, sera bientôt chagrin et malheureux. Sans divertissement, il n'y a point de joie ; avec le divertissement, il n'y a point de tristesse ; et c'est aussi ce qui forme le bonheur des personnes. D [5]. de grande condition qu'ils ont un nombre de personnes qui les divertissent et qu'ils ont le pouvoir de se maintenir en cet état.

Prenez-y garde, qu'est-ce autre chose d'être surintendant, chancelier, premier président, sinon d'être en une condition où l'on a le matin un grand nombre de gens qui viennent de tous côtés pour ne leur laisser pas une heure en la journée où ils puissent penser à eux-mêmes. Et quand ils sont dans la disgrâce et qu'on les renvoie à leurs maisons des champs où ils ne manquent ni de biens ni de domestiques pour les

---

donc jouer pour rien, il ne s'y échauffera point et s'y ennuiera : ce n'est donc pas l'amusement seul qu'il recherche, un amusement languissant et sans passion l'ennuiera. Il faut qu'il s'y échauffe, et qu'il se pipe lui-même en s'imaginant qu'il serait heureux de gagner ce qu'il ne voudrait pas qu'on lui donnât à condition de ne point jouer, afin qu'il se forme un sujet de passion et qu'il excite sur cela son désir, sa colère, sa crainte pour l'objet qu'il s'est formé, comme les enfants qui s'effraient du visage qu'ils ont barbouillé [12].

assister dans leurs besoins, ils ne laissent pas d'être misérables et abandonnés parce que personne ne les empêche de songer à eux.

127

Divertissement.

La dignité royale n'est-elle pas assez grande d'elle-même pour celui qui la possède pour le rendre heureux par la seule vue de ce qu'il est ? Faudra-t-il le divertir de cette pensée comme les gens du commun ? Je vois bien que c'est rendre un homme heureux de le divertir de la vue de ses misères domestiques pour remplir toute sa pensée du soin de bien danser, mais en sera-t-il de même d'un roi et sera-t-il plus heureux en s'attachant à ces vains amusements qu'à la vue de sa grandeur ? Et quel objet plus satisfaisant pourrait-on donner à son esprit ? Ne serait-ce donc pas faire tort à sa joie d'occuper son âme à penser à ajuster ses pas à la cadence d'un air ou à placer adroitement une barre, au lieu de le laisser jouir en repos de la contemplation de la gloire majestueuse qui l'environne ? Qu'on en fasse l'épreuve, qu'on laisse un roi tout seul sans aucune satisfaction des sens, sans aucun soin dans l'esprit, sans compagnies, penser à lui tout à loisir, et l'on verra qu'un roi sans divertissement est un homme plein de misères. Aussi on évite cela soigneusement et il ne manque jamais d'y avoir auprès des personnes des rois un grand nombre de gens qui veillent à faire succéder le divertissement à leurs affaires et qui observent tout le temps de leur loisir pour leur fournir des plaisirs et des jeux en sorte qu'il n'y ait point de vide. C'est-à-dire qu'ils sont environnés de personnes qui ont un soin merveilleux de prendre garde que le roi ne soit seul et en état de penser à soi, sachant bien qu'il sera misérable, tout roi qu'il est, s'il y pense.

Je ne parle point en tout cela des rois chrétiens comme chrétiens, mais seulement comme rois.

128

Divertissement.

La mort est plus aisée à supporter sans y penser que la pensée de la mort sans péril [1].

129

Divertissement.

On charge les hommes dès l'enfance du soin de leur honneur, de leur bien, de leurs amis, et encore du bien et de l'honneur de leurs amis [1], on les accable d'affaires, de l'apprentissage des langues et d'exercices, et on leur fait entendre qu'ils ne sauraient être heureux sans que leur santé, leur honneur, leur fortune, et celles de leurs amis soient en bon état, et qu'une seule chose qui manque les rendra malheureux. Ainsi on leur donne des charges et des affaires qui les font tracasser dès la pointe du jour.

— Voilà, direz-vous, une étrange manière de les rendre heureux; que pourrait-on faire de mieux pour les rendre malheureux?

— Comment? Ce qu'on pourrait faire? Il ne faudrait que leur ôter tous ces soins, car alors ils se verraient, ils penseraient à ce qu'ils sont, d'où ils viennent, où ils vont, et ainsi on ne peut trop les occuper et les détourner. Et c'est pourquoi, après leur avoir tant préparé d'affaires, s'ils ont quelque temps de relâche, on leur conseille de l'employer à se divertir, à jouer, et s'occuper toujours tout entiers.

Que le cœur de l'homme est creux et plein d'ordure [2] !

IX. PHILOSOPHES

130

Quand Épictète aurait vu parfaitement bien le chemin [1], il dit aux hommes : « Vous en suivez un faux. » Il montre que c'en est un autre, mais il n'y mène pas. C'est celui de vouloir ce que Dieu veut. Jésus-Christ seul y mène · « *Via veritas* [2] »
Les vices de Zénon même [3].

131

Philosophes.
La belle chose de crier à un homme qui ne se connaît pas, qu'il aille de lui-même à Dieu [1]. Et la belle chose de le dire à un homme qui se connaît.

132

Philosophes.
Ils [1] croient que Dieu est seul digne d'être aimé et d'être admiré, et ont désiré d'être aimés et admirés des hommes, et ils ne connaissent pas leur corruption. S'ils se sentent pleins de sentiments pour l'aimer et l'adorer, et qu'ils y trouvent leur joie principale, qu'ils s'estiment bons, à la bonne heure ! Mais s'ils s'y trouvent répugnants, s'ils n'ont aucune pente

qu'à se vouloir établir dans l'estime des hommes, et que pour
toute perfection, ils fassent seulement que, sans forcer les
hommes, ils leur fassent trouver leur bonheur à les aimer, je
dirai que cette perfection est horrible. Quoi! ils ont connu
Dieu et n'ont pas désiré uniquement que les hommes
l'aimassent, mais que les hommes s'arrêtassent à eux. Ils ont
voulu être l'objet du bonheur volontaire des hommes.

133

Philosophes.

Nous sommes pleins de choses qui nous jettent au
dehors [1].

Notre instinct nous fait sentir qu'il faut chercher notre
bonheur hors de nous. Nos passions nous poussent au
dehors, quand même les objets ne s'offriraient pas pour les
exciter. Les objets du dehors nous tentent d'eux-mêmes et
nous appellent quand même nous n'y pensons pas. Et ainsi
les philosophes ont beau dire : « rentrez-vous en vous-
mêmes, vous y trouverez votre bien [2] », on ne les croit pas et
ceux qui les croient sont les plus vides et les plus sots.

134

Ce que les stoïques proposent est si difficile et si vain.

Les stoïques posent : « Tous ceux qui ne sont point au
haut degré de sagesse sont également fous, et vicieux, comme
ceux qui sont à deux doigts dans l'eau [1]. »

135

Les trois concupiscences ont fait trois sectes et les
philosophes n'ont fait autre chose que suivre une des trois
concupiscences [1].

136

Stoïques.

Ils concluent qu'on peut toujours ce qu'on peut quelque-fois et que, puisque le désir de la gloire fait bien faire à ceux qu'il possède quelque chose, les autres le pourront bien aussi.

Ce sont des mouvements fiévreux que la santé ne peut imiter.

Épictète conclut de ce qu'il y a des chrétiens constants que chacun le peut bien être [1].

X. LE SOUVERAIN BIEN

137

Le souverain bien.

Dispute du souverain bien.

« *Ut sis contentus temetipso et ex te nascentibus bonis* [1]. »

Il y a contradiction, car ils conseillent enfin de se tuer.

Ô quelle vie heureuse dont on se délivre comme de la peste [2].

138

Seconde partie.

Que l'homme sans la foi ne peut connaître le vrai bien [1] ni la justice.

Tous les hommes recherchent d'être heureux [2]. Cela est sans exception, quelques différents moyens qu'ils y emploient. Ils tendent tous à ce but. Ce qui fait que les uns vont à la guerre et que les autres n'y vont pas est ce même désir qui est dans tous les deux accompagné de différentes vues. La volonté ⟨ne⟩ fait jamais la moindre démarche que vers cet objet. C'est le motif de toutes les actions de tous les hommes, jusqu'à ceux qui vont se pendre.

Et cependant depuis un si grand nombre d'années jamais personne, sans la foi, n'est arrivé à ce point où tous visent continuellement. Tous se plaignent, princes, sujets, nobles, roturiers, vieux, jeunes, forts, faibles, savants, ignorants, sains, malades, de tous pays, de tous les temps, de tous âges et de toutes conditions.

Une épreuve si longue, si continuelle et si uniforme devrait bien nous convaincre de notre impuissance d'arriver au bien par nos efforts. Mais l'exemple nous instruit peu. Il n'est jamais si parfaitement semblable qu'il n'y ait quelque délicate différence, et c'est de là que nous attendons que notre attente ne sera pas déçue en cette occasion comme en l'autre ; et ainsi, le présent ne nous satisfaisant jamais, l'expérience nous pipe, et de malheur en malheur nous mène jusqu'à la mort qui en est un comble éternel.

Qu'est-ce donc que nous crie cette avidité et cette impuissance sinon qu'il y a eu autrefois dans l'homme un véritable bonheur, dont il ne lui reste maintenant que la marque et la trace toute vide, et qu'il essaie inutilement de remplir de tout ce qui l'environne, recherchant des choses absentes le secours qu'il n'obtient pas des présentes [3], mais qui en sont toutes incapables parce que ce gouffre infini ne peut être rempli que par un objet infini et immuable, c'est-a-dire que par Dieu même.

Lui seul est son véritable bien. Et depuis qu'il l'a quitté, c'est une chose étrange qu'il n'y a rien dans la nature qui n'ait été capable de lui en tenir la place, astres, ciel, terre, éléments [4], plantes, choux, poireaux, animaux, insectes, veaux, serpents [5], fièvre [6], peste, guerre, famine, vices, adultère, inceste. Et, depuis qu'il a perdu le vrai bien, tout également peut lui paraître tel, jusqu'à sa destruction propre, quoique si contraire à Dieu, à la raison et à la nature tout ensemble.

Les uns le cherchent dans l'autorité, les autres dans les curiosités et dans les sciences, les autres dans les voluptés [7].

D'autres qui en ont en effet plus approché ont considéré

qu'il est nécessaire que ce bien universel que tous les hommes désirent ne soit dans aucune des choses particulières qui ne peuvent être possédées que par un seul et qui, étant partagées, affligent plus leurs possesseurs par le manque de la partie qu'ils n'ont pas qu'elles ne les contentent par la jouissance de celle qui lui appartient. Ils ont compris que le vrai bien devait être tel que tous pussent le posséder à la fois sans diminution et sans envie[8], et que personne ne le pût perdre contre son gré[9] ; et leur raison est que, ce désir étant naturel à l'homme, puisqu'il est nécessairement dans tous et qu'il ne peut pas ne le pas avoir, ils en concluent...

139[1]

A P.R.[2] Pour demain.

⟨Notes préparatoires⟩

Prosopopée[3].

C'est en vain, ô hommes, que vous cherchez dans vous-mêmes le remède à vos misères. Toutes vos lumières ne peuvent arriver qu'à connaître que ce n'est point dans vous-mêmes que vous trouverez ni la vérité ni le bien.

Les philosophes vous l'ont promis et ils n'ont pu le faire. Ils ne savent ni quel est votre véritable bien ni quel est [votre véritable état. Je suis la seule qui puis vous apprendre ces choses, et quel est votre véritable bien, et je les enseigne à ceux qui m'écoutent. Les livres que j'ai mis entre les mains des hommes les découvrent bien nettement, mais je n'ai pas voulu que cette connaissance fût si ouverte. J'apprends aux hommes ce qui les peut rendre heureux. Pourquoi refusez-vous de m'ouïr?]

[Ne cherchez pas de satisfaction dans la terre, n'espérez rien des hommes, votre bien n'est qu'en Dieu, et la souveraine félicité consiste à connaître Dieu, à s'unir à lui pour jamais dans l'éternité. Votre devoir est à l'aimer de tout votre cœur. Il vous a créés...] Comment auraient-ils donné des remèdes à vos maux qu'ils n'ont pas seulement connus? Vos maladies principales sont l'orgueil qui vous soustrait de Dieu, la concupiscence qui vous attache à la terre. Et ils n'ont fait autre chose qu'entretenir au moins l'une de ces maladies[4]. S'ils vous ont donné Dieu pour objet, ce n'a été que pour exercer votre superbe; ils vous ont fait penser que vous lui étiez semblables et conformes par votre nature[5]. Et ceux qui ont ⟨vu⟩ la vanité de cette prétention vous ont jetés dans l'autre précipice en vous faisant entendre que votre nature était pareille à celle des bêtes et vous ont portés à chercher votre bien dans les concupiscences qui sont le partage des animaux.

Ce n'est pas là le moyen de vous guérir de vos injustices que ces sages n'ont point connues. Je puis seule vous faire entendre qui vous êtes, ce...

Adam, Jésus-Christ.

Si on vous unit à Dieu, c'est par grâce, non par nature.

Si on vous abaisse, c'est par pénitence, non par nature[6].

Ainsi cette double capacité[7].

Vous n'êtes pas dans l'état de votre création[8].

Ces deux états étant ouverts, il est impossible que vous ne les reconnaissiez pas.

Suivez vos mouvements. Observez-vous vous-mêmes et voyez si vous n'y trouverez pas les caractères vivants de ces deux natures.

Tant de contradictions se trouveraient-elles dans un sujet simple?

⟨Rédaction définitive⟩

Incompréhensible[9].

Tout ce qui est incompréhensible ne laisse pas d'être. Le nombre infini, un espace infini égal au fini [10].

Incroyable que Dieu s'unisse à nous.

Cette considération n'est tirée que de la vue de notre bassesse, mais si vous l'avez bien sincère, suivez-la aussi loin que moi et reconnaissez que nous sommes en effet si bas que nous sommes par nous-mêmes incapables de connaître si sa miséricorde ne peut pas nous rendre capables de lui. Car je voudrais savoir d'où cet animal qui se reconnaît si faible a le droit de mesurer la miséricorde de Dieu et d'y mettre les bornes que sa fantaisie lui suggère. Il sait si peu ce que c'est que Dieu qu'il ne sait pas ce qu'il est lui-même. Et tout troublé de la vue de son propre état, il ose dire que Dieu ne le peut pas rendre capable de sa communication. Mais je voudrais lui demander si Dieu demande autre chose de lui sinon qu'il l'aime et le connaisse, et pourquoi il croit que Dieu ne peut se rendre connaissable et aimable à lui puisqu'il est naturellement capable d'amour et de connaissance. Il est sans doute qu'il connaît au moins qu'il est et qu'il aime quelque chose. Donc, s'il voit quelque chose dans les ténèbres où il est et s'il trouve quelque sujet d'amour parmi les choses de la terre, pourquoi, si Dieu lui découvre quelque rayon de son essence, ne sera-t-il pas capable de le connaître et de l'aimer en la manière qu'il lui plaira se communiquer à nous ? Il y a donc sans doute une présomption insupportable dans ces sortes de raisonnements, quoiqu'ils paraissent fondés sur une humilité apparente, qui n'est ni sincère ni raisonnable si elle ne nous fait confesser que, ne sachant de nous-mêmes qui nous sommes, nous ne pouvons l'apprendre que de Dieu.

A P.R.
Commencement.
Après avoir expliqué l'incompréhensibilité.

Les grandeurs et les misères de l'homme sont tellement visibles qu'il faut nécessairement que la véritable religion nous enseigne et qu'il y a quelque grand principe de grandeur en l'homme et qu'il y a un grand principe de misère.

Il faut encore qu'elle nous rende raison de ces étonnantes contrariétés.

Il faut que pour rendre l'homme heureux elle lui montre qu'il y a un Dieu, qu'on est obligé de l'aimer, que notre vraie félicité est d'être en lui et notre unique mal d'être séparé de lui, qu'elle reconnaisse que nous sommes pleins de ténèbres qui nous empêchent de le connaître et de l'aimer; et qu'ainsi, nos devoirs nous obligeant d'aimer Dieu et nos concupiscences nous en détournant, nous sommes pleins d'injustice. Il faut qu'elle nous rende raison de ces oppositions que nous avons à Dieu et à notre propre bien. Il faut qu'elle nous enseigne les remèdes à ces impuissances et les moyens d'obtenir ces remèdes. Qu'on examine sur cela toutes les religions du monde et qu'on voie s'il y en a une autre que la chrétienne qui y satisfasse.

Sera-ce les philosophes qui nous proposent pour tout bien les biens qui sont en nous? Est-ce là le vrai bien? Ont-ils trouvé le remède à nos maux? Est-ce avoir guéri la présomption de l'homme que de l'avoir mis à l'égal de Dieu[11]? Ceux qui nous ont égalés aux bêtes et les Mahométans qui nous ont donné les plaisirs de la terre pour tout bien, même dans l'éternité, ont-ils apporté le remède à nos concupiscences[12]?

Quelle religion nous enseignera donc à guérir l'orgueil et la concupiscence? Quelle religion enfin nous enseignera notre bien, nos devoirs, les faiblesses qui nous en détournent, la cause de ces faiblesses, les remèdes qui les peuvent guérir, et les moyens d'obtenir ce remède. Toutes les autres religions ne l'ont pu, voyons ce que fera la sagesse de Dieu.

« N'attendez point, dit-elle, ô hommes, ni vérité ni consolation des hommes. Je suis celle qui vous ai formés et qui
puis seule vous apprendre qui vous êtes. Mais vous n'êtes
plus maintenant en l'état où je vous ai formés. J'ai créé
l'homme saint, innocent, parfait; je l'ai rempli de lumière et
d'intelligence; je lui ai communiqué ma gloire et mes
merveilles[13]. L'œil de l'homme voyait alors la majesté de
Dieu. Il n'était pas alors dans les ténèbres qui l'aveuglent ni
dans la mortalité et dans les misères qui l'affligent. Mais il
n'a pu soutenir tant de gloire sans tomber dans la présomption. Il a voulu se rendre centre de lui-même et indépendant
de mon secours. Il s'est soustrait de ma domination et,
s'égalant à moi par le désir de trouver sa félicité en lui-même,
je l'ai abandonné à lui. Et, révoltant les créatures qui lui
étaient soumises, je les lui ai rendues ennemies, en sorte
qu'aujourd'hui l'homme est devenu semblable aux bêtes, et
dans un tel éloignement de moi qu'à peine lui reste-t-il une
lumière confuse de son auteur, tant toutes ses connaissances
ont été éteintes ou troublées. Les sens indépendants de la
raison et souvent maîtres de la raison l'ont emporté à la
recherche des plaisirs[14]. Toutes les créatures ou l'affligent ou
le tentent, et dominent sur lui ou en le soumettant par leur
force ou en le charmant par leurs douceurs[15], ce qui est une
domination plus terrible et plus injurieuse.

« Voilà l'état où les hommes sont aujourd'hui. Il leur reste
quelque instinct impuissant du bonheur de leur première
nature, et ils sont plongés dans les misères de leur aveuglement et de leur concupiscence, qui est devenue leur seconde
nature.

« De ce principe que je vous ouvre, vous pouvez reconnaître la cause de tant de contrariétés qui ont étonné tous les
hommes et qui les ont partagés en de si divers sentiments.
Observez maintenant tous les mouvements de grandeur et de
gloire que l'épreuve de tant de misères ne peut étouffer et

voyez s'il ne faut pas que la cause en soit en une autre nature.

« Je n'entends pas que vous soumettiez votre créance à moi sans raison, et ne prétends pas vous assujettir avec tyrannie. Je ne prétends point aussi vous rendre raison de toutes choses. Et, pour accorder ces contrariétés, j'entends vous faire voir clairement par des preuves convaincantes des marques divines en moi qui vous convainquent de ce que je suis et m'attirer autorité par des merveilles et des preuves que vous ne puissiez refuser [16], et qu'ensuite vous croyiez les choses que je vous enseigne quand vous n'y trouverez autre sujet de les refuser sinon que vous ne pouvez par vous-mêmes connaître si elles sont ou non. »

Dieu a voulu racheter les hommes et ouvrir le salut à ceux qui le chercheraient, mais les hommes s'en rendent si indignes qu'il est juste que Dieu refuse à quelques-uns, à cause de leur endurcissement, ce qu'il accorde aux autres par une miséricorde qui ne leur est pas due. S'il eût voulu surmonter l'obstination des plus endurcis, il l'eût pu en se découvrant si manifestement à eux qu'ils n'eussent pu douter de la vérité de son essence, comme il paraîtra au dernier jour avec un tel éclat de foudres et un tel renversement de la nature que les morts ressusciteront et les plus aveugles le verront.

Ce n'est pas en cette sorte qu'il a voulu paraître dans son avènement de douceur, parce que, tant d'hommes se rendant indignes de sa clémence, il a voulu les laisser dans la privation du bien qu'ils ne veulent pas. Il n'était donc pas juste qu'il parût d'une manière manifestement divine et absolument capable de convaincre tous les hommes, mais il n'était pas juste aussi qu'il vînt d'une manière si cachée qu'il ne pût être reconnu de ceux qui le chercheraient sincèrement. Il a voulu se rendre parfaitement connaissable à ceux-là ; et ainsi, voulant paraître à découvert à ceux qui le cherchent de tout leur cœur, et caché à ceux qui le fuient de tout leur cœur, il a tempéré...

A P.R. pour demain. 2.

tempéré sa connaissance, en sorte qu'il a donné des marques de soi visibles à ceux qui le cherchent et non à ceux qui ne le cherchent pas.

Il y a assez de lumière pour ceux qui ne désirent que de voir, et assez d'obscurité pour ceux qui ont une disposition contraire [17].

XII. COMMENCEMENT

140

Les impies qui font profession de suivre la raison doivent être étrangement forts en raison [1].

Que disent-ils donc?

« Ne voyons-nous pas, disent-ils, mourir et vivre les bêtes comme les hommes [a], et les Turcs comme les chrétiens? Ils ont leurs cérémonies, leurs prophètes, leurs docteurs, leurs saints, leurs religieux comme nous-mêmes, etc. »

Si vous ne vous souciez guère de savoir la vérité, en voilà assez pour vous laisser en repos. Mais si vous désirez de tout votre cœur de la connaître, ce n'est pas assez regardé au détail [3]. C'en serait assez pour une question de philosophie, mais ici où il va de tout...

Et cependant après une réflexion légère de cette sorte, on s'amusera, etc.

Qu'on s'informe de cette religion; même si elle ne rend pas raison de cette obscurité, peut-être qu'elle nous l'apprendra.

141

Nous sommes plaisants de nous reposer dans la société de

---

a. Cela est-il contraire à l'Écriture? Ne dit-elle pas tout cela [2]?

nos semblables, misérables comme nous, impuissants comme nous ; ils ne nous aideront pas : on mourra seul.

Il faut donc faire comme si on était seul. Et alors bâtirait-on des maisons superbes, etc., on chercherait la vérité sans hésiter. Et si on le refuse, on témoigne estimer plus l'estime des hommes que la recherche de la vérité.

142

Entre nous et l'enfer ou le ciel, il n'y a que la vie entre deux qui est la chose du monde la plus fragile.

143

Que me promettez-vous enfin, car dix ans est le parti[1], sinon dix ans d'amour-propre, à bien essayer de plaire sans y réussir, outre les peines certaines ?

144

Partis[1].

Il faut vivre autrement dans le monde selon ces diverses suppositions :

1. [s'il est sûr qu'on y sera toujours] si on pouvait y être toujours.

[2. s'il est incertain si on y sera toujours ou non.]

[3. s'il est sûr qu'on n'y sera pas toujours, mais qu'on soit assuré d'y être longtemps,]

[4. s'il est certain qu'on n'y sera pas toujours, et incertain si on y sera longtemps.]

5. s'il est sûr qu'on n'y sera pas longtemps, et incertain si on y sera une heure[2].

Cette dernière supposition est la nôtre.

Cœur ————————

Instinct <

Principes ————————

145

Plaindre les athées qui cherchent, car ne sont-ils pas assez malheureux? Invectiver contre ceux qui en font vanité.

146

Athéisme marque de force d'esprit [1], mais jusqu'a un certain degré seulement.

147

Par les partis, vous devez vous mettre en peine de rechercher la vérité [1]; car si vous mourez sans adorer le vrai principe, vous êtes perdu. « Mais, dites-vous, s'il avait voulu que je l'adorasse, il m'aurait laissé des signes de sa volonté. » Aussi a-t-il fait, mais vous les négligez. Cherchez-les donc, cela le vaut bien.

148

Si on doit donner huit jours de la vie, on doit donner cent ans.

149

Il n'y a que trois sortes de personnes : les uns qui servent Dieu l'ayant trouvé, les autres qui s'emploient à le chercher ne l'ayant pas trouvé, les autres qui vivent sans le chercher ni l'avoir trouvé. Les premiers sont raisonnables et heureux, les derniers sont fous et malheureux, ceux du milieu sont malheureux et raisonnables.

150

Les athées doivent dire des choses parfaitement claires Or il n'est point parfaitement clair que l'âme soit matérielle

151

Commencer par plaindre les incrédules. Ils sont assez malheureux par leur condition.

Il ne les faudrait injurier qu'au cas que cela servît, mais cela leur nuit.

152

Un homme dans un cachot, ne sachant si son arrêt est donné, n'ayant plus qu'une heure pour l'apprendre, cette heure suffisant, s'il sait qu'il est donné, pour le faire révoquer, il est contre nature qu'il emploie cette heure-là, non à s'informer si l'arrêt est donné, mais à jouer au piquet [1].

Ainsi il est surnaturel que l'homme, etc. C'est un appesantissement de la main de Dieu.

Ainsi non seulement le zèle de ceux qui le cherchent prouve Dieu, mais l'aveuglement de ceux qui ne le cherchent pas.

153

Commencement.
Cachot.

Je trouve bon qu'on n'approfondisse pas l'opinion de Copernic [1]. Mais ceci.

Il importe à toute la vie de savoir si l'âme est mortelle ou immortelle.

154

Le dernier acte est sanglant, quelque belle que soit la comédie en tout le reste [1]. On jette enfin de la terre sur la tête et en voilà pour jamais.

155

Nous courons sans souci dans le précipice après que nous avons mis quelque chose devant nous pour nous empêcher de le voir.

XIII SOUMISSION
ᴇᵀ USAGE DE LA RAISON

156

Soumission et usage de la raison : en quoi consiste le vrai
christianisme [1].

157

Que je hais ces sottises de ne pas croire l'eucharistie, etc.
Si l'Évangile est vrai, si Jésus-Christ est Dieu, quelle
difficulté y a-t-il là [1] ?

158

Je ne serais pas chrétien sans les miracles, dit saint
Augustin [1].

159

Soumission.
Il faut savoir douter où il faut, assurer où il faut, en se
soumettant où il faut. Qui ne fait ainsi n'entend pas la force
de la raison. Il y en a qui faillent contre ces trois principes,
ou en assurant tout comme démonstratif, manque de se
connaître en démonstration, ou en doutant de tout, manque
de savoir où il faut se soumettre, ou en se soumettant en
tout, manque de savoir où il faut juger [1].

Pyrrhonien, géomètre, chrétien : doute, assurance, soumission.

160

« *Susceperunt verbum cum omni aviditate scrutantes scripturas si ita se haberent* [1]. »

161

La conduite de Dieu, qui dispose toutes choses avec douceur [1], est de mettre la religion dans l'esprit par les raisons et dans le cœur par la grâce; mais de la vouloir mettre dans l'esprit et dans le cœur par la force et par les menaces, ce n'est pas y mettre la religion mais la terreur. *Terrorem potius quam religionem* [2].

162

Si on soumet tout à la raison, notre religion n'aura rien de mystérieux et de surnaturel.

Si on choque les principes de la raison, notre religion sera absurde et ridicule.

163

Saint Augustin [1]. La raison ne se soumettrait jamais si elle ne jugeait qu'il y a des occasions où elle se doit soumettre.

Il est donc juste qu'elle se soumette quand elle juge qu'elle se doit soumettre

164

Ce sera une des confusions des damnés de voir qu'ils seront condamnés par leur propre raison par laquelle ils ont prétendu condamner la religion chrétienne.

165

Ceux qui n'aiment pas la vérite prennent le prétexte de la contestation et de la multitude de ceux qui la nient [1] ; et ainsi leur erreur ne vient que de ce qu'ils n'aiment pas la vérité ou la charité ; et ainsi ils ne s'en sont pas excusés.

166

Contradiction est une mauvaise marque de vérité.
Plusieurs choses certaines sont contredites.
Plusieurs fausses passent sans contradiction.
Ni la contradiction n'est marque de fausseté ni l'incontradiction n'est marque de vérité [1].

167

Voyez les deux sortes d'hommes dans le titre « Perpétuité » [1]

168

Il y a peu de vrais chrétiens. Je dis même pour la foi. Il y en a bien qui croient, mais par superstition. Il y en a bien qui ne croient pas, mais par libertinage ; peu sont entre-deux [1].
Je ne comprends pas en cela ceux qui sont dans la véritable piété de mœurs et tous ceux qui croient par un sentiment du cœur.

169

Jésus-Christ a fait des miracles et les apôtres ensuite. Et les premiers saints en grand nombre, parce que, les prophéties n'étant pas encore accomplies, et s'accomplissant par eux, rien ne témoignait que les miracles. Il était prédit que le Messie convertirait les nations. Comment cette prophétie se fût-elle accomplie sans la conversion des nations ? Et comment les nations se fussent-elles converties au Messie, ne voyant pas ce dernier effet des prophéties qui le prouvent? Avant donc qu'il ait été mort, ressuscité et converti les nations, tout n'était pas accompli et ainsi il a fallu des miracles pendant tout ce temps[1]. Maintenant il n'en faut plus contre les Juifs, car les prophéties accomplies sont un miracle subsistant.

170

La piété est différente de la superstition[1].

Soutenir la piété jusqu'à la superstition, c'est la détruire.

Les hérétiques nous reprochent cette soumission supersti-tieuse: c'est faire ce qu'ils nous reprochent[2].

Impiété de ne pas croire l'Eucharistie sur ce qu'on ne la voit pas[3]

Superstition de croire des propositions[4], etc.

Foi, etc.

171

Il n'y a rien de si conforme à la raison que ce désaveu de la raison[1]

172

Deux excès
exclure la raison, n'admettre que la raison.

173

On n'aurait point péché en ne croyant pas Jésus-Christ sans les miracles.
Videte an mentiar[1].

174

La foi dit bien ce que les sens ne disent pas, mais non pas le contraire de ce qu'ils voient; elle est au-dessus, et non pas contre [1].

175

Vous abusez de la créance que le peuple a en l'Église et leur faites accroire [1]

176

Ce n'est pas une chose rare qu'il faille reprendre le monde de trop de docilité.

C'est un vice naturel comme l'incrédulité et aussi pernicieux.

Superstition.

177

La dernière démarche de la raison est de reconnaître qu'il y a une infinité de choses qui la surpassent. Elle n'est que faible si elle ne va jusqu'à connaître cela.

Que si les choses naturelles la surpassent, que dira-t-on des surnaturelles [1]?

XIV. EXCELLENCE
DE CETTE MANIÈRE DE PROUVER DIEU

178

Dieu par Jésus-Christ.

Nous ne connaissons Dieu que par Jésus-Christ. Sans ce médiateur est ôtée toute communication avec Dieu. Par Jésus-Christ nous connaissons Dieu. Tous ceux qui ont prétendu connaître Dieu et le prouver sans Jésus-Christ n'avaient que des preuves impuissantes. Mais pour prouver Jésus-Christ nous avons les prophéties qui sont des preuves solides et palpables. Et ces prophéties étant accomplies et prouvées véritables par l'événement marquent la certitude de ces vérités et partant la preuve de la divinité de Jésus-Christ. En lui et par lui nous connaissons donc Dieu. Hors de là et sans l'Écriture, sans le péché originel, sans médiateur nécessaire, promis et arrivé, on ne peut prouver absolument Dieu ni enseigner ni bonne doctrine, ni bonne morale. Mais par Jésus-Christ et en Jésus-Christ on prouve Dieu et on enseigne la morale et la doctrine. Jésus-Christ est donc le véritable Dieu des hommes.

Mais nous connaissons en même temps notre misère, car ce Dieu-là n'est autre chose que le réparateur de notre misère. Ainsi nous ne pouvons bien connaître Dieu qu'en connaissant nos iniquités.

Aussi ceux qui ont connu Dieu sans connaître leur misère ne l'ont pas glorifié, mais s'en sont glorifiés [1].

« *Quia non cognovit per sapientiam, placuit deo per stultitiam praedicationis salvos facere* [2]. »

179

Préface.

Les preuves de Dieu métaphysiques sont si éloignées du raisonnement des hommes et si impliquées, qu'elles frappent peu [1] ; et quand cela servirait à quelques-uns, cela ne servirait que pendant l'instant qu'ils voient cette démonstration, mais une heure après ils craignent de s'être trompés.

« *Quod curiositate cognoverunt, superbia amiserunt* [2]. »

C'est ce que produit la connaissance de Dieu qui se tire sans Jésus-Christ, qui est de communiquer sans médiateur avec le Dieu qu'on a connu sans médiateur.

Au lieu que ceux qui ont connu Dieu par médiateur connaissent leur misère.

180

Il est non seulement impossible mais inutile de connaître Dieu sans Jésus-Christ. Ils ne s'en sont pas éloignés mais approchés [1] ; ils ne se sont pas abaissés mais...

« *Quo quisque optimus eo pessimus si hoc ipsum quod sit optimus ascribat sibi* [2]. »

181

La connaissance de Dieu sans celle de sa misère fait l'orgueil.

La connaissance de sa misère sans celle de Dieu fait le désespoir [1].

La connaissance de Jésus-Christ fait le milieu parce que nous y trouvons, et Dieu et notre misère [2].

XV. TRANSITION
DE LA CONNAISSANCE DE L'HOMME
À DIEU

182

La prévention induisant en erreur.

C'est une chose déplorable de voir tous les hommes ne délibérer que des moyens et point de la fin. Chacun songe comment il s'acquittera de sa condition, mais pour le choix de la condition [1], et de la patrie, le sort nous le donne.

C'est une chose pitoyable de voir tant de Turcs, d'hérétiques, d'infidèles, suivre le train de leurs pères [2], par cette seule raison qu'ils ont été prévenus chacun que c'est le meilleur et c'est ce qui détermine chacun à chaque condition de serrurier, soldat [3], etc.

C'est par là que les sauvages n'ont que faire de la Provence [4].

183

Pourquoi ma connaissance est-elle bornée, ma taille, ma durée à cent ans plutôt qu'à mille? Quelle raison a eu la nature de me la donner telle et de choisir ce milieu plutôt qu'un autre dans l'infinité, desquels il n'y a pas plus de raison de choisir l'un que l'autre, rien ne tentant plus que l'autre?

[Peu de tout.

[Puisqu'on ne peut être universel en sachant pour la gloire tout ce qui se peut savoir sur tout, il faut savoir peu de tout, car il est bien plus beau de savoir quelque chose de tout que de savoir tout d'une chose [1]. Cette universalité est la plus belle. Si on pouvait avoir les deux, tant mieux; mais s'il faut choisir, il faut choisir celle-là. Et le monde le sait et le fait, car le monde est un bon juge souvent.

[Ma fantaisie me fait haïr un coasseur et un qui souffle en mangeant [2]. La fantaisie a grand poids. Que profiterons-nous de là? Que nous suivrons ce poids à cause qu'il est naturel? Non, mais que nous y résisterons.

[Rien ne montre mieux la vanité des hommes que de considérer quelle cause et quels effets de l'amour, car tout l'univers en est changé. Le nez de Cléopâtre [3].]

184

H. 5 [1].

En voyant l'aveuglement et la misère de l'homme, en regardant tout l'univers muet et l'homme sans lumière abandonné à lui-même, et comme égaré dans ce recoin de l'univers sans savoir qui l'y a mis, ce qu'il y est venu faire, ce qu'il deviendra en mourant, incapable de toute connaissance, j'entre en effroi comme un homme qu'on aurait porté endormi dans une île déserte et effroyable, et qui s'éveillerait sans connaître ⟨où il est [2]⟩ et sans moyen d'en sortir. Et sur cela j'admire comment on n'entre point en désespoir d'un si misérable état. Je vois d'autres personnes auprès de moi d'une semblable nature. Je leur demande s'ils sont mieux instruits que moi. Ils me disent que non; et, sur cela, ces misérables égarés, ayant regardé autour d'eux et ayant vu quelques objets plaisants, s'y sont donnés et s'y sont attachés. Pour moi, je n'ai pu y prendre d'attache et, considérant combien il y a plus d'apparence qu'il y a autre chose que ce que je vois, j'ai recherché si ce Dieu n'aurait point laissé quelque marque de soi.

Je vois plusieurs religions contraires, et partant toutes fausses excepté une. Chacune veut être crue par sa propre autorité et menace les incrédules. Je ne les crois donc pas là-dessus. Chacun peut dire cela. Chacun peut se dire prophète, mais je vois la chrétienne où je trouve des prophéties, et c'est ce que chacun ne peut pas faire.

185

H. 9.
Disproportion de l'homme [1].
[Voilà où nous mènent les connaissances naturelles. Si celles-là ne sont véritables, il n'y a point de vérité dans l'homme, et si elles le sont, il y trouve un grand sujet d'humiliation, forcé à s'abaisser d'une ou d'autre manière.

[Et puisqu'il ne peut subsister sans les croire, je souhaite, avant que d'entrer dans de plus grandes recherches de la nature, qu'il la considère une fois sérieusement et à loisir, qu'il se regarde aussi soi-même, et connaissant quelle proportion il y a.]

Que l'homme contemple donc la nature entière dans sa haute et pleine majesté [2], qu'il éloigne sa vue des objets bas qui l'environnent. Qu'il regarde cette éclatante lumière mise comme une lampe éternelle pour éclairer l'univers, que la terre lui paraisse comme un point [3] au prix du vaste tour [4] que cet astre décrit, et qu'il s'étonne de ce que ce vaste tour lui-même n'est qu'une pointe très délicate à l'égard de celui que ces astres qui roulent dans le firmament embrassent [5]. Mais si notre vue s'arrête là, que l'imagination passe outre,

elle se lassera plutôt de concevoir que la nature de fournir[6].
Tout le monde visible n'est qu'un trait imperceptible dans
l'ample sein de la nature. Nulle idée n'en approche; nous
avons beau enfler nos conceptions au-delà des espaces
imaginables, nous n'enfantons que des atomes, au prix de
la réalité des choses. C'est une sphère infinie dont le centre
est partout, la circonférence nulle part[7] Enfin c'est le plus
grand caractère sensible de la toute-puissance de Dieu que
notre imagination se perde dans cette pensée.

Que l'homme étant revenu à soi considère ce qu'il est au
prix de ce qui est[8], qu'il se regarde comme égaré dans ce
canton détourné de la nature; et que, de ce petit cachot où il
se trouve logé[9], j'entends l'univers, il apprenne à estimer la
terre, les royaumes, les villes et soi-même son juste prix.

Qu'est-ce qu'un homme dans l'infini?

Mais pour lui présenter un autre prodige aussi étonnant,
qu'il recherche dans ce qu'il connaît les choses les plus
délicates, qu'un ciron[10] lui offre dans la petitesse de son
corps des parties incomparablement plus petites, des jambes
avec des jointures, des veines dans ses jambes, du sang dans
ses veines, des humeurs dans ce sang, des gouttes dans ces
humeurs, des vapeurs dans ces gouttes; que, divisant encore
ces dernières choses, il épuise ses forces en ces conceptions,
et que le dernier objet où il peut arriver soit maintenant celui
de notre discours. Il pensera peut-être que c'est là l'extrême
petitesse de la nature.

Je veux lui faire voir là-dedans un abîme nouveau. Je lui
veux peindre non seulement l'univers visible, mais l'immensité qu'on peut concevoir de la nature dans l'enceinte de ce
raccourci d'atome; qu'il y voie une infinité d'univers, dont
chacun a son firmament, ses planètes, sa terre, en la même
proportion que le monde visible, dans cette terre des
animaux, et enfin des cirons dans lesquels il retrouvera ce
que les premiers ont donné, et trouvant encore dans les

autres la même chose sans fin et sans repos, qu'il se perde
dans ces merveilles aussi étonnantes dans leur petitesse que
les autres par leur étendue; car qui n'admirera que notre
corps, qui tantôt n'était pas perceptible dans l'univers
imperceptible lui-même dans le sein du tout, soit à présent
un colosse, un monde ou plutôt un tout à l'égard du néant
où l'on ne peut arriver? Qui se considérera de la sorte
s'effraiera de soi-même et, se considérant soutenu dans la
masse que la nature lui a donnée entre ces deux abîmes de
l'infini et du néant, il tremblera dans la vue de ces merveilles,
et je crois que, sa curiosité se changeant en admiration, il
sera plus disposé à les contempler en silence qu'à les
rechercher avec présomption.

Car enfin qu'est-ce qu'un homme dans la nature? Un
néant à l'égard de l'infini, un tout à l'égard du néant, un
milieu entre rien et tout [11], infiniment éloigné de comprendre
les extrêmes. La fin des choses et leurs principes sont pour
lui invinciblement cachés dans un secret impénétrable.

Également incapable de voir le néant d'où il est tiré et
l'infini où il est englouti, que fera-t-il donc, sinon d'aperce-
voir quelque apparence du milieu des choses dans un
désespoir éternel de connaître ni leur principe ni leur fin?
Toutes choses sont sorties du néant et portées jusqu'à
l'infini. Qui suivra ces étonnantes démarches? L'auteur de
ces merveilles les comprend. Tout autre ne le peut faire.

Manque d'avoir contemplé ces infinis, les hommes se sont
portés témérairement à la recherche de la nature comme s'ils
avaient quelque proportion avec elle.

C'est une chose étrange qu'ils ont voulu comprendre les
principes des choses [12] et de là arriver jusqu'à connaître tout,
par une présomption aussi infinie que leur objet. Car il est
sans doute qu'on ne peut former ce dessein sans une
présomption ou sans une capacité infinie, comme la nature.

Quand on est instruit, on comprend que, la nature ayant gravé son image et celle de son auteur dans toutes choses, elles tiennent presque toutes de sa double infinité. C'est ainsi que nous voyons que toutes les sciences sont infinies en l'étendue de leurs recherches, car qui doute que la géométrie, par exemple, a une infinité d'infinités de propositions à exposer? Elles sont aussi infinies dans la multitude et la délicatesse de leurs principes, car qui ne voit que ceux qu'on propose pour les derniers ne se soutiennent pas d'eux-mêmes et qu'ils sont appuyés sur d'autres qui, en ayant d'autres pour appui, ne souffrent jamais de dernier?

Mais nous faisons des derniers qui paraissent à la raison comme on fait dans les choses matérielles où nous appelons un point indivisible celui au-delà duquel nos sens n'aperçoivent plus rien, quoique divisible infiniment et par sa nature.

De ces deux infinis des sciences, celui de grandeur est bien plus sensible, et c'est pourquoi il est arrivé à peu de personnes de prétendre connaître toutes choses. « Je vais parler de tout », disait Démocrite[13].

Mais l'infinité en petitesse est bien moins visible. Les philosophes ont bien plutôt prétendu d'y arriver, et c'est là où tous ont achoppé. C'est ce qui a donné lieu à ces titres si ordinaires, *Des principes des choses, Des principes de la philosophie*[14], et aux semblables aussi fastueux en effet, quoique moins en apparence, que cet autre qui crève les yeux : *De omni scibili*[15].

On se croit naturellement bien plus capable d'arriver au centre des choses que d'embrasser leur circonférence, et l'étendue visible du monde nous surpasse visiblement. Mais, comme c'est nous qui surpassons les petites choses, nous nous croyons plus capables de les posséder, et cependant il ne faut pas moins de capacité pour aller jusqu'au néant que jusqu'au tout. Il la faut infinie pour l'un et l'autre, et il me semble que qui aurait compris les derniers principes des choses pourrait aussi arriver jusqu'à connaître l'infini. L'un dépend de l'autre, et l'un conduit à l'autre. Ces extrémités se touchent et se réunissent à force de s'être éloignées, et se retrouvent en Dieu, et en Dieu seulement.

Connaissons donc notre portée. Nous sommes quelque chose et nous ne sommes pas tout. Ce que nous avons d'être nous dérobe la connaissance des premiers principes qui naissent du néant, et le peu que nous avons d'être nous cache la vue de l'infini.

Notre intelligence tient dans l'ordre des choses intelligibles le même rang que notre corps dans l'étendue de la nature.

Bornés en tout genre, cet état qui tient le milieu entre deux extrêmes se trouve en toutes nos puissances. Nos sens n'aperçoivent rien d'extrême, trop de bruit nous assourdit, trop de lumière éblouit, trop de distance et trop de proximité empêche la vue [16]. Trop de longueur et trop de brièveté du discours l'obscurcit, trop de vérité nous étonne. J'en sais qui ne peuvent comprendre que qui de zéro ôte 4 reste zéro [17] Les premiers principes ont trop d'évidence pour nous ; trop de plaisir incommode [18], trop de consonances déplaisent dans la musique, et trop de bienfaits irritent. Nous voulons avoir de quoi surpasser la dette. « *Beneficia eo usque laeta sunt dum videntur exsolvi posse; ubi multum antevenere, pro gratia odium redditur* [19]. » Nous ne sentons ni l'extrême chaud, ni l'extrême froid [20] ; les qualités excessives nous sont ennemies et non pas sensibles, nous ne les sentons plus, nous les souffrons. Trop de jeunesse et trop de vieillesse empêche l'esprit, trop et trop peu d'instruction [21].

Enfin les choses extrêmes sont pour nous comme si elles n'étaient point et nous ne sommes point à leur égard ; elles nous échappent ou nous à elles.

Voilà notre état véritable. C'est ce qui nous rend incapables de savoir certainement et d'ignorer absolument. Nous

voguons sur un milieu vaste, toujours incertains et flot-
tants[22], poussés d'un bout vers l'autre; quelque terme où
nous pensions nous attacher et nous affermir, il branle, et
nous quitte, et si nous le suivons il échappe à nos prises[23],
nous glisse et fuit d'une fuite éternelle[24]; rien ne s'arrête
pour nous. C'est l'état qui nous est naturel et toutefois le
plus contraire à notre inclination. Nous brûlons du désir de
trouver une assiette ferme[25], et une dernière base constante
pour y édifier une tour qui s'élève à ⟨l'⟩ infini, mais tout
notre fondement craque et la terre s'ouvre jusqu'aux abîmes.

Ne cherchons donc point d'assurance et de fermeté; notre
raison est toujours déçue par l'inconstance des apparences[26] : rien ne peut fixer le fini entre les deux infinis qui
l'enferment et le fuient.

Cela étant bien compris, je crois qu'on se tiendra en repos,
chacun dans l'état où la nature l'a placé.

Ce milieu qui nous est échu en partage étant toujours
distant des extrêmes, qu'importe qu'un autre ait un peu plus
d'intelligence des choses; s'il en a, il les prend un peu de plus
haut; n'est-il pas toujours infiniment éloigné du bout? Et la
durée de notre vie n'est-elle pas également infime ⟨dans⟩
l'éternité pour durer dix ans davantage? Dans la vue de ces
infinis, tous les finis sont égaux[27], et je ne vois pas pourquoi
asseoir son imagination plutôt sur un que sur l'autre.

La seule comparaison que nous faisons de nous au fini
nous fait peine.

Si l'homme s'étudiait le premier, il verrait combien il est
incapable de passer outre. Comment se pourrait-il qu'une
partie connût le Tout? Mais il aspirera peut-être à connaître
au moins les parties avec lesquelles il a de la proportion.
Mais les parties du monde ont toutes un tel rapport et un tel
enchaînement l'une avec l'autre que je crois impossible de
connaître l'une sans l'autre et sans le Tout.

L'homme par exemple a rapport à tout ce qu'il connaît. Il a besoin de lieu pour le contenir, de temps pour durer, de mouvement pour vivre, d'éléments pour le composer, de chaleur et d'aliments pour se nourrir, d'air pour respirer. Il voit la lumière, il sent les corps, enfin tout tombe sous son alliance[28]. Il faut donc, pour connaître l'homme, savoir d'où vient qu'il a besoin d'air pour subsister et, pour connaître l'air, savoir par où il a ce rapport à la vie de l'homme, etc.

La flamme ne subsiste point sans l'air; donc, pour connaître l'un, il faut connaître l'autre.

Donc, toutes choses étant causées et causantes, aidées et aidantes, médiates et immédiates, et toutes s'entretenant par un lien naturel et insensible qui lie les plus éloignées et les plus différentes, je tiens impossible de connaître les parties sans connaître le tout, non plus que de connaître le tout sans connaître particulièrement les parties.

[L'éternité des choses en elles-mêmes ou en Dieu doit encore étonner notre petite durée. L'immobilité fixe et constante de la nature, ⟨par⟩ comparaison au changement continuel qui se passe en nous, doit faire le même effet.]

Et ce qui achève notre impuissance à connaître les choses est qu'elles sont simples en elles-mêmes et que nous sommes composés de deux natures opposées et de divers genre, d'âme et de corps. Car il est impossible que la partie qui raisonne en nous soit autre que spirituelle; et quand on prétendrait que nous serions simplement corporels, cela nous exclurait bien davantage de la connaissance des choses, n'y ayant rien de si inconcevable que de dire que la matière se connaît soi-même. Il ne nous est pas possible de connaître comment elle se connaîtrait.

Et ainsi, si nous ⟨sommes⟩ simples matériels, nous ne pouvons rien du tout connaître, et si nous sommes composés d'esprit et de matière, nous ne pouvons connaître parfaitement les choses simples, spirituelles ou corporelles.

De là vient que presque tous les philosophes confondent les idées de ces choses et parlent des choses corporelles spirituellement et des spirituelles corporellement, car ils disent hardiment que les corps tendent en bas, qu'ils aspirent à leur centre, qu'ils fuient leur destruction, qu'ils craignent le vide, qu'ils ont des inclinations, des sympathies, des antipathies, qui sont toutes choses qui n'appartiennent qu'aux esprits[29]. Et, en parlant des esprits, ils les considèrent comme en un lieu, et leur attribuent le mouvement d'une place à une autre, qui sont choses qui n'appartiennent qu'aux corps.

Au lieu de recevoir les idées de ces choses pures, nous les teignons de nos qualités et empreignons notre être composé ⟨de⟩ toutes les choses simples que nous contemplons.

Qui ne croirait à nous voir composer toutes choses d'esprit et de corps que ce mélange-là nous serait bien compréhensible? C'est néanmoins la chose qu'on comprend le moins; l'homme est à lui-même le plus prodigieux objet de la nature[30], car il ne peut concevoir ce que c'est que corps et encore moins ce que c'est qu'esprit, et moins qu'aucune chose comment un corps peut être uni avec un esprit. C'est là le comble de ses difficultés et cependant c'est son propre être : « *modus quo corporibus adhaerent spiritus comprehendi ab homine non potest, et hoc tamen homo est*[31] ».

[Voilà une partie des causes qui rendent l'homme si imbécile à connaître la nature. Elle est infinie en deux manières, il est fini et limité; elle dure et se maintient perpétuellement en son être; il passe et est mortel. Les choses en particulier se corrompent et se changent à chaque instant. Il ne les voit qu'en passant. Elles ont leur principe et leur fin. Il ne conçoit ni l'un ni l'autre. Elles sont simples et il est composé de deux natures différentes.]

Enfin, pour consommer la preuve de notre faiblesse, je finirai par ces deux considérations...

186

H. 3.

L'homme n'est qu'un roseau, le plus faible de la nature, mais c'est un roseau pensant [1]. Il ne faut pas que l'univers entier s'arme pour l'écraser; une vapeur, une goutte d'eau suffit pour le tuer. Mais quand l'univers l'écraserait, l'homme serait encore plus noble que ce qui le tue puisqu'il sait qu'il meurt et l'avantage que l'univers a sur lui, l'univers n'en sait rien.

Toute notre dignité consiste donc en la pensée. C'est de là qu'il faut nous relever et non de l'espace [2] et de la durée, que nous ne saurions remplir.

Travaillons donc à bien penser : voilà le principe de la morale.

187

Le silence éternel de ces espaces infinis m'effraie [1].

188

Consolez-vous; ce n'est point de vous que vous devez l'attendre, mais au contraire en n'attendant rien de vous que vous devez l'attendre.

XV *bis*. LA NATURE EST CORROMPUE

⟨Aucune liasse ne correspond à ce titre qui figure sur la table établie par Pascal au moment du classement.⟩

XVI. FAUSSETÉ DES AUTRES RELIGIONS

189

Fausseté des autres religions.

Mahomet sans autorité.

Il faudrait donc que ses raisons fussent bien puissantes, n'ayant que leur propre force.

Que dit-il donc? Qu'il faut le croire.

190

Fausseté des autres religions.

Ils [1] n'ont point de témoins. Ceux-ci [2] en ont.

Dieu défie les autres religions de produire de telles marques. Isaïe, XLIII, 9; XLIV, 8 [3].

191

S'il y a un seul principe de tout, une seule fin de tout, — tout par lui, tout pour lui — il faut donc que la vraie religion nous enseigne à n'adorer que lui et à n'aimer que lui. Mais comme nous nous trouvons dans l'impuissance d'adorer ce que nous ne connaissons pas et d'aimer autre chose que nous, il faut que la religion qui instruit de ces devoirs nous instruise aussi de ces impuissances, et qu'elle nous apprenne

aussi les remèdes. Elle nous apprend que par un homme
tout a été perdu et la liaison rompue entre Dieu et nous, et
que par un homme[2] la liaison est réparée. Nous naissons si
contraires à cet amour de Dieu et il est si nécessaire, qu'il
faut que nous naissions coupables, ou Dieu serait injuste.

192

Rem viderunt, causam non viderunt [1].

193

Contre Mahomet.

L'Alcoran n'est pas plus de Mahomet que l'Évangile de
saint Matthieu. Car il est cité de plusieurs auteurs de siècle
en siècle[1]. Les ennemis mêmes, Celse et Porphyre[2], ne l'ont
jamais désavoué.

L'Alcoran dit que saint Matthieu était homme de bien,
donc il était faux prophète, ou en appelant gens de bien des
méchants, ou en ne demeurant pas d'accord de ce qu'ils ont
dit de Jésus-Christ.

194

[Nous pouvons marcher sûrement à la clarté de ces célestes
lumières. Et après avoir]

Sans ces divines connaissances, qu'ont pu faire les hommes
sinon ou s'élever dans le sentiment intérieur qui leur reste de
leur grandeur passée, ou s'abattre dans la vue de leur
faiblesse présente? Car ne voyant pas la vérité entière, ils
n'ont pu arriver à une parfaite vertu; les uns considérant la
nature comme incorrompue, les autres comme irréparable,
ils n'ont pu fuir ou l'orgueil ou la paresse qui sont les deux
sources de tous les vices[1], puisqu'il ne peut sinon ou s'y
abandonner par lâcheté, ou en sortir par l'orgueil. Car s'ils

connaissaient l'excellence de l'homme, ils en ignorent la corruption, de sorte qu'ils évitaient bien la paresse, mais ils se perdaient dans la superbe, et s'ils reconnaissent l'infirmité de la nature, ils en ignorent la dignité, de sorte qu'ils pouvaient bien éviter la vanité, mais c'était en se précipitant dans le désespoir [2].

De là viennent les diverses sectes des stoïques et des épicuriens, des dogmatistes et des académiciens, etc.

La seule religion chrétienne a pu guérir ces deux vices, non pas en chassant l'un par l'autre par la sagesse de la terre, mais en chassant l'un et l'autre par la simplicité de l'Évangile. Car elle apprend aux justes qu'elle élève jusqu'à la participation de la divinité même qu'en ce sublime état ils portent encore la source de toute la corruption qui les rend durant toute la vie sujets à l'erreur, à la misère, à la mort, au péché; et elle crie aux plus impies qu'ils sont capables de la grâce de leur rédempteur. Ainsi, donnant à trembler à ceux qu'elle justifie et consolant ceux qu'elle condamne, elle tempère avec tant de justesse la crainte avec l'espérance par cette double capacité qui est commune à tous et de la grâce et du péché, qu'elle abaisse infiniment plus que la seule raison ne peut faire, mais sans désespérer, et qu'elle élève infiniment plus que l'orgueil de la nature, mais sans enfler, faisant bien voir par là qu'étant seule exempte d'erreur et de vice, il n'appartient qu'à elle et d'instruire et de corriger les hommes.

Qui peut donc refuser à ces célestes lumières de les croire et de les adorer? Car n'est-il pas plus clair que le jour que nous sentons en nous-mêmes des caractères ineffaçables d'excellence et n'est-il pas aussi véritable que nous éprouvons à toute heure les effets de notre déplorable condition?

Que nous crie donc ce chaos et cette confusion monstrueuse sinon la vérité de ces deux états avec une voix si puissante qu'il est impossible de résister?

195

Différence entre Jésus-Christ et Mahomet[1].

Mahomet non prédit, Jésus-Christ prédit[2].

Mahomet en tuant[3], Jésus-Christ en faisant tuer les siens.

Mahomet en défendant de lire[4], les apôtres en ordonnant de lire.

Enfin cela est si contraire que, si Mahomet a pris la voie de réussir humainement, Jésus-Christ a pris celle de périr humainement; et qu'au lieu de conclure que puisque Mahomet a réussi, Jésus-Christ a bien pu réussir, il faut dire que puisque Mahomet a réussi, Jésus-Christ devait périr.

196

Tous les hommes se haïssent naturellement l'un l'autre. On s'est servi comme on a pu de la concupiscence pour la faire servir au bien public. Mais ce n'est que feindre et une fausse image de la charité[1], car au fond ce n'est que haine.

197

On a fondé et tiré de la concupiscence des règles admirables de police, de morale, et de justice.

Mais, dans le fond, ce vilain fond de l'homme, ce *figmentum malum*[1] n'est que couvert. Il n'est pas ôté.

198

Jésus-Christ est un Dieu dont on s'approche sans orgueil et sous lequel on s'abaisse sans désespoir.

199

« *Dignior plagis quam osculis
non timeo quia amo*[1]. »

200

La vraie religion doit avoir pour marque d'obliger à aimer son Dieu. Cela est bien juste et cependant aucune ne l'a ordonné, la nôtre l'a fait.

Elle doit encore avoir connu la concupiscence et l'impuissance, la nôtre l'a fait.

Elle doit y avoir apporté les remèdes, l'un est la prière. Nulle religion n'a demandé à Dieu de l'aimer et de le suivre.

201

Après avoir entendu toute la nature de l'homme, il faut, pour faire qu'une religion soit vraie, qu'elle ait connu notre nature. Elle doit avoir connu la grandeur et la petitesse et la raison de l'un et de l'autre. Qui l'a connue que la chrétienne?

202

La vraie religion enseigne nos devoirs, nos impuissances, orgueil et concupiscence, et les remèdes, humilité, mortification.

203

Il y a des figures claires et démonstratives, mais il y en a d'autres qui semblent un peu tirées par les cheveux, et qui ne prouvent qu'à ceux qui sont persuadés d'ailleurs. Celles-là sont semblables aux apocalyptiques [1].

Mais la différence qu'il y a, c'est qu'ils n'en ont point d'indubitables, tellement qu'il n'y a rien de si injuste que quand ils montrent que les leurs sont aussi bien fondées que quelques-unes des nôtres. Car ils n'en ont pas de démonstratives comme quelques-unes des nôtres.

La partie n'est donc pas égale. Il ne faut pas égaler et confondre ces choses parce qu'elles semblent être semblables par un bout, étant si différentes par l'autre. Ce sont les clartés qui méritent, quand elles sont divines, qu'on révère les obscurités.

[C'est comme ceux entre lesquels il y a un certain langage obscur; ceux qui n'entendraient pas cela n'y comprendraient qu'un sot sens.]

204

Ce n'est pas par ce qu'il y a d'obscur dans Mahomet et qu'on peut faire passer pour un sens mystérieux que je veux qu'on en juge, mais par ce qu'il y a de clair, par son paradis et par le reste. C'est en cela qu'il est ridicule[1]. Et c'est pourquoi il n'est pas juste de prendre ses obscurités pour des mystères, vu que ses clartés sont ridicules.

Il n'en est pas de même de l'Écriture. Je veux qu'il y ait des obscurités qui soient aussi bizarres que celles de Mahomet, mais il y a des clartés admirables et des prophéties manifestes et accomplies. La partie n'est donc pas égale. Il ne faut pas confondre et égaler les choses qui ne se ressemblent que par l'obscurité et non pas par la clarté qui mérite qu'on révère les obscurités.

205

Les autres religions, comme les païennes, sont plus populaires, car elles sont en extérieur, mais elles ne sont pas pour les gens habiles. Une religion purement intellectuelle serait plus proportionnée aux habiles, mais elle ne servirait pas au peuple. La seule religion chrétienne est proportionnée à tous, étant mêlée d'extérieur et d'intérieur[1]. Elle élève le peuple à l'intérieur, et abaisse les superbes à l'extérieur, et n'est pas parfaite sans les deux, car il faut que le peuple entende l'esprit de la lettre et que les habiles soumettent leur esprit à la lettre.

206

Nulle autre religion n'a proposé de se haïr, nulle autre religion ne peut donc plaire à ceux qui se haïssent et qui cherchent un être véritablement aimable. Et ceux-là, s'ils n'avaient jamais ouï parler de la religion d'un Dieu humilié, l'embrasseraient incontinent.

207

Jésus-Christ pour tous / Moïse pour un peuple.

Les Juifs bénis en Abraham : « Je bénirai ceux qui te béniront [1] », mais « toutes nations bénies en sa semence [2] ».

« *Parum est ut* etc. » Isaïe [3] / « *Lumen ad revelationem gentium* [4] ».

« *Non fecit taliter omni nationi* [5] », disait David, en parlant de la loi. Mais en parlant de Jésus-Christ il faut dire : « *Fecit taliter omni nationi, parum est ut* etc. » Isaïe.

Aussi c'est à Jésus-Christ d'être universel ; l'Église même n'offre le sacrifice que pour les fidèles. Jésus-Christ a offert celui de la croix pour tous [6].

208

Les juifs charnels et les païens ont des misères et les chrétiens aussi. Il n'y a point de rédempteur pour les païens, car ils ⟨n'⟩ en espèrent pas seulement. Il n'y a point de rédempteur pour les juifs ; ils l'espèrent en vain. Il n'y a de rédempteur que pour les chrétiens.

Voyez « Perpétuité [1] ».

XVIII. FONDEMENTS DE LA RELIGION
ET RÉPONSE AUX OBJECTIONS

209

Il faut mettre au chapitre des fondements ce qui est en celui des figuratifs touchant la cause des figures. Pourquoi Jésus-Christ prophétisé en son premier avènement? Pourquoi prophétisé obscurément en la manière?

210

Incrédules les plus crédules, ils croient les miracles de Vespasien [1] pour ne pas croire ceux de Moïse.

211

Comme Jésus-Christ est demeuré inconnu parmi les hommes, ainsi sa vérité demeure parmi les opinions communes sans différence à l'extérieur. Ainsi l'Eucharistie parmi le pain commun.

Toute la foi consiste en Jésus-Christ et en Adam et toute la morale en la concupiscence et en la grâce.

212

Qu'ont-ils à dire contre la résurrection, et contre l'enfantement d'une Vierge? Qu'est-il plus difficile, de produire un homme ou un animal, que de le reproduire[1]? Et s'ils n'avaient jamais vu une espèce d'animaux, pourraient-ils deviner s'ils se produisent sans la compagnie les uns des autres?

213

Que disent les prophètes de Jésus-Christ? Qu'il sera évidemment Dieu? Non, mais qu'il est un Dieu véritablement caché[1], qu'il sera méconnu, qu'on ne pensera point que ce soit lui, qu'il sera une pierre d'achoppement[2], à laquelle plusieurs heurteront, etc.

Qu'on ne nous reproche donc plus le manque de clarté, puisque nous en faisons profession. Mais, dit-on, il y a des obscurités et sans cela on ne serait pas aheurté à Jésus-Christ. Et c'est un des desseins formels des prophètes. « *Excaeca*[3] ».

214

Ce que les hommes par leurs plus grandes lumières avaient pu connaître, cette religion l'enseignait à ses enfants.

215

Tout ce qui est incompréhensible ne laisse pas d'être[1].

216

[Si on veut dire que l'homme est trop peu pour mériter la communication avec Dieu, il faut être bien grand pour en juger.]

217

On n'entend rien aux ouvrages de Dieu si on ne prend

pour principe qu'il a voulu aveugler les uns et éclairer les autres.

218

Jésus-Christ ne dit pas qu'il n'est pas de Nazareth pour laisser les méchants dans l'aveuglement, ni qu'il n'est pas fils de Joseph.

219

Dieu veut plus disposer la volonté que l'esprit ; la clarté parfaite servirait à l'esprit et nuirait à la volonté.

Abaisser la superbe [1].

220

Jésus-Christ est venu aveugler ceux qui voyaient clair et donner la vue aux aveugles, guérir les malades et laisser mourir les sains, appeler à pénitence et justifier les pécheurs et laisser les justes dans leurs péchés, remplir les indigents et laisser les riches vides [1].

221

[a] Il y a assez de clarté pour éclairer les élus et assez d'obscurité pour les humilier. Il y a assez d'obscurité pour aveugler les réprouvés et assez de clarté pour les condamner et les rendre inexcusables.

La généalogie de Jésus-Christ dans l'Ancien Testament est mêlée parmi tant d'autres inutiles, qu'elle ne peut être discernée. Si Moïse n'eût tenu registre que des ancêtres de Jésus-Christ, cela eût été trop visible ; s'il n'eût pas marqué celle de Jésus-Christ, cela n'eût pas été assez visible ; mais

---

a. Saint Augustin, Montaigne, Sebonde [1].

après tout, qui y regarde de près voit celle de Jésus-Christ bien discernée par Thamar, Ruth[2], etc.

Ceux qui ordonnaient ces sacrifices en savaient l'inutilité et ceux qui en ont déclaré l'inutilité n'ont pas laissé de les pratiquer.

Si Dieu n'eût permis qu'une seule religion, elle eût été trop reconnaissable. Mais qu'on y regarde de près, on discerne bien la vraie dans cette confusion.

Principe : Moïse était habile homme. Si donc il se gouvernait par son esprit, il ne devait rien mettre qui fût directement contre l'esprit.

Ainsi toutes les faiblesses très apparentes sont des forces.

Exemple : les deux généalogies de saint Matthieu et saint Luc[3]. Qu'y a-t-il de plus clair que cela n'a pas été fait de concert[4]?

222

Si Jésus-Christ n'était venu que pour sanctifier, toute l'Écriture et toutes choses y tendraient et il serait bien aisé de convaincre les infidèles. Si Jésus-Christ n'était venu que pour aveugler, toute sa conduite serait confuse et nous n'aurions aucun moyen de convaincre les infidèles. Mais comme il est venu « *in sanctificationem et in scandalum* », comme dit Isaïe[1], nous ne pouvons convaincre les infidèles et ils ne peuvent nous convaincre, mais par là même nous les convainquons, puisque nous disons qu'il n'y a point de conviction dans toute sa conduite de part ni d'autre[2].

223

Figures.

Dieu voulant priver les siens des biens périssables, pour

montrer que ce n'était pas par impuissance, il a fait le peuple juif.

224

L'homme n'est pas digne de Dieu mais il n'est pas incapable d'en être rendu digne.

Il est indigne de Dieu de se joindre à l'homme misérable, mais il n'est pas indigne de Dieu de le tirer de sa misère.

225

Preuve.

Prophétie avec l'accomplissement.

Ce qui a précédé et ce qui a suivi Jésus-Christ.

226

Source des contrariétés. Un Dieu humilié et jusqu'à la mort de la croix [1]. Deux natures en Jésus-Christ. Deux avènements. Deux états de la nature de l'homme. Un Messie triomphant de la mort par sa mort [2].

227

Que Dieu s'est voulu cacher

S'il n'y avait qu'une religion, Dieu y serait bien manifeste.

S'il n'y avait des martyrs qu'en notre religion, de même.

Dieu étant ainsi caché, toute religion qui ne dit pas que Dieu est caché n'est pas véritable, et toute religion qui n'en rend pas la raison n'est pas instruisante. La nôtre fait tout cela : « *Vere tu es deus absconditus* [1]. »

[Fondement de notre foi.]

La religion païenne est sans fondement. [aujourd'hui ; on dit qu'autrefois elle en a eu par les oracles qui ont parlé. Mais quels sont les livres qui nous en assurent ? Sont-ils si dignes de foi par la vertu de leurs auteurs? Sont-ils conservés avec tant de soin qu'on puisse s'assurer qu'ils ne sont point corrompus?]

La religion mahométane a pour fondements l'Alcoran et Mahomet. Mais ce prophète qui devait être la dernière attente du monde a-t-il été prédit? Et quelle marque a-t-il que n'ait aussi tout homme qui se voudra dire prophète? Quels miracles dit-il lui-même avoir faits[2]? Quel mystère a-t-il enseigné selon sa tradition même? Quelle morale et quelle félicité?

La religion juive doit être regardée différemment dans la tradition de leurs saints et dans la tradition du peuple. La morale et la félicité en est ridicule dans la tradition du peuple, mais elle est admirable dans celle de leurs saints. Le fondement en est admirable. C'est le plus ancien livre du monde et le plus authentique et, au lieu que Mahomet pour faire subsister le sien a défendu de le lire, Moïse pour faire subsister le sien a ordonné à tout le monde de le lire[3]. Et toute religion est de même, car la chrétienne est bien différente dans les livres saints et dans les casuistes.

Notre religion est si divine qu'une autre religion divine n'en a que le fondement[4].

228

Objection des athées.
« Mais nous n'avons nulle lumière. »

229

Que la loi était figurative.

230

Figures.

Les peuples juif et égyptien visiblement prédits par ces deux particuliers que Moïse rencontra, l'Égyptien battant le Juif, Moïse le vengeant et tuant l'Égyptien, et le Juif en étant ingrat [1].

231

Figuratives.

« Fais toutes choses selon le patron qui t'a été montré en la montagne », sur quoi saint Paul dit que les Juifs ont peint les choses célestes [1]

232

Figures.

Les prophètes prophétisaient par figures, de ceinture [1], de barbe et cheveux brûlés [2], etc.

233

Figuratives.
Clef du chiffre.
« *Veri adoratores*[1]. » « *Ecce agnus dei qui tollit peccata mundi*[2]. »

234

Figurat.
Ces termes d'épée, d'écu[1], *potentissime*[2].

235

Qui veut donner le sens de l'Écriture et ne le prend point de l'Écriture est ennemi de l'Écriture. Aug. d. d. ch.[1].

236

Deux erreurs : 1. prendre tout littéralement ; 2. prendre tout spirituellement.

237

Figures.
Jésus-Christ leur ouvrit l'esprit pour entendre les Écritures[1].

Deux grandes ouvertures sont celles-là : 1. Toutes choses leur arrivaient en figures. « *Vere Israëlita*[2] », « *vere liberi*[3] », vrai pain du ciel[4].

2. Un Dieu humilié jusqu'à la croix[5]. Il a fallu que le Christ ait souffert pour entrer en sa gloire[6]. Qu'il vaincrait la mort par sa mort[7]. Deux avènements.

238

Parler contre les trop grands figuratifs

239

Dieu, pour rendre le Messie connaissable aux bons et méconnaissable aux méchants, l'a fait prédire en cette sorte. Si la manière du Messie eût été prédite clairement, il n'y eût point eu d'obscurité, même pour les méchants.

Si le temps eût été prédit obscurément, il y eût eu obscurité même pour les bons ⟨car la bonté de leur cœur [1]⟩ ne leur eût pas fait entendre que par exemple le ☐ [2] signifie six cents ans. Mais le temps a été prédit clairement et la manière en figures.

Par ce moyen les méchants, prenant les biens promis pour matériels, s'égarent malgré le temps prédit clairement, et les bons ne s'égarent pas.

Car l'intelligence des biens promis dépend du cœur qui appelle bien ce qu'il aime, mais l'intelligence du temps promis ne dépend point du cœur. Et ainsi la prédiction claire du temps et obscure des biens ne déçoit que les seuls méchants.

240

Les Juifs charnels n'entendaient ni la grandeur, ni l'abaissement du Messie prédit dans leurs prophéties. Ils l'ont méconnu dans sa grandeur prédite, comme quand il dit que le Messie sera seigneur de David, quoique son fils [1], qu'il est devant qu'Abraham et qu'il l'a vu [2]. Ils ne le croyaient pas si grand qu'il fût éternel, et ils l'ont méconnu de même dans son abaissement et dans sa mort. Le Messie, disaient-ils, demeure éternellement et celui-ci dit qu'il mourra [3]. Ils ne le croyaient donc ni mortel, ni éternel; ils ne cherchaient en lui qu'une grandeur charnelle.

241

Contradiction.

On ne peut faire une bonne physionomie qu'en accordant toutes nos contrariétés et il ne suffit pas de suivre une suite de qualités accordantes sans accorder les contraires; pour entendre le sens d'un auteur, il faut accorder tous les passages contraires.

Ainsi pour entendre l'Écriture il faut avoir un sens dans lequel tous les passages contraires s'accordent; il ne suffit pas d'en avoir un qui convienne à plusieurs passages accordants, mais d'en avoir un qui accorde les passages même contraires.

Tout auteur a un sens auquel tous les passages contraires s'accordent ou il n'a point de sens du tout. On ne peut pas dire cela de l'Écriture et des prophètes : ils avaient assurément trop de bon sens. Il faut donc en chercher un qui accorde toutes les contrariétés.

Le véritable sens n'est donc pas celui des Juifs, mais en Jésus-Christ toutes les contradictions sont accordées.

Les Juifs ne sauraient accorder la cessation de la royauté et principauté prédite par Osée [1], avec la prophétie de Jacob [2].

Si on prend la loi, les sacrifices et le royaume pour réalités, on ne peut accorder tous les passages; il faut donc par nécessité qu'ils ne soient que figures. On ne saurait pas même accorder les passages d'un même auteur, ni d'un même livre, ni quelquefois d'un même chapitre, ce qui marque trop quel était le sens de l'auteur; comme quand Ézéchiel, chap. xx, dit qu'on vivra dans les commandements de Dieu et qu'on n'y vivra pas.

242

Il n'était point permis de sacrifier hors de Jérusalem, qui était le lieu que le Seigneur avait choisi, ni même de manger ailleurs les décimes, *Deutéronome,* xii, 5, etc. *Deutéronome,* xiv, 23, etc.; xv, 20; xvi, 2, 7, 11, 15 [1]

Osée[2] a prédit qu'il serait sans roi, sans prince, sans sacrifice, etc., sans idoles, ce qui est accompli aujourd'hui, ne pouvant faire sacrifice légitime hors de Jérusalem.

Figure.

Si la loi et les sacrifices sont la vérité, il faut qu'elle plaise à Dieu et qu'elle ne lui déplaise point. S'ils sont figures, il faut qu'ils plaisent et déplaisent.

Or dans toute l'Écriture ils plaisent et déplaisent. Il est dit que la loi sera changée, que le sacrifice sera changé, qu'ils seront sans roi, sans princes et sans sacrifices, qu'il sera fait une nouvelle alliance, que la loi sera renouvelée, que les préceptes qu'ils ont reçus ne sont pas bons, que leurs sacrifices sont abominables, que Dieu n'en a point demandé.

Il est dit au contraire que la loi durera éternellement, que cette alliance sera éternelle, que le sacrifice sera éternel, que le sceptre ne sortira jamais d'avec eux, puisqu'il n'en doit point sortir que le roi éternel n'arrive.

Tous ces passages marquent-ils que ce soit réalité? non; marquent-ils aussi que ce soit figure? non, mais que c'est réalité ou figure; mais les premiers excluant la réalité marquent que ce n'est que figure.

Tous ces passages ensemble ne peuvent être dits de la réalité; tous peuvent être dits de la figure. Donc ils ne sont pas dits de la réalité, mais de la figure.

« *Agnus occisus est ab origine mundi*[3] », « *juge sacrificium*[4] ».

243

Un portrait porte absence et présence, plaisir et déplaisir. La réalité exclut absence et déplaisir.

Figures.

Pour savoir si la loi et les sacrifices sont réalité ou figure, il faut voir si les prophètes en parlant de ces choses y arrêtaient leur vue et leur pensée, en sorte qu'ils n'y vissent que cette ancienne alliance, ou s'ils y voient quelque autre chose dont elle fût la peinture. Car dans un portrait on voit la chose figurée. Il ne faut pour cela qu'examiner ce qu'ils en disent.

Quand ils disent qu'elle sera éternelle, entendent-ils parler de l'alliance de laquelle ils disent qu'elle sera changée? Et de même des sacrifices, etc.

Le chiffre a deux sens. Quand on surprend une lettre importante où l'on trouve un sens clair, et où il est dit néanmoins que le sens en est voilé et obscurci, qu'il est caché en sorte qu'on verra cette lettre sans la voir et qu'on l'entendra sans l'entendre, que doit-on penser sinon que c'est un chiffre à double sens[a], et d'autant plus qu'on y trouve des contrariétés manifestes dans le sens littéral. Combien doit-on donc estimer ceux qui nous découvrent le chiffre et nous apprennent à connaître le sens caché, et principalement quand les principes qu'ils en prennent sont tout à fait naturels et clairs? C'est ce qu'a fait Jésus-Christ. Et les apôtres. Ils ont levé le sceau. Il a rompu le voile et a découvert l'esprit. Ils nous ont appris pour cela que les ennemis de l'homme sont ses passions, que le rédempteur serait spirituel et son règne spirituel, qu'il y aurait deux avènements, l'un de misère pour abaisser l'homme superbe, l'autre de gloire pour élever l'homme humilié, que Jésus-Christ serait Dieu et homme.

244

Le temps du premier avènement sciemment prédit, le temps du second ne l'est point, parce que le premier devait

---

a. Les prophètes ont dit clairement qu'Israël serait toujours aimé de Dieu et que la loi serait éternelle. Et ils ont dit que l'on n'entendrait point leur sens et qu'il était voilé.

être caché, le second devait être éclatant[1], et tellement manifeste que ses ennemis mêmes le devaient reconnaître. Mais il ne devait venir qu'obscurément et que pour être connu de ceux qui sonderaient les Écritures.

245

Que pouvaient faire les Juifs, ses ennemis?

S'ils le reçoivent ils le prouvent par leur réception, car les dépositaires de l'attente du Messie le reçoivent, et s'ils le renoncent, ils le prouvent par leur renonciation.

246

Contrariétés.

Le sceptre jusqu'au Messie[1]; sans roi, ni prince[2].

Loi éternelle; changée.

Alliance éternelle; alliance nouvelle.

Loi bonne[3]; préceptes mauvais[4]. Ézéchiel, xx.

247

Les Juifs étaient accoutumés aux grands et éclatants miracles. Et ainsi, ayant eu les grands coups de la Mer Rouge et la terre de Canaan comme un abrégé des grandes choses de leur Messie, ils en attendaient donc de plus éclatants, dont ceux de Moïse n'étaient que l'échantillon.

248

Figure porte absence et présence, plaisir et déplaisir.

Chiffre à double sens. Un clair et où il est dit que le sens est caché.

249

On pourrait peut-être penser que, quand les prophètes ont

prédit que le sceptre ne sortirait point de Juda jusqu'au roi éternel [1], ils auraient parlé pour flatter le peuple et que leur prophétie se sera trouvée fausse à Hérode. Mais pour montrer que ce n'est pas leur sens, et qu'ils savaient bien au contraire que ce royaume temporel devait cesser, ils disent qu'ils seront sans roi et sans prince. Et longtemps durant. Osée [2].

250

Figures.

Dès qu'une fois on a ouvert ce secret, il est impossible de ne le pas voir. Qu'on lise le Vieil Testament en cette vue et qu'on voie si les sacrifices étaient vrais, si la parenté d'Abraham était la vraie cause de l'amitié de Dieu, si la terre promise était le véritable lieu de repos. Non, donc c'étaient des figures.

Qu'on voie de même toutes les cérémonies ordonnées et tous les commandements qui ne sont point pour la charité, on verra que c'en sont les figures [a].

Tous ces sacrifices et cérémonies étaient donc figures ou sottises, or il y a des choses claires trop hautes pour les estimer des sottises.

251

Figures.

La lettre tue [·].

Tout arrivait en figures [2].

Il fallait que le Christ souffrît.

Un Dieu humilié [3]. Voilà le chiffre que saint Paul nous donne.

---

a. Savoir si les prophètes arrêtaient leur vue dans l'Ancien Testament ou s'ils y voyaient d'autres choses.

Circoncision du cœur[4], vrai jeûne, vrai sacrifice, vrai temple : les prophètes ont indiqué qu'il fallait que tout cela fût spirituel.

Non la viande qui périt, mais celle qui ne périt point[5].

« Vous serez vraiment libres[6] », donc l'autre liberté n'est qu'une figure de liberté.

« Je suis le vrai pain du ciel[7]. »

252

Il y en a qui voient bien qu'il n'y a pas d'autre ennemi de l'homme que la concupiscence qui les détourne de Dieu, et non pas des ⟨ennemis⟩, ni d'autre bien que Dieu, et non pas une terre grasse. Ceux qui croient que le bien de l'homme est en la chair et le mal en ce qui le détourne des plaisirs des sens, qu'il⟨s⟩ s'en soule⟨nt⟩ et qu'il⟨s⟩ y meure⟨nt⟩. Mais ceux qui cherchent Dieu de tout leur cœur, qui n'ont de déplaisir que d'être privés de sa vue, qui n'ont de désir que pour le posséder et d'ennemis que ceux qui les en détournent. qui s'affligent de se voir environnés et dominés de tels ennemis, qu'ils se consolent, je leur annonce une heureuse nouvelle : il y a un libérateur pour eux; je le leur ferai voir; je leur montrerai qu'il y a un Dieu pour eux; je ne le ferai pas voir aux autres. Je ferai voir qu'un Messie a été promis pour délivrer des ennemis, et qu'il en est venu un pour délivrer des iniquités, mais non des ennemis.

Quand David prédit que le Messie délivrera son peuple de ses ennemis, on peut croire charnellement que ce sera des Égyptiens, et alors je ne saurais montrer que la prophétie soit accomplie; mais on peut bien croire aussi que ce sera des iniquités, car dans la vérité les Égyptiens ne sont point ennemis, mais les iniquités le sont.

Ce mot d'ennemis est donc équivoque, mais s'il dit ailleurs comme il fait qu'il délivrera son peuple de ses péchés [1], aussi bien qu'Isaïe [2] et les autres, l'équivoque est ôtée, et le sens double des ennemis réduit au sens simple d'iniquités. Car s'il avait dans l'esprit les péchés, il les pouvait bien dénoter par ennemis, mais s'il pensait aux ennemis, il ne les pouvait pas désigner par iniquités.

Or Moïse et David et Isaïe usaient de mêmes termes. Qui dira donc qu'ils n'avaient pas même sens, et que le sens de David, qui est manifestement d'iniquités lorsqu'il parlait d'ennemis, ne fût pas le même que Moïse en parlant d'ennemis?

Daniel, IX, prie pour la délivrance du peuple de la captivité de leurs ennemis. Mais il pensait aux péchés, et pour le montrer, il dit que Gabriel lui vint dire qu'il était exaucé et qu'il n'y avait plus que 70 semaines à attendre, après quoi le peuple serait délivré d'iniquité, le péché prendrait fin et le libérateur, le saint des saints, amènerait la justice *éternelle* [3], non la légale, mais l'éternelle.

253

Figures.
Les Juifs avaient vieilli dans ces pensées terrestres : que Dieu aimait leur père Abraham, sa chair et ce qui en sortait, que pour cela il les avait multipliés et distingués de tous les autres peuples sans souffrir qu'ils s'y mêlassent, que quand ils languissaient dans l'Égypte il les en retira avec tous ses grands signes en leur faveur, qu'il les nourrit de la manne dans le désert, qu'il les mena dans une terre bien grasse, qu'il leur donna des rois et un temple bien bâti pour y offrir des bêtes, et, par le moyen de l'effusion de leur sang, qu'ils seraient purifiés, et qu'il leur devait enfin envoyer le Messie

pour les rendre maîtres de tout le monde. Et il a prédit le temps de sa venue.

Le monde ayant vieilli dans ces erreurs charnelles, Jésus-Christ est venu dans le temps prédit, mais non pas dans l'éclat attendu, et ainsi ils n'ont pas pensé que ce fût lui. Après sa mort, saint Paul est venu apprendre aux hommes que toutes ces choses étaient arrivées en figure[1], que le royaume de Dieu ne consistait pas en la chair, mais en l'esprit[2], que les ennemis des hommes n'étaient pas les Babyloniens, mais leurs passions, que Dieu ne se plaisait pas aux temples faits de main[3], mais en un cœur pur et humilié, que la circoncision du corps était inutile, mais qu'il fallait celle du cœur[4], que Moïse ne leur avait pas donné le pain du ciel[5], etc.

Mais Dieu n'ayant pas voulu découvrir ces choses à ce peuple qui en était indigne et ayant voulu néanmoins les prédire afin qu'elles fussent crues, il en a prédit le temps clairement et les a quelquefois exprimées clairement, mais abondamment en figures, afin que ceux qui aimaient les choses figurantes s'y arrêtassent et que ceux qui aimaient les figurées les y vissent.

Tout ce qui ne va point à la charité est figure[6].

L'unique objet de l'Écriture est la charité.

Tout ce qui ne va point à l'unique bien en est la figure. Car puisqu'il n'y a qu'un but, tout ce qui n'y va point en mots propres est figure[7].

Dieu diversifie ainsi cet unique précepte de charité, pour satisfaire notre curiosité ⟨qui⟩ recherche la diversité, par cette diversité qui nous mène toujours à notre unique nécessaire. Car une seule chose est nécessaire et nous aimons la diversité, et Dieu satisfait à l'un et à l'autre par ces diversités qui mènent au seul nécessaire.

Les Juifs ont tant aimé les choses figurantes et les ont si bien attendues qu'ils ont méconnu la réalité quand elle est venue dans le temps et en la manière prédite.

Les Rabbins prennent pour figure les mamelles de l'épouse [8] et tout ce qui n'exprime pas l'unique but qu'ils ont des biens temporels.

Et les chrétiens prennent même l'Eucharistie pour figure de la gloire où ils tendent.

254

Jésus-Christ n'a fait autre chose qu'apprendre aux hommes qu'ils s'aimaient eux-mêmes, qu'ils étaient esclaves, aveugles, malades, malheureux et pécheurs; qu'il fallait qu'il les délivrât, éclairât, béatifiât et guérît, que cela se ferait en se haïssant soi-même et en le suivant par la misère et la mort de la croix.

255

Figures [1].

Quand la parole de Dieu qui est véritable est fausse littéralement, elle est vraie spirituellement. « *Sede a dextris meis* [2] » : cela est faux littéralement, donc cela est vrai spirituellement.ˑ

En ces expressions il est parlé de Dieu à la manière des hommes. Et cela ne signifie autre chose sinon que l'intention que les hommes ont en faisant asseoir à leur droite, Dieu l'aura aussi. C'est donc une marque de l'intention de Dieu, non de sa manière de l'exécuter [3].

Ainsi quand il dit : « Dieu a reçu l'odeur de vos parfums et vous donnera en récompense une terre grasse », c'est-à-dire, la même intention qu'aurait un homme qui, agréant vos parfums, vous donnerait en récompense une terre grasse, Dieu aura la même intention pour vous parce que vous avez eu pour lui même intention qu'un homme a pour celui à qui il donne des parfums.

Ainsi « *iratus est*[4] », « Dieu jaloux[5] », etc. Car les choses de Dieu étant inexprimables, elles ne peuvent être dites autrement. Et l'Église aujourd'hui en use encore, « *quia confortavit seras*[6] », etc.

Il n'est pas permis d'attribuer à l'Écriture les sens qu'elle ne nous a pas révélé qu'elle a. Ainsi de dire que le ם[7] d'Isaïe signifie 600, cela n'est pas révélé. Il n'est pas dit que les צ et les ה[8] *deficientes* signifieraient des mystères. Il n'est donc pas permis de le dire. Et encore moins de dire que c'est la manière de la pierre philosophale. Mais nous disons que le sens littéral n'est pas le vrai parce que les prophètes l'ont dit eux-mêmes.

256

Ceux qui ont peine à croire en cherchent un sujet en ce que les Juifs ne croient pas (« Si cela était si clair, dit-on, pourquoi ne croiraient-ils pas? ») et voudraient quasi qu'ils crussent afin de n'être point arrêtés par l'exemple de leur refus. Mais c'est leur refus même qui est le fondement de notre créance. Nous y serions bien moins disposés s'ils étaient des nôtres : nous aurions alors un bien plus ample prétexte.

Cela est admirable d'avoir rendu les Juifs grands amateurs des choses prédites et grands ennemis de l'accomplissement.

257

Preuve des deux Testaments à la fois.

Pour prouver d'un coup tous les deux, il ne faut que voir si les prophéties de l'un sont accomplies en l'autre.

Pour examiner les prophéties, il faut les entendre.

Car si on croit qu'elles n'ont qu'un sens, il est sûr que le Messie ne sera point venu ; mais si elles ont deux sens, il est sûr qu'il sera venu en Jésus-Christ.

Toute la question est donc de savoir si elles ont deux sens.

Que l'Écriture a deux sens.

Que Jésus-Christ et les apôtres ont donnés dont voici les preuves :

1. Preuve par l'Écriture même.

2. Preuves par les Rabbins. Moïse Maymon dit qu'elle a deux faces prouvées et que les prophètes n'ont prophétisé que de Jésus-Christ [1].

3. Preuves par la Cabale [2].

4. Preuves par l'interprétation mystique que les Rabbins mêmes donnent à l'Écriture.

5. Preuves par les principes des Rabbins qu'il y a deux sens ;

qu'il y a deux avènements du Messie, glorieux ou abject selon leur mérite ;

que les prophètes n'ont prophétisé que du Messie ;

la Loi n'est pas éternelle, mais doit changer au Messie ;

qu'alors on ne se souviendra plus de la Mer Rouge ;

que les Juifs et les Gentils seront mêlés.

[6. Preuves par la clef que Jésus-Christ et les apôtres nous en donnent.]

258

Figures.

Isaïe, LI, la Mer Rouge image de la rédemption [1].

« *Ut sciatis quod filius hominis habet potestatem remittendi peccata, tibi dico surge*[2]. »

Dieu, voulant faire paraître qu'il pouvait former un peuple saint d'une sainteté invisible et le remplir d'une gloire éternelle, a fait des choses visibles. Comme la nature est une image de la grâce, il a fait dans les biens de la nature ce qu'il devait faire dans ceux de la grâce, afin qu'on jugeât qu'il pouvait faire l'invisible puisqu'il faisait bien le visible[3].

Il a donc sauvé le peuple du déluge ; il l'a fait naître d'Abraham, il l'a racheté d'entre ses ennemis et l'a mis dans le repos.

L'objet de Dieu n'était pas de sauver du déluge, et de faire naître tout un peuple d'Abraham pour nous introduire que dans une terre grasse.

Et même la grâce n'est que la figure de la gloire. Car elle n'est pas la dernière fin. Elle a été figurée par la Loi et figure elle-même la ⟨gloire⟩[4], mais elle en est la figure et le principe ou la cause.

La vie ordinaire des hommes est semblable à celle des saints. Ils recherchent tous leur satisfaction et ne diffèrent qu'en l'objet où ils la placent. Ils appellent leurs ennemis ceux qui les en empêchent etc. Dieu a donc montré le pouvoir qu'il a de donner les biens invisibles par celui qu'il a montré qu'il avait sur les visibles.

259

De deux personnes qui disent de sots contes, l'un qui voit double sens entendu dans la cabale, l'autre qui n'a que ce sens, si quelqu'un n'étant pas du secret entend discourir les deux en cette sorte, il en fera même jugement. Mais si ensuite dans le reste du discours l'un dit des choses angéliques et l'autre toujours des choses plates et communes, il jugera que l'un parlait avec mystère et non pas l'autre, l'un ayant assez montré qu'il est incapable de telles sottises et capable d'être mystérieux, l'autre qu'il est incapable de mystère et capable de sottise.

Le Vieux Testament est un chiffre.

XX. RABBINAGE

Chronologie du Rabbinisme.

Les citations des pages sont du livre *Pugio* [1].

P. 27. R. Hakadosch,   an 200
auteur du Mischna ou loi vocale, ou seconde loi.

	l'un siphra	
Commentaires	Barajetot	
de Mischna [2]	Talmud hierosol. [3]	an 340
	Tosiphtot	

Bereschit Rabah [4], par R. Osaia Rabah, commentaire du Mischna.

Bereschit Rabah, Bar Mechoni sont des discours subtils, agréables, historiques et théologiques.

Ce même auteur a fait des livres appelés Rabot.

440. Cent ans après le Talmud hieros, fut fait le Talmud babylonique par R. Ase [5], par le consentement universel de tous les Juifs qui sont nécessairement obligés d'observer tout ce qui y est contenu.

L'addition de R. Ase s'appelle Gemara c'est-à-dire le commentaire du Mischna.

Et le Talmud comprend ensemble le Mischna et le Gemara.

261

Tradition ample du péché originel selon les Juifs [1].

Sur le mot de la Genèse, VIII : « La composition du cœur de l'homme est mauvaise dès son enfance. »

R. Moyse Haddarschan : « Ce mauvais levain est mis dans l'homme dès l'heure où il est formé. »

Massechet Succa : « Ce mauvais levain a sept noms : dans l'Écriture il est appelé mal, prépuce, immonde, ennemi, scandale, cœur de pierre, aquilon ; tout cela signifie la malignité qui est cachée et empreinte dans le cœur de l'homme. » Midrasch Tillim dit la même chose et que Dieu délivrera la bonne nature de l'homme de la mauvaise.

Cette malignité se renouvelle tous les jours contre l'homme comme il est écrit *Psaume* XXXVII : « L'impie observe le juste et cherche à le faire mourir, mais Dieu ne l'abandonnera point. »

Cette malignité tente le cœur de l'homme en cette vie et l'accusera en l'autre.

Tout cela se trouve dans le Talmud.

Midrasch Tillim sur le *Psaume* IV, « Frémissez et vous ne pécherez point » : « Frémissez et épouvantez votre concupiscence et elle ne vous induira point à pécher. » Et sur le *Psaume* XXXVI : « L'impie a dit en son cœur que la crainte de Dieu ne soit point devant moi, c'est-à-dire que la malignité naturelle à l'homme a dit cela à l'impie. »

Midrasch Kohelet : « Meilleur est l'enfant pauvre et sage que le roi vieux et fol qui ne sait pas prévoir l'avenir [2]. » L'enfant est la vertu et le roi est la malignité de l'homme. Elle est appelée roi parce que tous les membres lui obéissent et vieux parce qu'il est dans le cœur de l'homme depuis l'enfance jusqu'à la vieillesse, et fol parce qu'il conduit l'homme dans la voie de ⟨per⟩dition [5] qu'il ne prévoit point.

La même chose est dans Midrasch Tillim.

Bereschit Rabba sur le *Psaume* XXXV : « Seigneur, tous mes os te béniront parce que tu délivres le pauvre du tyran et y a-t-il un plus grand tyran que le mauvais levain? »

Et sur les *Proverbes,* XXV. Si ton ennemi a faim, donne-lui à manger, c'est-à-dire si le mauvais levain a faim, donnez-lui du pain de la sagesse dont il est parlé *Proverbes,* IX. Et s'il a soif, donne-lui de l'eau dont il est parlé Isaïe, LV.

Midrasch Tillim dit la même chose et que l'Écriture en cet endroit, en parlant de notre ennemi, entend le mauvais levain et qu'en lui ⟨donnant⟩ ce pain et cette eau, on lui assemblera des charbons sur la tête.

Midrasch Kohelet sur l'*Ecclésiaste* IX, : « Un grand roi a assiégé une petite ville. Ce grand roi est le mauvais levain. Les grandes machines dont il l'environne sont les tentations. Et il a été trouvé un homme sage et pauvre qui l'a délivrée, c'est-à-dire la vertu. »

Et sur le *Psaume* XLI : « Bienheureux qui a égard aux pauvres. »

Et sur le *Psaume* LXXVIII : « L'esprit s'en va et ne revient plus, d'où quelques-uns ont pris sujet d'errer contre l'immortalité de l'âme; mais le sens est que cet esprit est le mauvais levain, qui s'en va avec l'homme jusqu'à la mort et ne reviendra point en la résurrection. »

Et sur le *Psaume* CIII, la même chose.

Et sur le *Psaume* XVI.

XXI. PERPÉTUITÉ

262

Un mot de David ou de Moïse, comme que Dieu circoncira leur cœur [1], fait juger de leur esprit. Que tous leurs autres discours soient équivoques et douteux d'être philosophes ou chrétiens, enfin un mot de cette nature détermine tous les autres, comme un mot d'Épictète détermine tout le reste au contraire. Jusque-là l'ambiguïté dure, et non pas après.

263

Les États périraient si on ne faisait ployer souvent les lois à la nécessité, mais jamais la Religion n'a souffert cela et n'en a usé. Aussi il faut ces accommodements ou des miracles.

Il n'est pas étrange qu'on se conserve en ployant, et ce n'est pas proprement se maintenir, et encore périssent-ils enfin entièrement. Il n'y en a point qui ait duré mille ans. Mais que cette Religion se soit toujours maintenue et inflexible... Cela est divin.

264

Perpétuité [1].
Cette Religion qui consiste à croire que l'homme est déchu

d'un état de gloire et de communication avec Dieu en un état de tristesse, de pénitence et d'éloignement de Dieu, mais qu'après cette vie nous serons rétablis par un Messie qui devait venir, a toujours été sur la terre. Toutes choses ont passé et celle-là a subsisté, par laquelle sont toutes choses.

Les hommes dans le premier âge du monde ont été emportés dans toutes sortes de désordres, et il y avait cependant des saints comme Énoch, Lamech, et d'autres qui attendaient en patience le Christ promis dès le commencement du monde [2]. Noé a vu la malice des hommes au plus haut degré et il a mérité de sauver le monde en sa personne par l'espérance du Messie, dont il a été la figure. Abraham était environné d'idolâtres quand Dieu lui a fait connaître le mystère du Messie qu'il a salué de loin [3] ; au temps d'Isaac et de Jacob, l'abomination était répandue sur toute la terre, mais ces saints vivaient en leur foi, et Jacob mourant et bénissant ses enfants s'écrie par un transport qui lui fait interrompre son discours : « J'attends, ô mon Dieu, le sauveur que vous avez promis, *salutare tuum exspectabo domine* [4]. »

Les Égyptiens étaient infectés et d'idolâtrie et de magie, le peuple de Dieu même était entraîné par leur exemple ; mais cependant Moïse et d'autres voyaient celui qu'ils ne voyaient pas, et l'adoraient en regardant aux dons éternels qu'il leur préparait [5].

Les Grecs et les Latins ensuite ont fait régner les fausses déités, les poètes ont fait cent diverses théologies, les philosophes se sont séparés en mille sectes différentes ; et cependant il y avait toujours, au cœur de la Judée, des hommes choisis qui prédisaient la venue de ce Messie qui n'était connu que d'eux. Il est venu enfin en la consommation des temps. Et depuis on a vu naître tant de schismes et d'hérésies, tant renverser d'états, tant de changements en toutes choses, et cette Église qui adore celui qui a toujours été adoré a subsisté sans interruption. Et ce qui est admirable, incomparable et tout à fait divin, est que cette Religion qui a toujours duré a toujours été combattue. Mille fois elle a été à la veille d'une destruction universelle, et toutes les fois qu'elle a été en cet état, Dieu l'a relevée par des coups extraordinaires de sa puissance. Car ce qui est étonnant est qu'elle s'est maintenue sans fléchir et plier sous la volonté des tyrans, car il n'est pas étrange qu'un état subsiste lorsque l'on fait quelquefois céder ses lois à la nécessité, mais que...

Voyez le rond dans Montaigne [6].

265

Le Messie a toujours été cru. La tradition d'Adam était encore nouvelle en Noé et en Moïse. Les prophètes l'ont prédit depuis en prédisant toujours d'autres choses dont les événements qui arrivaient de temps en temps à la vue des hommes marquaient la vérité de leur mission et par conséquent celle de leurs promesses touchant le Messie. Jésus-Christ a fait des miracles et les apôtres aussi, qui ont converti tous les païens, et par là toutes les prophéties étant accomplies, le Messie est prouvé pour jamais.

266

Les six âges, les six pères des six âges, les six merveilles à l'entrée des six âges, les six orients à l'entrée des six âges [1].

267

La seule religion contre la nature, contre le sens commun, contre nos plaisirs, est la seule qui ait toujours été.

268

Si l'ancienne Église était dans l'erreur, l'Église est tombée

Quand elle y serait aujourd'hui, ce n'est pas de même, car elle a toujours la maxime supérieure de la tradition de la créance de l'ancienne Église. Et ainsi cette soumission et cette conformité à l'ancienne Église prévaut et corrige tout. Mais l'ancienne Église ne supposait pas l'Église future et ne la regardait pas, comme nous supposons et regardons l'ancienne.

269

Deux sortes d'hommes en chaque religion.

Parmi les païens, des adorateurs de bêtes, et les autres, adorateurs d'un seul Dieu dans la religion naturelle.

Parmi les Juifs, les charnels et les spirituels qui étaient les chrétiens de la loi ancienne.

Parmi les chrétiens, les grossiers qui sont les Juifs de la loi nouvelle.

Les Juifs charnels attendaient un Messie charnel et les chrétiens grossiers croient que le Messie les a dispensés d'aimer Dieu [1]. Les vrais Juifs et les vrais chrétiens adorent un Messie qui leur fait aimer Dieu.

270

Qui jugera de la religion des Juifs par les grossiers la connaîtra mal. Elle est visible dans les saints livres et dans la tradition des prophètes qui ont assez fait entendre qu'ils n'entendaient pas la loi à la lettre. Ainsi notre religion est divine dans l'Évangile, les apôtres et la tradition, mais elle est ridicule dans ceux qui la traitent mal.

Le Messie selon les Juifs charnels doit être un grand prince temporel. Jésus-Christ selon les chrétiens charnels est venu nous dispenser d'aimer Dieu, et nous donner des sacrements qui opèrent tout sans nous ; ni l'un ni l'autre n'est la religion chrétienne ni juive.

Les vrais Juifs et les vrais chrétiens ont toujours attendu un Messie qui les ferait aimer Dieu et par cet amour triompher de leurs ennemis [1].

271

Moïse, *Deutéronome,* xxx, promet que Dieu circoncira leur cœur pour les rendre capables de l'aimer.

272

Les Juifs charnels tiennent le milieu entre les chrétiens et les païens. Les païens ne connaissent point Dieu et n'aiment que la terre, les Juifs connaissent le vrai Dieu et n'aiment que la terre [1], les chrétiens connaissent le vrai Dieu et n'aiment point la terre. Les Juifs et les païens aiment les mêmes biens, les Juifs et les chrétiens connaissent le même Dieu.

Les Juifs étaient de deux sortes. Les uns n'avaient que les affections païennes, les autres avaient les affections chrétiennes.

XXII. PREUVES DE MOÏSE

273

La longueur de la vie des patriarches, au lieu de faire que les histoires des choses passées se perdissent, servait au contraire à les conserver. Car ce qui fait que l'on n'est pas quelquefois assez instruit dans l'histoire de ses ancêtres est que l'on n'a jamais guère vécu avec eux, et qu'ils sont morts souvent devant que l'on eût atteint l'âge de raison. Or, lorsque les hommes vivaient si longtemps, les enfants vivaient longtemps avec leurs pères. Ils les entretenaient longtemps. Or, de quoi les eussent-ils entretenus, sinon de l'histoire de leurs ancêtres, puisque toute l'histoire était réduite à celle-là, qu'ils n'avaient point d'études, ni de sciences, ni d'arts, qui occupent une grande partie des discours de la vie ? Aussi l'on voit qu'en ce temps les peuples avaient un soin particulier de conserver leurs généalogies [1]

274

Cette Religion si grande en miracles, saints livres irréprochables, savants et grands témoins, martyrs, rois (David) établis, Isaïe prince du sang, si grande en science, après avoir étalé tous ses miracles et toute sa sagesse, elle réprouve tout cela et dit qu'elle n'a ni sagesse ni signe, mais la Croix et la folie [1].

Car ceux qui par ces signes et cette sagesse ont mérité votre créance et qui vous ont prouvé leur caractère, vous déclarent que rien de tout cela ne peut nous changer et nous rendre capables de connaître et aimer Dieu que la vertu de la folie de la Croix, sans sagesse ni signe, et non point les signes sans cette vertu.

Ainsi notre Religion est folle en regardant à la cause efficace, et sage en regardant à la sagesse qui y prépare.

275

Preuves de Moïse.

Pourquoi Moïse[1] va-t-il faire la vie des hommes si longue et si peu de générations?

Car ce n'est pas la longueur des années mais la multitude des générations qui rendent les choses obscures.

Car la vérité ne s'altère que par le changement des hommes.

Et cependant il met deux choses les plus mémorables qui se soient jamais imaginées, savoir la création et le déluge, si proches qu'on y touche.

Si on doit donner huit jours, on doit donner toute la vie.

276

Tandis que les prophètes ont été pour maintenir la loi, le peuple a été négligent. Mais depuis qu'il n'y a plus eu de prophètes, le zèle a succédé.

277

Josèphe cache la honte de sa nation.
Moïse ne cache pas sa honte propre[1] ni...
« *Quis mihi det ut omnes prophetent*[2]? »
Il était las du peuple[3].

278

Sem qui a vu Lamech qui a vu Adam a vu aussi Jacob qui a vu ceux qui ont vu Moïse [1] : donc le déluge et la création sont vrais. Cela conclut entre de certaines gens qui l'entendent bien.

278 *bis* [1]

Car quoiqu'il y eût environ deux mille ans qu'elles avaient été faites, le peu de générations qui s'étaient passées faisait qu'elles étaient aussi nouvelles aux hommes qui étaient en ce temps-là que nous le sont à présent celles qui sont arrivées il y a environ trois cents ans. Cela vient de la longueur de la vie des premiers hommes. En sorte que Sem, qui a vu Lamech, etc.

Cette preuve suffit pour convaincre les personnes raisonnables de la vérité du Déluge et de la Création, et cela fait voir la Providence de Dieu, lequel, voyant que la Création commençait à s'éloigner, a pourvu d'un historien qu'on peut appeler contemporain, et a commis tout un peuple pour la garde de son livre.

Et ce qui est encore admirable, c'est que ce livre a été embrassé unanimement et sans aucune contradiction, non seulement par tout le peuple juif, mais aussi par tous les rois et tous les peuples de la terre, qui l'ont reçu avec un respect et une vénération toute particulière.

279

Zèle du peuple juif pour sa loi et principalement depuis qu'il n'y a plus eu de prophètes.

280

L'ordre. Contre l'objection que l'Écriture n'a pas d'ordre[1].

Le cœur a son ordre, l'esprit a le sien qui est par principe et démonstration. Le cœur en a un autre. On ne prouve pas qu'on doit être aimé en exposant d'ordre les causes de l'amour ; cela serait ridicule[2].

Jésus-Christ, saint Paul ont l'ordre de la charité, non de l'esprit, car ils voulaient échauffer, non instruire[3].

Saint Augustin de même. Cet ordre consiste principalement à la digression sur chaque point qui a rapport à la fin, pour la montrer toujours.

281

L'Évangile ne parle de la virginité de la Vierge que jusques à la naissance de Jésus-Christ. Tout par rapport à Jésus-Christ

282

Jésus-Christ dans une obscurité (selon ce que le monde appelle obscurité), telle que les historiens n'écrivant que les importantes choses des États l'ont à peine aperçu

283

Sainteté.

« *Effundam spiritum meum* [1]. » Tous les peuples étaient dans l'infidélité et dans la concupiscence, toute la terre fut ardente de charité : les princes quittent leurs grandeurs, les filles souffrent le martyre. D'où vient cette force ? C'est que le Messie est arrivé. Voilà l'effet et les marques de sa venue.

284

Les combinaisons des miracles.

285

Un artisan qui parle des richesses, un procureur qui parle de la guerre, de la royauté, etc., mais le riche parle bien des richesses, le roi parle froidement d'un grand don qu'il vient de faire, et Dieu parle bien de Dieu [1].

286

Preuves de Jésus-Christ.
Pourquoi le livre de Ruth, conservé.
Pourquoi l'histoire de Thamar [1].

287

Preuves de Jésus-Christ.

Ce n'est pas avoir été captif que de l'avoir été avec assurance d'être délivré dans septante ans [1], mais maintenant ils le sont sans aucun espoir.

Dieu leur a promis qu'encore qu'il les dispersât aux bouts du monde, néanmoins s'ils étaient fidèles à sa loi il les rassemblerait [2]. Ils y sont très fidèles et demeurent opprimés.

288

Les Juifs, en éprouvant s'il était Dieu, ont montré qu'il était homme

289

L'Église a eu autant de peine à montrer que Jésus-Christ était homme, contre ceux qui le niaient [1], qu'à montrer qu'il était Dieu [2] Et les apparences étaient aussi grandes.

290

La distance infinie des corps aux esprits [1] figure la distance infiniment plus infinie des esprits à la charité, car elle est surnaturelle [2]

Tout l'éclat des grandeurs n'a point de lustre pour les gens qui sont dans les recherches de l'esprit.

La grandeur des gens d'esprit est invisible aux rois, aux riches, aux capitaines, à tous ces grands de chair.

La grandeur de la sagesse, qui n'est nulle sinon de Dieu, est invisible aux charnels et aux gens d'esprit. Ce sont trois ordres différents de genre [3]

Les grands génies ont leur empire, leur éclat, leur grandeur, leur victoire et leur lustre, et n'ont nul besoin des grandeurs charnelles où elles n'ont pas de rapport. Ils sont vus, non des yeux, mais des esprits, c'est assez.

Les saints ont leur empire, leur éclat, leur victoire, leur lustre et n'ont nul besoin des grandeurs charnelles ou spirituelles, où elles n'ont nul rapport, car elles n'y ajoutent ni ôtent. Ils sont vus de Dieu et des anges et non des corps ni des esprits curieux. Dieu leur suffit.

Archimède sans éclat serait en même vénération. Il n'a pas

donné des batailles pour les yeux, mais il a fourni à tous les esprits ses inventions. Ô qu'il a éclaté aux esprits!

Jésus-Christ sans biens, et sans aucune production au dehors de science, est dans son ordre de sainteté. Il n'a point donné d'invention, il n'a point régné, mais il a été humble, patient, saint, saint, saint à Dieu, terrible aux démons, sans aucun péché. Ô qu'il est venu en grande pompe et en une prodigieuse magnificence aux yeux du cœur et qui voient la sagesse!

Il eût été inutile à Archimède de faire le prince dans ses livres de géométrie, quoiqu'il le fût[4].

Il eût été inutile à Notre Seigneur Jésus-Christ pour éclater dans son règne de sainteté de venir en roi, mais il y est bien venu avec l'éclat de son ordre.

Il est bien ridicule de se scandaliser de la bassesse de Jésus-Christ, comme si cette bassesse était du même ordre duquel est la grandeur qu'il venait faire paraître.

Qu'on considère cette grandeur-là dans sa vie, dans sa passion, dans son obscurité, dans sa mort, dans l'élection des siens, dans leur abandonnement, dans sa secrète résurrection et dans le reste, on la verra si grande qu'on n'aura pas sujet de se scandaliser d'une bassesse qui n'y est pas.

Mais il y en a qui ne peuvent admirer que les grandeurs charnelles comme s'il n'y en avait pas de spirituelles. Et d'autres qui n'admirent que les spirituelles comme s'il n'y en avait pas d'infiniment plus hautes dans la sagesse.

Tous les corps, le firmament, les étoiles, la terre et ses royaumes, ne valent pas le moindre des esprits[5] Car il connaît tout cela, et soi, et les corps rien.

Tous les corps ensemble et tous les esprits ensemble et

toutes leurs productions ne valent pas le moindre mouvement de charité. Cela est d'un ordre infiniment plus élevé.

De tous les corps ensemble on ne saurait en faire réussir une petite pensée ; cela est impossible et d'un autre ordre. De tous les corps et esprits on n'en saurait tirer un mouvement de vraie charité ; cela est impossible, et d'un autre ordre surnaturel.

291

Preuves de Jésus-Christ.
Jésus-Christ a dit les choses grandes si simplement qu'il semble qu'il ne les a pas pensées, et si nettement néanmoins qu'on voit bien ce qu'il en pensait. Cette clarté jointe à cette naïveté est admirable.

292

Preuves de Jésus-Christ.
L'hypothèse des apôtres fourbes est bien absurde [1]. Qu'on la suive tout au long, qu'on s'imagine ces douze hommes assemblés après la mort de Jésus-Christ faisant le complot de dire qu'il est ressuscité. Ils attaquent par là toutes les puissances [2]. Le cœur des hommes est étrangement penchant à la légèreté, au changement, aux promesses, aux biens ; si peu que l'un de ceux-là se fût démenti par tous ces attraits, et qui plus est par les prisons, par les tortures et par la mort, ils étaient perdus. Qu'on suive cela.

293

C'est une chose étonnante et digne d'une étrange attention de voir ce peuple juif subsister depuis tant d'années et de le voir toujours misérable, étant nécessaire pour la preuve de Jésus-Christ et qu'il subsiste pour le prouver et qu'il soit misérable, puisqu'ils l'ont crucifié. Et quoiqu'il soit contraire d'être misérable et de subsister, il subsiste néanmoins toujours malgré sa misère.

294

Prodita lege,
impleta cerne,
implenda collige [1].
Canoniques.
Les hérétiques au commencement de l'Église servent à prouver les canoniques [2].

295

Quand Nabuchodonosor emmena le peuple, de peur qu'on ne crût que le sceptre fût ôté de Juda, il leur fut dit auparavant qu'ils y seraient peu, et qu'ils y seraient, et qu'ils y seraient rétablis [1].

Ils furent toujours consolés par les prophètes; leurs rois continuèrent.

Mais la seconde destruction est sans promesse de rétablissement, sans prophètes, sans roi, sans consolation, sans espérance, parce que le sceptre est ôté pour jamais.

296

Moïse d'abord enseigne la Trinité [1], le péché originel, le Messie.

David grand témoin.
Roi, bon, pardonnant, belle âme, bon esprit, puissant. Il prophétise, et son miracle arrive [2]. Cela est infini.
Il n'avait qu'à dire qu'il était le Messie s'il eût eu de la vanité, car les prophéties sont plus claires de lui que de Jésus-Christ [3].

Et saint Jean de même.

297

Qui a appris aux évangélistes les qualités d'une âme parfaitement héroïque, pour la peindre si parfaitement en Jésus-Christ [1] ? Pourquoi le font-ils faible dans son agonie [2] ? Ne savent-ils pas peindre une mort constante ? Oui, car le même saint Luc peint celle de saint Étienne [3] plus forte que celle de Jésus-Christ.

Ils le font capable de crainte, avant que la nécessité de mourir soit arrivée, et ensuite tout fort.

Mais quand ils le font si troublé, c'est quand il se trouble lui-même ; et quand les hommes le troublent, il est fort.

298

Le zèle des Juifs pour leur loi et leur temple. Josèphe et Philon juif, *Ad Caium* [1].

Quel autre peuple a un tel zèle ? Il fallait qu'ils l'eussent.

Jésus-Christ prédit quant au temps et à l'état du monde. Le duc ôté de la cuisse [2], et la quatrième monarchie [3].

Qu'on est heureux d'avoir cette lumière dans cette obscurité !

Qu'il est beau de voir par les yeux de la foi Darius et Cyrus, Alexandre, les Romains, Pompée et Hérode agir sans le savoir pour la gloire de l'Évangile !

299

La discordance apparente des évangiles [1]

300

La synagogue a précédé l'Église, les Juifs, les chrétiens. Les prophètes ont prédit les chrétiens, saint Jean, Jésus-Christ.

301

Macrobe, les innocents tués par Hérode [1].

302

Tout homme peut faire ce qu'a fait Mahomet. Car il n'a point fait de miracles, il n'a point été prédit. Nul homme ne peut faire ce qu'a fait Jésus-Christ.

303

Les apôtres ont été trompés ou trompeurs [1]. L'un et l'autre est difficile. Car il n'est pas possible de prendre un homme pour être ressuscité.

Tandis que Jésus-Christ était avec eux, il les pouvait soutenir, mais après cela, s'il ne leur est apparu, qui les a fait agir?

XXIV. PROPHÉTIES

304

Ruine des Juifs et des païens par Jésus-Christ.
« *Omnes gentes venient et adorabunt eum*[1]. »
« *Parum est ut,* etc.[2]. » Is.
« *Postula a me*[3]. »
« *Adorabunt eum omnes reges*[4]. »
« *Testes iniqui*[5]. »
« *Dabit maxillam percutienti*[6]. »
« *Dederunt fel in escam*[7]. »

305

Qu'alors l'idolâtrie serait renversée, que ce Messie abattrait toutes les idoles et ferait entrer les hommes dans le culte du vrai Dieu[1].

Que les temples des idoles seraient abattus et que parmi toutes les nations et en tous les lieux du monde lui serait offerte une hostie pure[2], non point des animaux[3].

Qu'il serait roi des Juifs et des Gentils, et voilà ce roi des Juifs et des Gentils opprimé par les uns et les autres qui conspirent à sa mort, dominant des uns et des autres, et détruisant et le culte de Moïse dans Jérusalem, qui en était le centre, dont il fait sa première Église, et le culte des idoles dans Rome qui en était le centre et dont il fait sa principale Église.

306

Qu'il enseignerait aux hommes la voie parfaite [1].

Et jamais il n'est venu, ni devant ni après, aucun homme qui ait enseigné rien de divin approchant de cela.

307

Et ce qui couronne tout cela est la prédiction, afin qu'on ne die point que c'est le hasard qui l'a fait.

Quiconque n'ayant plus que huit jours à vivre ne trouvera pas que le parti est de croire [1], que tout cela n'est pas un coup du hasard?

Or si les passions ne nous tenaient point, huit jours et cent ans sont une même chose.

308

Après que bien des gens sont venus devant, il est venu enfin Jésus-Christ dire : me voici et voici le temps. Ce que les prophètes ont dit devoir advenir dans la suite des temps, je vous dis que mes apôtres le vont faire. Les Juifs vont être rebutés. Hiérusalem sera bientôt détruite et les païens vont entrer dans la connaissance de Dieu [a][1]. Mes apôtres le vont faire après que vous aurez tué l'héritier de la vigne [2].

Et puis les apôtres ont dit aux Juifs : Vous allez être maudits. Et aux païens : Vous allez entrer dans la connaissance de Dieu. Et cela est arrivé alors.

---

a. Celsus s'en moquait.

309

Qu'alors on n'enseignera plus son prochain, disant : voici le Seigneur. *Car Dieu se fera sentir à tous*[1]. *Vos fils prophétiseront*[2]. Je mettrai mon esprit et ma crainte *en votre cœur*[3].

Tout cela est la même chose.

Prophétiser, c'est parler de Dieu, non par preuves de dehors, mais par sentiment intérieur et immédiat.

310

Que Jésus-Christ serait petit en son commencement, et croîtrait ensuite.

La petite pierre de Daniel[1].

Si je n'avais ouï parler en aucune sorte du Messie, néanmoins après les prédictions si admirables de l'ordre du monde que je vois accomplies, je vois que cela est divin; et si je savais que ces mêmes livres prédisent un Messie, je m'assurerais s'il serait venu, et voyant qu'ils mettent son temps avant la destruction du second temple[2], je dirais qu'il serait venu.

311

Prophéties.
La conversion des Égyptiens.
Isaïe, XIX, 19.
Un autel en Égypte au vrai Dieu[1].

312

Au temps du Messie, ce peuple se partage.
Les spirituels ont embrassé le Messie, les grossiers sont demeurés pour lui servir de témoins.

313

Prophéties.

Quand un seul homme aurait fait un livre des prédictions de Jésus-Christ pour le temps et pour la manière, et que Jésus-Christ serait venu conformément à ces prophéties, ce serait une force infinie.

Mais il y a bien plus ici. C'est une suite d'hommes durant quatre mille ans qui constamment et sans variation viennent l'un ensuite de l'autre prédire ce même avènement. C'est un peuple tout entier qui l'annonce et qui subsiste depuis quatre mille années pour rendre en corps témoignage des assurances qu'ils en ont, et dont ils ne peuvent être divertis par quelques menaces et persécutions qu'on leur fasse. Ceci est tout autrement considérable.

314

Prophéties.

Le temps prédit par l'état du peuple juif, par l'état du peuple païen, par l'état du temple, par le nombre des années.

315

Osée, III [1].

Isaïe, XLIV, XLVIII : je l'ai prédit depuis longtemps afin qu'on sût que c'est moi [2] ; LIV, LX et dernier.

Jaddus à Alexandre [3]

316

La plus grande des preuves de Jésus-Christ sont les prophéties. C'est aussi à quoi Dieu a le plus pourvu, car l'événement qui les a remplies est un miracle subsistant depuis la naissance de l'Église jusques à la fin. Aussi Dieu a suscité des prophètes durant seize cents ans, et pendant quatre cents ans après, il a dispersé toutes ces prophéties avec tous les Juifs qui les portaient dans tous les lieux du monde. Voilà quelle a été la préparation à la naissance de Jésus-Christ, dont l'Évangile devant être cru de tout le monde, il a fallu non seulement qu'il y ait eu des prophéties pour le faire croire, mais que ces prophéties fussent par tout le monde pour le faire embrasser par tout le monde.

317

Il faut être hardi pour prédire une même chose en tant de manières.

Il fallait que les quatre monarchies, idolâtres ou païennes, la fin du règne de Juda, et les septante semaines arrivassent en même temps, et le tout avant que le second temple fût [3] détruit.

318

Hérode cru le Messie[1]. Il avait ôté le sceptre de Juda, mais il n'était pas de Juda. Cela fit une secte considérable.

Et Barcosba[2] et un autre reçu par les Juifs[3]. Et le bruit qui était partout en ce temps-là.

Suétone, Tacite, Josèphe[4].

Comment fallait-il que fût le Messie, puisque par lui le sceptre devait être éternellement en Juda et qu'à son arrivée le sceptre devait être ôté de Juda?

Pour faire qu'en voyant ils ne voient point et qu'en entendant ils n'entendent point, rien ne pouvait être mieux fait.

Malédiction des ⟨Juifs⟩[5] contre ceux qui comptent trois périodes des temps.

319

Prédictions[1].

Qu'en la quatrième monarchie, avant la destruction du second temple, avant que la domination des Juifs fût ôtée, en la septantième semaine de Daniel[2], pendant la durée du second temple, les païens seraient instruits et amenés à la connaissance du Dieu adoré par les Juifs, que ceux qui l'aiment seraient délivrés de leurs ennemis, remplis de sa crainte et de son amour.

Et il est arrivé qu'en la quatrième monarchie, avant la destruction du second temple, etc., les païens en foule adorent Dieu et mènent une vie angélique.

Les filles consacrent à Dieu leur virginité et leur vie, les hommes renoncent à tous plaisirs. Ce que Platon n'a pu persuader à quelque peu d'hommes choisis et si instruits, une force secrète le persuade à cent milliers d'hommes ignorants, par la vertu de peu de paroles.

Les riches quittent leurs biens, les enfants quittent la maison délicate de leurs pères pour aller dans l'austérité d'un désert[3], etc. Voyez Philon juif[4].

Qu'est-ce que tout cela? C'est ce qui a été prédit si longtemps auparavant; depuis deux mille années, aucun païen n'avait adoré le Dieu des Juifs[a], et dans le temps prédit, la foule des païens adore cet unique Dieu. Les temples sont détruits, les rois mêmes se soumettent à la croix. Qu'est-ce que tout cela? C'est l'esprit de Dieu qui est répandu sur la terre.

---

a. Nul païen depuis Moïse jusqu'à Jésus-Christ, selon les Rabbins mêmes; la foule des païens après Jésus-Christ croit les livres de Moïse et en observe l'essence et l'esprit et n'en rejette que l'inutile.

320

Les prophètes ayant donné diverses marques qui devaient toutes arriver à l'avènement du Messie, il fallait que toutes ces marques arrivassent en même temps. Ainsi il fallait que la quatrième monarchie fût venue lorsque les septante semaines de Daniel seraient accomplies, et que le sceptre fût alors ôté de Juda; et tout cela est arrivé sans aucune difficulté. Et qu'alors il arrivât le Messie, et Jésus-Christ est arrivé alors, qui s'est dit le Messie; et tout cela est encore sans difficulté, et cela marque bien la vérité des prophéties.

321

« *Non habemus regem nisi Caesarem* [1]. » Donc Jésus-Christ était le Messie, puisqu'ils n'avaient plus de roi qu'un étranger et qu'ils n'en voulaient point d'autre.

322

Prophéties.

Les septante semaines de Daniel sont équivoques pour le terme du commencement à cause des termes de la prophétie. Et pour le terme de la fin à cause de la diversité des chronologistes. Mais toute cette différence ne va qu'à deux cents ans [1].

323

Prophéties.

Le sceptre ne fut point interrompu par la captivité de Babylone à cause que leur retour était prompt et prédit [1]

324

Prophéties.

Le grand Pan est mort [1]

325

Que peut-on avoir sinon de la vénération d'un homme qui prédit clairement des choses qui arrivent et qui déclare son dessein et d'aveugler et d'éclaircir et qui mêle des obscurités parmi des choses claires qui arrivent.

326

« *Parum est ut* » Isaïe [1]. Vocation des Gentils.

327

Prédictions.

Il est prédit qu'au temps du Messie, il viendrait établir une nouvelle alliance qui ferait oublier la sortie d'Égypte (Jérémie, XXIII, 5 [1] ; Isaïe, XLIII, 16 [2]), qui mettrait sa loi non dans l'extérieur mais dans le cœur [3], qu'il mettrait sa crainte, qui n'avait été qu'au dehors, dans le milieu du cœur... Qui ne voit la loi chrétienne en tout cela?

328

Prophéties.

Que les Juifs réprouveraient Jésus-Christ et qu'ils seraient réprouvés de Dieu par cette raison; que la vigne élue ne donnerait que du verjus [1] ; que le peuple choisi serait infidèle, ingrat et incrédule : « *Populum non credentem et contradicentem* [2]. »

⟨*Deutéronome*⟩, XXVIII, 28 : Que Dieu les frappera d'aveuglement et qu'ils tâtonneront en plein midi comme les aveugles.

Qu'un précurseur viendrait avant lui [3].

329

Le règne éternel de la race de David (II *Chroniques*[1]) par toutes les prophéties et avec serment. Et n'est point accompli temporellement (Jérémie, XXXIII, 20[2]).

XXV. FIGURES PARTICULIÈRES

330

Figures particulières.
Double loi, doubles tables de la loi, double temple, double captivité.

331

⟨Jacob⟩ [1] croise ses bras et préfère le jeune [2].

XXVI. MORALE CHRÉTIENNE

332

Le christianisme est étrange. Il ordonne à l'homme de reconnaître qu'il est vil et même abominable, et lui ordonne de vouloir être semblable à Dieu. Sans un tel contrepoids, cette élévation le rendrait horriblement vain, ou cet abaissement le rendrait horriblement abject.

333

La misère persuade le désespoir.

L'orgueil persuade la présomption.

L'Incarnation montre à l'homme la grandeur de sa misère par la grandeur du remède qu'il a fallu.

334

Non pas un abaissement qui nous rende incapables du bien ni une sainteté exempte de mal.

335

Il n'y a point de doctrine plus propre à l'homme que celle-là qui l'instruit de sa double capacité de recevoir et de perdre la grâce à cause du double péril où il est toujours exposé, de désespoir ou d'orgueil.

336

De tout ce qui est sur la terre, il ne prend part qu'aux déplaisirs, non aux plaisirs. Il aime ses proches, mais sa charité ne se renferme pas dans ces bornes et se répand sur ses ennemis et puis sur ceux de Dieu.

337

Quelle différence entre un soldat et un chartreux quant à l'obéissance! Car ils sont également obéissants et dépendants, et dans des exercices également pénibles, mais le soldat espère toujours devenir maître et ne le devient jamais, car les capitaines et princes mêmes sont toujours esclaves et dépendants, mais il l'espère toujours, et travaille toujours à y venir, au lieu que le chartreux fait vœu de n'être jamais que dépendant; ainsi ils ne diffèrent pas dans la servitude perpétuelle, que tous deux ont toujours, mais dans l'espérance que l'un a toujours et l'autre jamais.

338

Nul n'est heureux comme un vrai chrétien, ni raisonnable, ni vertueux, ni aimable.

339

Avec combien peu d'orgueil un chrétien se croit-il uni à Dieu! Avec combien peu d'abjection s'égale-t-il aux vers de la terre! La belle manière de recevoir la vie et la mort, les biens et les maux!

340

Les exemples des morts généreuses des Lacédémoniens et autres ne nous touchent guère, car qu'est-ce que cela nous apporte⁹

Mais l'exemple de la mort des martyrs nous touche, car ce sont nos membres [1]. Nous avons un lien commun avec eux : leur résolution peut former la nôtre, non seulement par l'exemple, mais parce qu'elle a peut-être mérité la nôtre.

Il n'est rien de cela aux exemples des païens. Nous n'avons point de liaison à eux. Comme on ne devient pas riche pour voir un étranger qui l'est, mais bien pour voir son père ou son mari qui le soient.

341

Morale [1]

Dieu ayant fait le ciel et la terre qui ne sentent point le bonheur de leur être, il a voulu faire des êtres qui le connussent et qui composassent un corps de membres pensants [2]. Car nos membres ne sentent point le bonheur de leur union, de leur admirable intelligence, du soin que la nature a d'y influer les esprits [3] et de les faire croître et durer. Qu'ils seraient heureux s'ils le sentaient, s'ils le voyaient! Mais il faudrait pour cela qu'ils eussent intelligence pour le connaître, et bonne volonté pour consentir à celle de l'âme universelle. Que si, ayant reçu l'intelligence, ils s'en servaient à retenir en eux-mêmes la nourriture sans la laisser passer aux autres membres, ils seraient non seulement injustes mais encore misérables, et se haïraient plutôt que de s'aimer, leur béatitude aussi bien que leur devoir consistant à consentir à la conduite de l'âme entière à qui ils appartiennent, qui les aime mieux qu'ils ne s'aiment eux-mêmes.

342

Es-tu moins esclave pour être aimé et flatté de ton maître?

Tu as bien du bien, esclave, ton maître te flatte. Il te battra tantôt [1].

343

La volonté propre ne se satisfera jamais, quand elle aurait pouvoir de tout ce qu'elle veut; mais on est satisfait dès l'instant qu'on y renonce. Sans elle on ne peut être malcontent; par elle on ne peut être content [1].

344

Ils laissent agir la concupiscence et retiennent le scrupule, au lieu qu'il faudrait faire au contraire.

345

C'est être superstitieux de mettre son espérance dans les formalités, mais c'est être superbe de ne vouloir s'y soumettre [1].

346

L'expérience nous fait voir une différence énorme entre la dévotion et la bonté [1].

347

Deux sortes d'hommes en chaque religion.
Voyez « Perpétuité [1] ».
Superstition, concupiscence.

348

Point formalistes [1].
Quand saint Pierre et les apôtres délibèrent d'abolir la circoncision, où il s'agissait d'agir contre la loi de Dieu, ils

ne consultent point les prophètes mais simplement la
réception du Saint-Esprit en la personne des incirconcis [2].

Ils jugent plus sûr que Dieu approuve ceux qu'il remplit de
son Esprit que non pas qu'il faille observer la Loi.

Ils savaient que la fin de la Loi n'était que le Saint-Esprit
et qu'ainsi, puisqu'on l'avait bien sans circoncision, elle
n'était pas nécessaire.

349

Membres. Commencer par là.
Pour régler l'amour qu'on se doit à soi-même, il faut
s'imaginer un corps plein de membres pensants, car nous
sommes membres du tout, et voir comment chaque membre
devrait s'aimer, etc.

République.
La République chrétienne et même judaïque n'a eu que
Dieu pour maître, comme remarque Philon Juif, *De la
monarchie* [1].
Quand ils combattaient, ce n'était que pour Dieu, et
n'espéraient principalement que de Dieu. Ils ne considéraient
leurs villes que comme étant à Dieu et les conservaient pour
Dieu. I *Paralipomènes,* XIX, 13 [2].

350

Pour faire que les membres soient heureux, il faut qu'ils
aient une volonté et qu'ils la conforment au corps.

351

Qu'on s'imagine un corps plein de membres pensants.

352

Être membre est n'avoir de vie, d'être et de mouvement

que par l'esprit du corps et pour le corps[1]. Le membre séparé, ne voyant plus le corps auquel il appartient, n'a plus qu'un être périssant et mourant. Cependant il croit être un tout et, ne se voyant point de corps dont il dépende, il croit ne dépendre que de soi et veut se faire centre et corps lui-même. Mais n'ayant point en soi de principe de vie, il ne fait que s'égarer et s'étonne dans l'incertitude de son être, sentant bien qu'il n'est pas corps, et cependant ne voyant point qu'il soit membre d'un corps. Enfin quand il vient à se connaître, il est comme revenu chez soi et ne s'aime plus que pour le corps. Il plaint ses égarements passés.

Il ne pourrait pas par sa nature aimer une autre chose sinon pour soi-même et pour se l'asservir, parce que chaque chose s'aime plus que tout.

Mais en aimant le corps, il s'aime soi-même parce qu'il n'a d'être qu'en lui, par lui et pour lui. « *Qui adhaeret deo unus spiritus est*[2]. »

Le corps aime la main, et la main, si elle avait une volonté, devrait s'aimer de la même sorte que l'âme l'aime ; tout amour qui va au delà est injuste.

« *Adhaerens deo unus spiritus est* » ; on s'aime parce qu'on est membre de Jésus-Christ. On aime Jésus-Christ parce qu'il est le corps dont on est membre. Tout est un. L'un est en l'autre comme les trois personnes.

353

Il faut n'aimer que Dieu et ne haïr que soi[1].

Si le pied avait toujours ignoré qu'il appartînt au corps et qu'il y eût un corps dont il dépendît, s'il n'avait eu que la connaissance et l'amour de soi et qu'il vînt à connaître qu'il appartient à un corps duquel il dépend, quel regret, quelle confusion de sa vie passée, d'avoir été inutile au corps qui lui a influé la vie, qui l'eût anéanti s'il l'eût rejeté et séparé de soi, comme il se séparait de lui! Quelles prières d'y être conservé! Et avec quelle soumission se laisserait-il gouverner à la volonté qui régit le corps, jusqu'à consentir à être retranché s'il le faut! Ou il perdrait sa qualité de membre; car il faut que tout membre veuille bien périr pour le corps qui est le seul pour qui tout est.

354

Si les pieds et les mains avaient une volonté particulière, jamais ils ne seraient dans leur ordre qu'en soumettant cette volonté particulière à la volonté première qui gouverne le corps entier [1]. Hors de là, ils sont dans le désordre et dans le malheur; mais en ne voulant que le bien du corps, ils font leur propre bien.

355

Les philosophes ont consacré les vices en les mettant en Dieu même; les chrétiens ont consacré les vertus.

356

Deux lois [1] suffisent pour régler toute la République chrétienne, mieux que toutes les lois politiques.

XXVII. CONCLUSION

357

Qu'il y a loin de la connaissance de Dieu à l'aimer

358

« Si j'avais vu un miracle, disent-ils, je me convertirais. »
Comment assurent-ils qu'ils feraient ce qu'ils ignorent? Ils
s'imaginent que cette conversion consiste en une adoration
qui se fait de Dieu comme un commerce et une conversation,
telle qu'ils se la figurent. La conversion véritable consiste à
s'anéantir devant cet être universel qu'on a irrité tant de fois
et qui peut vous perdre légitimement à toute heure, à
reconnaître qu'on ne peut rien sans lui et qu'on n'a rien
mérité de lui que sa disgrâce. Elle consiste à connaître qu'il y
a une opposition invincible entre Dieu et nous, et que sans
un médiateur il ne peut y avoir de commerce.

359

Les miracles ne servent pas à convertir, mais à condamner.
I p., q. 113, a. 10, ad 2[1].

360

Ne vous étonnez pas de voir des personnes simples croire

sans raisonnement. Dieu leur donne l'amour de soi et la haine d'eux-mêmes. Il incline leur cœur à croire. On ne croira jamais, d'une créance utile et de foi, si Dieu n'incline le cœur, et on croira dès qu'il l'inclinera.

Et c'est ce que David connaissait bien : « *Inclina cor meum, deus, in* [1], etc. »

361

Ceux qui croient sans avoir lu les Testaments, c'est parce qu'ils ont une disposition intérieure toute sainte et que ce qu'ils entendent dire de notre religion y est conforme. Ils sentent qu'un Dieu les a faits. Ils ne veulent aimer que Dieu, ils ne veulent haïr qu'eux-mêmes. Ils sentent qu'ils n'en ont pas la force d'eux-mêmes, qu'ils sont incapables d'aller à Dieu et que si Dieu ne vient à eux, ils sont incapables d'aucune communication avec lui ; et ils entendent dire dans notre religion qu'il ne faut aimer que Dieu et ne haïr que soi-même, mais qu'étant tous corrompus et incapables de Dieu, Dieu s'est fait homme pour s'unir à nous. Il n'en faut pas davantage pour persuader des hommes qui ont cette disposition dans le cœur et qui ont cette connaissance de leur devoir et de leur incapacité.

362

Connaissance de Dieu.

Ceux que nous voyons chrétiens sans la connaissance des prophéties et des preuves ne laissent pas d'en juger aussi bien que ceux qui ont cette connaissance. Ils en jugent par le cœur comme les autres en jugent par l'esprit. C'est Dieu lui-même qui les incline à croire et ainsi ils sont très efficacement persuadés.

[On dira que cette manière d'en juger n'est pas certaine et

que c'est en la suivant que les hérétiques et les infidèles s'égarent.

[On répondra que les infidèles diront la même chose; mais je réponds à cela que nous avons des preuves que Dieu incline véritablement ceux qu'il aime à croire la religion chrétienne, et que les infidèles n'ont aucune preuve de ce qu'ils disent, et ainsi, nos propositions étant semblables dans les termes, elles diffèrent en ce que l'une est sans aucune preuve et l'autre très solidement prouvée.]

J'avoue bien qu'un de ces chrétiens qui croient sans preuves n'aura peut-être pas de quoi convaincre un infidèle, qui en dira autant de soi, mais ceux qui savent les preuves de la Religion prouveront sans difficulté que ce fidèle est véritablement inspiré de Dieu, quoiqu'il ne pût le prouver lui-même.

Car Dieu ayant dit dans ses prophètes [1] (qui sont indubitablement prophètes) que dans le règne de Jésus-Christ il répandrait son esprit sur les nations et que les fils, les filles et les enfants de l'Église prophétiseraient, il est sans doute que l'Esprit de Dieu est sur ceux-là et qu'il n'est point sur les autres.

PAPIERS DÉCOUPÉS
EN ATTENTE DE CLASSEMENT

SÉRIE I

363

D'être insensible à mépriser les choses intéressantes, et devenir insensible au point qui nous intéresse le plus.

Macchabées, depuis qu'ils n'ont plus de prophètes. Massor.[1], depuis Jésus-Christ.

364

Mais ce n'était pas assez que ces prophéties fussent, il fallait qu'elles fussent distribuées par tous les lieux et conservées dans tous les temps[1].

Et afin qu'on ne prenne point tout cela pour un effet du hasard, il fallait que cela fût prédit.

Il est bien plus glorieux au Messie qu'ils soient les spectateurs et même les instruments de sa gloire, outre que Dieu les ait réservés.

365

« *Fascinatio nugacitatis*[1]. »

Afin que la passion ne nuise point, faisons comme s'il n'y avait que huit jours de vie[2].

366

Ordre.

J'aurais bien plus de peur de me tromper et de trouver que la religion chrétienne soit vraie que non pas de me tromper en la croyant vraie.

367

Jésus-Christ que les deux Testaments regardent, l'ancien comme son attente, le nouveau comme son modèle, tous deux comme leur centre.

368

Pourquoi Jésus-Christ n'est-il pas venu d'une manière visible, au lieu de tirer sa preuve des prophéties précédentes?

Pourquoi s'est-il fait prédire en figures?

369

Perpétuité.

Qu'on considère que depuis le commencement du monde l'attente ou l'adoration du Messie subsiste sans interruption, qu'il s'est trouvé des hommes qui ont dit que Dieu leur avait révélé qu'il devait naître un rédempteur qui sauverait son peuple. Qu'Abraham est venu ensuite dire qu'il avait eu révélation qu'il naîtrait de lui par un fils qu'il aurait, que Jacob a déclaré que de ses douze enfants il naîtrait de Juda, que Moïse et ses prophètes sont venus ensuite déclarer le temps et la manière de sa venue. Qu'ils ont dit que la loi qu'ils avaient n'était qu'en attendant celle du Messie, que jusques là elle serait perpétuelle, mais que l'autre durerait éternellement, qu'ainsi leur loi ou celle du Messie dont elle était la promesse serait toujours sur la terre, qu'en effet elle a toujours duré, qu'enfin est venu Jésus-Christ dans toutes les circonstances prédites. Cela est admirable.

370

Si cela est si clairement prédit aux Juifs, comment ne l'ont-ils point cru ou comment n'ont-ils point été exterminés de résister à une chose si claire?

Je réponds. Premièrement cela a été prédit, et qu'ils ne croiraient point une chose si claire, et qu'ils ne seraient point exterminés. Et rien n'est plus glorieux au Messie, car il ne suffisait pas qu'il y eût des prophètes, il fallait qu'ils fussent conservés sans soupçon, or etc.

371

Figures.

Dieu voulant se former un peuple saint, qu'il séparerait de toutes les autres nations, qu'il délivrerait de ses ennemis, qu'il mettrait dans un lieu de repos, a promis de le faire et a prédit par ses prophètes le temps et la manière de sa venue. Et cependant, pour affirmer l'espérance de ses élus, dans tous les temps il leur en a fait voir l'image, sans les laisser jamais sans des assurances de sa puissance et de sa volonté pour leur salut, car dans la création de l'homme Adam en était le témoin et le dépositaire de la promesse du sauveur qui devait naître de la femme [1].

Lorsque les hommes étaient encore si proches de la création qu'ils ne pouvaient avoir oublié leur création et leur chute, lorsque ceux qui avaient vu Adam n'ont plus été au monde, Dieu a envoyé Noé et l'a sauvé et noyé toute la terre par un miracle qui marquait assez et le pouvoir qu'il avait de sauver le monde et la volonté qu'il avait de le faire et de faire naître de la semence de la femme celui qu'il avait promis.

Ce miracle suffisait pour affirmer l'espérance des élus.

La mémoire du déluge étant encore si fraîche parmi les hommes, lorsque Noé vivait encore, Dieu fit ses promesses à Abraham; et lorsque Sem vivait encore, Dieu envoya Moïse[2], etc.

372

La vraie nature de l'homme, son vrai bien et la vraie vertu et la vraie religion sont choses dont la connaissance est inséparable.

373

Au lieu de vous plaindre de ce que Dieu s'est caché, vous lui rendrez grâces de ce qu'il s'est tant découvert, et vous lui rendrez grâces encore de ce qu'il ne s'est pas découvert aux sages superbes indignes de connaître un Dieu si saint.

Deux sortes de personnes connaissent, ceux qui ont le cœur humilié et qui aiment leur bassesse, quelque degré d'esprit qu'ils aient, haut ou bas, ou ceux qui ont assez d'esprit pour voir la vérité, quelques oppositions qu'ils y aient.

374

Quand nous voulons penser à Dieu, n'y a-t-il rien qui nous détourne, nous tente de penser ailleurs? Tout cela est mauvais et né avec nous.

375

Il est injuste qu'on s'attache à moi, quoiqu'on le fasse avec plaisir et volontairement. Je tromperais ceux à qui j'en ferais naître le désir, car je ne suis la fin de personne et n'ai pas de quoi les satisfaire. Ne suis-je pas prêt à mourir? Et ainsi l'objet de leur attachement mourra. Donc, comme je serais

coupable de faire croire une fausseté, quoique je la persua-
dasse doucement, et qu'on la crût avec plaisir, et qu'en cela
on me fît plaisir, de même, je suis coupable si je me fais
aimer et si j'attire les gens à s'attacher à moi. Je dois avertir
ceux qui seraient prêts à consentir au mensonge qu'ils ne le
doivent pas croire, quelque avantage qui m'en revînt, et, de
même, qu'ils ne doivent pas s'attacher à moi, car il faut
qu'ils passent leur vie et leurs soins à plaire à Dieu ou à le
chercher[1].

376

La vraie nature étant perdue, tout devient sa nature.

Comme le véritable bien étant perdu, tout devient son
véritable bien.

377

Les philosophes ne prescrivaient point des sentiments
proportionnés aux deux états.

Ils inspiraient des mouvements de grandeur pure et ce
n'est pas l'état de l'homme.

Ils inspiraient des mouvements de bassesse pure; or, ce
n'est point l'état de l'homme.

Il faut des mouvements de bassesse, non de nature, mais
de pénitence, non pour y demeurer, mais pour aller à la
grandeur. Il faut des mouvements de grandeur, non de
mérite, mais de grâce, et après avoir passé par la bassesse[1].

378

Si l'homme n'est fait pour Dieu, pourquoi n'est-il heureux
qu'en Dieu?

Si l'homme est fait pour Dieu, pourquoi est-il si contraire
à Dieu[1]?

379

L'homme ne sait à quel rang se mettre, il est visiblement égaré et tombé de son vrai lieu sans le pouvoir retrouver. Il le cherche partout avec inquiétude et sans succès dans des ténèbres impénétrables [1]

380

Nous souhaitons la vérité et ne trouvons en nous qu'incertitude [1].

Nous recherchons le bonheur et ne trouvons que misère et mort.

Nous sommes incapables de ne pas souhaiter la vérité et le bonheur et nous sommes incapables ni de certitude ni de bonheur.

Ce désir nous est laissé, tant pour nous punir que pour nous faire sentir d'où nous sommes tombés.

381

Preuves de la Religion.
Morale. Doctrine. Miracles. Prophéties. / Figures.

382

Misère.
Salomon et Job [1] ont le mieux connu et le mieux parlé de la misère de l'homme, l'un le plus heureux et l'autre le plus malheureux, l'un connaissant la vanité des plaisirs par expérience, l'autre la réalité des maux.

383

Toutes ces contrariétés qui semblaient le plus m'éloigner de la connaissance d'une religion est ce qui m'a le plus tôt conduit à la véritable.

384

Je blâme également et ceux qui prennent parti de louer l'homme, et ceux qui le prennent de le blâmer, et ceux qui le prennent de se divertir, et je ne puis approuver que ceux qui cherchent en gémissant.

385

Instinct, raison.

Nous avons une impuissance de prouver invincible à tout le dogmatisme.

Nous avons une idée de la vérité invincible à tout le pyrrhonisme [1]

386

Les stoïques disent : « Rentrez au dedans de vous-même, c'est là où vous trouverez votre repos. » Et cela n'est pas vrai.

Les autres disent : « Sortez au dehors et cherchez le bonheur en un divertissement. » Et cela n'est pas vrai, les maladies viennent.

Le bonheur n'est ni hors de nous ni dans nous; il est en Dieu et hors et dans nous.

387

Une lettre de la folie de la science humaine et de la philosophie.

Cette lettre avant le divertissement

« *Felix qui potuit* [1]. »

« *Felix nihil admirari* [2]. »

Deux cent quatre-vingts sortes de souverain bien dans Montaigne [3]

388

Fausseté des philosophes qui ne discutaient pas l'immortalité de l'âme.

Fausseté de leur dilemme dans Montaigne [1].

389

Cette guerre intérieure de la raison contre les passions [1] a fait que ceux qui ont voulu avoir la paix se sont partagés en deux sectes. Les uns ont voulu renoncer aux passions et devenir dieux, les autres ont voulu renoncer à la raison et devenir bête brute. Des Barreaux [2]. Mais ils ne l'ont pu ni les uns ni les autres, et la raison demeure toujours, qui accuse la bassesse et l'injustice des passions et qui trouble le repos de ceux qui s'y abandonnent. Et les passions sont toujours vivantes dans ceux qui y veulent renoncer.

390

Grandeur de l'homme.

Nous avons une si grande idée de l'âme de l'homme que nous ne pouvons souffrir d'en être méprisés, et de n'être pas dans l'estime d'une âme. Et toute la félicité des hommes consiste dans cette estime.

391

Les hommes sont si nécessairement fous que ce serait être fou par un autre tour de folie de n'être pas fou.

392

Qui voudra connaître à plein la vanité de l'homme n'a qu'à considérer les causes et les effets de l'amour. La cause en est un je ne sais quoi. Corneille [1]. Et les effets en sont effroyables Ce je ne sais quoi, si peu de chose qu'on ne peut le reconnaître, remue toute la terre, les princes, les armées, le monde entier.

Le nez de Cléopâtre, s'il eût été plus court, toute la face de la terre aurait changé[2].

393

Misère.

La seule chose qui nous console de nos misères est le divertissement. Et cependant c'est la plus grande de nos misères. Car c'est cela qui nous empêche principalement de songer à nous, et qui nous fait perdre insensiblement. Sans cela nous serions dans l'ennui, et cet ennui nous pousserait à chercher un moyen plus solide d'en sortir, mais le divertissement nous amuse et nous fait arriver insensiblement à la mort.

394

Agitation.

Quand un soldat se plaint de la peine qu'il a, ou un laboureur, etc., qu'on les mette sans rien faire.

395

La nature est corrompue.

Sans Jésus-Christ, il faut que l'homme soit dans le vice et dans la misère.

Avec Jésus-Christ, l'homme est exempt de vice et de misère.

En lui est toute notre vertu et toute notre félicité.

Hors de lui il n'y a que vice, misère, erreurs, ténèbres, mort, désespoir.

396

Non seulement nous ne connaissons Dieu que par Jésus-Christ [1], mais nous ne nous connaissons nous-mêmes que par Jésus-Christ; nous ne connaissons la vie, la mort que par Jésus-Christ. Hors de Jésus-Christ, nous ne savons ce que c'est ni que notre vie ni que notre mort, ni que Dieu, ni que nous-mêmes.

Ainsi, sans l'Écriture qui n'a que Jésus-Christ pour objet, nous ne connaissons rien, et ne voyons qu'obscurité et confusion dans la nature de Dieu et dans la propre nature

NOTES

PRÉFACE DE L'ÉDITION DE PORT-ROYAL

1. Cette préface a été composée pour la première édition des *Pensées* par Étienne Périer, le neveu de Pascal, comme l'indique la lettre écrite le 1er avril 1670 par Gilberte Pascal, Mme Périer, à Vallant : « Je vois que Madame la Marquise ⟨de Sablé⟩ témoigne de désirer de savoir qui a fait la préface de notre livre ; vous savez, Monsieur, que je ne dois rien avoir de secret pour elle ; c'est pourquoi je vous supplie de lui dire que c'est mon fils qui l'a faite, mais je la supplie très humblement de n'en rien témoigner à personne, je n'excepte rien, et je vous demande la même grâce ; et afin que vous en sachiez la raison, je vous dirai toute l'histoire. Vous savez que M. de La Chaise en avait fait une qui était assurément fort belle, mais comme il ne nous en avait rien communiqué, nous fûmes bien surpris, lorsque nous la vîmes, de ce qu'elle ne contenait rien de toutes les choses que nous voulions dire et qu'elle en contenait plusieurs que nous ne voulions pas dire, cela obligea M. Périer de lui écrire pour le prier de trouver bon qu'on y changeât ou qu'on en fît une autre et M. Périer se résolut, en effet, d'en faire une, mais comme il n'a jamais un moment de loisir, après avoir bien attendu, comme il vit que le temps pressait, il manda ses intentions à mon fils et lui ordonna de la faire. Cependant, comme mon fils voyait que ce procédé faisait de la peine à M. de R⟨oannez⟩, à M. de La Chaise et aux autres, il ne se vanta point de cela et fit comme si cette préface était venue ici toute faite... »

2. Parmi les idées fausses que la famille de Pascal a cherché à répandre, c'est sans doute ici la plus tenace, celle d'un Pascal quittant vers l'âge de trente ans toutes ses occupations scientifiques ou profanes. Cette légende, dont il faut chercher l'origine dans un souci abusif d'édification, est démentie par les écrits sur la roulette rédigés en 1658 et par l'organisation des carrosses à cinq sols, qui a occupé une large part de la dernière année de la vie de Pascal.

3. Filleau de La Chaise fait aussi état de cette conférence dans son *Discours sur les Pensées de Pascal.* Parlant du dessein de Pascal et de « l'ordre qu'il se proposait de garder », il indique : « Mais outre cela, on le sait encore par un discours qu'il fit un jour en présence de quelques-uns de ses amis, et qui fut comme le plan de l'ouvrage qu'il méditait. Il parla pour le moins deux heures... » On considère souvent la suite de l'exposé de Filleau de La Chaise comme la relation de ce qu'aurait dit Pascal. Un examen plus attentif du texte permet d'affirmer que l'objet de Filleau n'est pas de reconstituer la conférence, mais, plus ambitieusement, de reconstruire l'ensemble du projet apologétique de Pascal, en combinant le contenu des fragments conservés avec les éléments fournis par les souvenirs de la conférence. Il n'est pas impossible que ce qu'Étienne Périer présente comme une relation de la conférence de Pascal rende compte effectivement des propos tenus dix ans plus tôt, mais on ne peut pas écarter l'hypothèse qu'il s'agit tout simplement d'un résumé, clair et vigoureux certes, de l'exposé un peu diffus de Filleau de La Chaise. Pour cette conférence sur son projet apologétique, que Pascal aurait tenue à Port-Royal-des-Champs, Jean Mesnard propose la date de juin 1658. Louis Lafuma propose la date d'octobre-novembre 1658. Quoi qu'il en soit, le classement en liasses, commencé dans la perspective de cette conférence, aurait été continué jusqu'à l'automne 1658, ce qui n'est pas nécessairement incompatible avec la date proposée par Mesnard. En effet, l'existence d'une série de papiers découpés en attente de classement semble indiquer que l'opération a été interrompue par la maladie, plutôt que par la tenue de la conférence.

4. Étienne Périer donne ici une information inexacte. L'état « de langueur et de maladie » dont il fait état a commencé au début de 1659. La plus grande partie des fragments des *Pensées* est antérieure à cette date : les fragments des liasses classées sont au plus tard de 1658, les séries sur les miracles ont été datées par Louis Lafuma de 1656-1657, et le fragment *Infini-Rien* a sans doute été écrit en 1655.

5. En réalité, comme l'a démontré Louis Lafuma, Pascal utilisait de grandes feuilles, et il lui arrivait fréquemment de noter sur la même feuille des remarques portant sur des sujets différents. Le morcellement des papiers autographes s'explique par le découpage opéré au moment où Pascal a entrepris de classer ses notes, sans doute à l'occasion de la conférence à Port-Royal.

6. Étienne Périer fournit ici des informations extrêmement précieuses sur l'existence des liasses et sur la manière dont ont été faites les Copies. Que la famille de Pascal n'ait voulu voir que « confusion » dans l'ordre des liasses fournit un argument supplémentaire en faveur de l'authenticité du classement conservé par les Copies.

7 C'est le fragment 285 de la présente édition

8 Fragment 670

9. Fragment 419.

10. Les _Traités de l'équilibre des liqueurs et de la pesanteur de la masse de l'air_ avaient été publiés en 1663 avec une préface de Florin Périer.

11. Cette idée est développée dans la _Préface sur le traité du vide_, composée par Pascal vers 1651.

12. Étienne Périer confond, semble-t-il, la première conversion de 1646 avec la seconde conversion, celle de 1654. Toute la fin de cette préface, comme les dernières lignes le reconnaissent, relève plus de l'hagiographie que de la biographie, et témoigne de l'effort de la famille Périer pour construire le mythe de Pascal. Le vrai Pascal est plus intéressant, plus humain, et sans doute plus chrétien que ce portrait schématisé jusqu'aux limites de la caricature.

PENSÉES

1

1. Saint Augustin, parlant des psaumes (_Confessions_, IX, 4, 8), écrit qu'ils « sont chantés par toute la terre » (« _toto orbe terrarum cantantur_ »).

2. Les renseignements dont Pascal dispose sur la religion musulmane lui viennent essentiellement de Grotius (Hugo de Groot), _De veritate religionis christianae_, liv. VI, et de Pierre Charron, _Les Trois Vérités_, II.

3. Cf. Jean, v, 31 : « Si je rends témoignage touchant moi-même, mon témoignage n'est point de foi. »

4. « Il », c'est Mahomet.

2

1. Ces arguments appartiennent à tout un courant de l'apologétique traditionnelle, celle des théologiens humanistes. Ils sont développés, par exemple, dans la _Théologie naturelle_ du P. Yves de Paris (1633). L'attitude de Pascal, au contraire, s'inscrit dans le courant augustinien.

2. Pour Pascal, les preuves de l'existence de Dieu tirées des merveilles de la nature n'ont pas de valeur rationnelle, ce qui ne signifie pas qu'elles soient totalement inutiles : elles font partie de ces « vérités divines » qui « entrent du cœur dans l'esprit, et non pas de l'esprit dans le cœur » (_Art de persuader_). Cf. fr. 431.

3. Le fait que Pascal parle dans ce même fragment de « dialogues » et de « lettre » semble indiquer, plutôt qu'une hésitation entre les deux types de présentation pour son apologie, le choix d'un parti combinant les deux procédés, solution qu'il avait déjà adoptée pour les dix premières _Lettres provinciales_.

4. « Pyrrhoniens », c'est ainsi que Pascal désigne habituellement les sceptiques.

3

1. Cf. fr. 228.

2. Les connaissances philosophiques et purement rationnelles sont inu tiles pour le salut : c'est l'opposition du Dieu des philosophes et des savants et du Dieu d'Abraham, d'Isaac, de Jacob et de Jésus-Christ, que seule la foi peut atteindre.

3. « La Machine », c'est l'automate de Descartes. Il s'agit de mettre au service de la foi l'automatisme psychophysiologique de l'homme

4

1. Cf. fr. 434.

2. Cette seconde ébauche de division correspond en gros au plan adopté par Pascal pour le classement en liasses.

5

1. « Le juste vit de la foi » (*Romains*, i, 17).

2. « La foi vient par l'audition » (*Romains*, x, 17).

3. Cette distinction est un des éléments les plus constants de la pensée de Pascal. Elle est déjà formulée dans la *Préface sur le traité du vide*, composée aux alentours de 1650, qui oppose les connaissances fondées sur la raison et l'expérience à celles qui relèvent de l'autorité, au premier rang desquelles il convient de placer la théologie.

7

1. Pascal développe amplement cette idée du caractère relatif des lois dans le fragment 56.

2. On reconnaît ici l'amorce de l'anecdote développée dans le fragment 47 et reprise dans le fragment 56. On en retrouve d'autres éléments dans le fragment 18.

8

1. Les éditions corrigent en « fondé », abusivement semble-t-il ; cette valeur de *fronder* est attestée par le *Dictionnaire* de Richelet, avec des exemples de Molière.

9

1. Voir fr. 397, n. 21.

10

1. C'est le thème de la liasse « Soumission et usage de la raison »

2. « Rendre la religion aimable » est le titre de la liasse XVII des papiers classés. L'idée vient vraisemblablement de Charron qui, dans *Les Trois Vérités* (II, 10), s'efforce de démontrer la supériorité de la religion chrétienne en ce qu'elle est la plus aimable

12

1 Ces « folies », ce sont les conventions sociales de toute sorte
2 « Toute créature a été assujettie à la vanité Elle sera libérée » (*Romains*, VIII, 20-21)
3 Il s'agit du *Commentaire sur l'épître de saint Jacques* II « *et si divites propter divitias non sunt eligendi, non tamen propter Deum minus sunt diligendi* » (et s'il ne faut pas choisir les riches à cause de leurs richesses, cependant, à cause de Dieu, il ne faut pas les aimer moins) Ce commentaire, faussement attribué à Thomas d'Aquin, est en réalité de Nicolas de Gorran. Il sera lui-même commenté dans la *Logique de Port Royal*, Ire partie, chap. X, d'une manière qui fait mieux comprendre la suite des idées dans le fragment de Pascal « Saint Thomas croit que c'est ce regard d'estime et d'admiration pour les riches qui est condamné sévèrement par l'apôtre saint Jacques, lorsqu'il défend de donner un siège plus élevé aux riches qu'aux pauvres dans les assemblées ecclésiastiques, car ce passage ne pouvant s'entendre à la lettre d'une défense de rendre certains devoirs extérieurs plutôt aux riches qu'aux pauvres, puisque l'ordre du monde, que la religion ne trouble point, souffre ces préférences, et que les saints mêmes les ont pratiquées, il semble qu'on doive l'entendre de cette préférence intérieure qui fait regarder les pauvres comme sous les pieds des riches et les riches comme étant infiniment élevés au-dessus des pauvres »

13

1 Cf. fr 108. La source de cet exemple est Montaigne (*Essais* I, 20, p 149) : « Paul-Émile répondit à celui que ce misérable roi de Macédoine son prisonnier, lui envoyait pour le prier de ne le mener pas en son triomphe : " Qu'il en fasse la requête à soi-même " »

14

1 Cf. fr. 33

15

1 « Ne vivre que de son travail » est peut-être une exagération, mais il ne faudrait pas considérer comme pure fantaisie la tradition dont s'inspire Pascal, même si Guillaume Postel, dès 1560, dans la *République des Turcs,* la traite de légende : « Et n'est pas ainsi que disent quelques-uns, qu'il laboure puis envoie une poire ou autre fruit à un baschia, et lui mande qu'il lui donne mille écus : ce sont folies. » En réalité, même au XVIIe siècle on

trouve des sultans qui travaillent de leurs mains : Amurat (ou Mourad IV 1623-1640) fabriquait des anneaux de corne pour tirer à l'arc; Ibrahim (1640-1648) faisait des cure-dents d'écaille de tortue. Voir à ce sujet Tavernier, *Nouvelle Relation de l'intérieur du sérail du Grand Seigneur*, Paris, 1675, pp. 239-242.

16

1 Ce chiffre renvoie à l'édition des *Essais* de Montaigne dont s'est servi Pascal. Voici le passage auquel correspond cette référence (III, 10, p. 289) : « La plupart de nos vacations sont farcesques. *Mundus universus exercet histrioniam*. Il faut jouer duement notre rôle, mais comme rôle d'un personnage emprunté. Du masque et de l'apparence il n'en faut pas faire une essence réelle, ni de l'étranger le propre. Nous ne savons pas distinguer la peau de la chemise. C'est assez de s'enfariner le visage, sans s'enfariner la poitrine. J'en vois qui se transforment et se transsubstantient en autant de nouvelles figures et de nouveaux êtres qu'ils entreprennent de charges, et qui se prélatent jusques au foie et aux intestins, et entraînent leur office jusques en leur garde-robe. »

2. D'après Louis Lafuma (« Éclaircissement d'une notule pascalienne », *R.H.L.F.*, 1957, pp. 212-214), il faudrait voir dans ce fragment le rappel d'une dispute, qui avait duré plus d'un siècle, sur la forme qu'il convenait de donner au capuchon de l'habit monastique : le fallait-il rond, carré ou pyramidal?

17

1 On trouve le même texte, raturé, sur la feuille qui porte le fragment 124 L'édition de Port-Royal (XXIX, 41) développe ainsi cette note : « Que l'on a bien fait de distinguer les hommes par l'extérieur, plutôt que par les qualités intérieures! Qui passera de nous deux? qui cédera sa place à l'autre? Le moins habile? mais je suis aussi habile que lui; il faudra se battre sur cela Il a quatre laquais, et je n'en ai qu'un cela est visible; il n'y a qu'à compter, c'est à moi de céder, et je suis un sot si je le conteste Nous voilà en paix par ce moyen; ce qui est le plus grand des biens. » La comparaison avec le fragment 82 confirme cette interprétation

18

1 On trouve le même texte, rature, sur la feuille qui porte le fragment 124 Cf fr 47 et 56

19

. C Montaigne, *Essais*, II, 12, p 224 « Si c est un enfant qui juge, il ne sait que c est si c est un savant, il est preoccupe » et p 347 « s'il est vieil, il ne peut juger du sentiment de la vieillesse, etant lui-même partie en ce débat: s'il est jeune, de même: sain, de même; de même, malade, dormant et veillant. »

2. Cf. fr. 479, fin.

20

1. Cf. Montaigne, *Essais*, II, 12, p. 186 : « Qu'on découple même de nos mouches après, elles auront et la force et le courage de le dissiper. De fraîche mémoire, les Portugais pressant la ville de Tamly au territoire de Xiatime, les habitants d'icelle portèrent sur la muraille grand'quantité de ruches, de quoi ils sont riches. Et, à tout du feu, chassèrent les abeilles si vivement sur leurs ennemis, qu'ils les mirent en route, ne pouvant soutenir leurs assauts et leurs pointures. Ainsi demeura la victoire et liberté de leur ville à ce nouveau secours, avec telle fortune qu'au retour du combat il ne s'en trouva une seule à dire. »

2. Cf. fr. 44.

21

1. Cf. fr. 581. Pascal se souvient peut-être de Charron, qui écrit dans la préface de *La Sagesse* que la morale « est la vraie science de l'homme; tout le reste, au prix d'elle, n'est que vanité » (p. XVIII).

23

1. « Machine » renvoie à la notion cartésienne de l'automatisme psycho-physiologique.

2. Pascal a pu trouver l'exposé du mécanisme de ces associations dans *Les Passions de l'âme* de Descartes, art. 50.

24

1. Il faut comprendre : « il n'y a rien de plus sûr que cela. »

25

1. Cf. fr. 646.

2. Cf. Montaigne, *Essais*, II, 12, p. 307 : « Les fièvres ont leur chaud et leur froid; des effets d'une passion ardente nous retombons aux effets d'une passion frileuse. »

3. Cf. Pierre Charron, *Les Trois Vérités*, I, 5, p. 15 : « Le monde va et vient, croît et décroît, change en connaissance, apprend et désapprend tous les jours. Nous savons des choses, que nos ancêtres n'ont jamais sues, et nos successeurs nous en feront autant, et en revanche nous ignorons et ne pouvons advenir à plusieurs choses, que les anciens ont sues et faites, témoin les inventions d'Archimède, que récite Plutarque en la vie de Marcellus, et plusieurs engins anciens, que l'on ne peut maintenant imiter ni représenter » C'était, au contraire, l'idée de la continuité du progrès des

connaissances humaines que Pascal exprimait, vers 1650, dans la *Préface sur le traité du vide*

4 « La plupart du temps les changements plaisent aux grands » (Horace, *Odes* III, xxix, 13 texte cité par Montaigne, *Essais* I, 42, p 375 qui substitue « *principibus* » à « *divitibus* », aux riches)

26

1 On trouve une autre rédaction de ce fragment dans le fragment 702

27

1 « Nation farouche, qui ne pensait pas que la vie sans les armes fût la vie » (Tite-Live, XXXIV, xvii, cité par Montaigne, *Essais*, I, 14, p. 117). Immédiatement avant cette citation, Montaigne écrit « Caton consul, pour s'assurer d'aucunes villes en Espagne, ayant seulement interdit aux habitants d'icelles de porter les armes, grand nombre se tuèrent. »

2 Cf Montaigne, *Essais*, I, 14, p. 106 · « Toute opinion est assez forte pour se faire épouser au prix de la vie »

28

1 L'idée vient sans doute de Platon (*République*, VIII, 6), vraisemblablement par l'intermédiaire de Méré (cf. *Œuvres*, éd. Boudhors, t. III, p. 76). Les éditions des *Pensées* donnent, depuis Faugère, une version plus développée de ce fragment « Les choses du monde les plus déraisonnables deviennent les plus raisonnables à cause du dérèglement des hommes. Qu'y a-t-il de moins raisonnable que de choisir, pour gouverner un État, le premier fils d'une reine? L'on ne choisit pas pour gouverner un bateau celui des voyageurs qui est de meilleure maison. Cette loi serait ridicule et injuste; mais parce qu'ils le sont et le seront toujours, elle devient raisonnable et juste, car qui choisira-t-on? Le plus vertueux et le plus habile? Nous voilà incontinent aux mains, chacun prétend être ce plus vertueux et ce plus habile Attachons donc cette qualité à quelque chose d'incontestable. C'est le fils aîné du roi, cela est net, il n'y a point de dispute. La raison ne peut mieux faire, car la guerre civile est le plus grand des maux. » Ce texte, conservé par les *Portefeuilles Vallant* (B. N , f fr 17049, f° 56), semble avoir été rédigé par Nicole à partir des fragments 28 et 87 en vue de l'édition de Port-Royal qui ne l'a pas retenu.

30

1 Cf. fr. 75. « Respectez-moi » veut dire « incommodez-vous ».

31

1 Fragment dicté par Pascal immédiatement après le fragment 543

32

1. Pour bien comprendre ces réflexions, il faut les rapprocher des fragments 120 et 541. Le titre correspond peut-être à un souvenir d'Épictète (*Propos*, II, 14) : « Il serait mal plaisant d'assister et prendre garde quand un cordonnier apprend son métier; mais le soulier est utile et n'est pas mal plaisant à voir. »

34

1. Cf. fr. 541.
2. Cf. Charron, *La Sagesse*, III, 20 : « Tant qui ont souffert la mort doucement, voire qui se la sont procurée et donnée, ou pour la gloire future de leur nom, comme plusieurs Grecs et Romains, ou pour l'espérance d'une meilleure vie. »

35

1. Ce fragment, un peu énigmatique, s'explique peut-être si on le rapproche d'un passage de *La Sagesse* de Charron (III, 5) : « Toute justice humaine est mêlée avec quelque grain d'injustice, faveur, rigueur, trop et trop peu. » Il s'agirait alors des « épices » que les plaideurs du XVIIᵉ siècle avaient coutume de donner au juge chargé de leur affaire : Racine, dans *Les Plaideurs*, parlera de « certain quartaut de vin ». Si les épices sont insuffisantes, le juge s'écartera de la vérité en votre défaveur; si elles sont excessives, il s'en écartera en votre faveur.

36

1. Cf. fr. 126 : « Le gentilhomme croit sincèrement que la chasse est un plaisir grand et un plaisir royal. »

38

1 On retrouve ce texte, sans modification, au fragment 615.

40

1 Cf Montaigne, *Essais*, III, 4, p. 81 « Peu de chose nous divertit et détourne, car peu de chose nous tient »

41

1 Cf Montaigne, *Essais*, I, 14, « Que notre opinion donne prix aux choses »
2 Cf Montaigne, *Essais*, III, 8, p 204 « Au demeurant, rien ne me dépite tant en la sottise que de quoi elle se plaît plus qu'aucune raison ne se peut raisonnablement plaire C'est malheur que la prudence vous défend de vous satisfaire et fier de vous et vous en envoie toujours mal content et craintif, là où l'opiniâtreté et la témérité remplissent leurs hôtes d'éjouis

sance et d'assurance. C'est aux plus malhabiles de regarder les autres hommes par-dessus l'épaule, s'en retournant toujours du combat pleins de gloire et d'allégresse. Et le plus souvent encore cette outrecuidance de langage et gaieté de visage leur donne gagné à l'endroit de l'assistance, qui est communément faible et incapable de bien juger et discerner les vrais avantages. »

3. Cf. Montaigne, *Essais*, III, 8, p. 198 : « On s'aperçoit ordinairement aux actions du monde que la fortune, pour nous apprendre combien elle peut en toutes choses, et qui prend plaisir à rabattre notre présomption, n'ayant pu faire les mal-habiles sages, elle les fait heureux, à l'envi de la vertu. »

4. Cf. Montaigne, *Essais*, II, 12, p. 339 : « Qu'on loge un philosophe dans une cage de menus filets de fer clairsemés, qui soit suspendue au haut des tours Notre-Dame de Paris, il verra par raison évidente qu'il est impossible qu'il en tombe, et si, ne se saurait garder (s'il n'a accoutumé le métier des recouvreurs) que la vue de cette hauteur extrême ne l'épouvante et ne le transisse. Car nous avons assez affaire de nous assurer aux galeries qui sont en nos clochers, si elles sont façonnées à jour, encore qu'elles soient de pierre. Il y en a qui n'en peuvent pas seulement porter la pensée. Qu'on jette une poutre entre ces deux tours, d'une grosseur telle qu'il nous la faut à nous promener dessus ; il n'y a sagesse philosophique de si grande fermeté qui puisse nous donner courage d'y marcher comme nous le ferions, si elle était à terre. » Pascal remplace la succession de tableaux que décrit Montaigne par une représentation unique qui en fait la synthèse. On remarquera la force expressive de l'anacoluthe (le procédé n'est pas rare chez Pascal, mais plus d'une de ces ruptures de construction s'explique par le caractère inachevé des *Pensées*) qui impose au lecteur l'impression d'une chute du philosophe dans le vide.

5. Cf. Montaigne, *Essais*, II, 12, p. 340 : « Les médecins tiennent qu'il y a certaines complexions qui s'agitent par aucuns sons et instruments jusques à la fureur. J'en ai vu qui ne pouvaient ouïr ronger un os sous leur table sans perdre patience ; et n'est guère homme qui ne se trouble à ce bruit aigre et poignant que font les limes en raclant le fer ; comme, à ouïr mâcher près de nous, ou ouïr parler quelqu'un qui ait le passage du gosier ou du nez empêché, plusieurs s'en émeuvent jusques à la colère et la haine. » L'exemple du chat se trouve chez Descartes (*Les Passions de l'âme*, art. 136).

6. Cf. Montaigne, *Essais*, II, 12, p. 338 : « On m'a voulu faire accroire qu'un homme, que tous nous autres Français connaissons, m'avait imposé en me récitant des vers qu'il avait faits, qu'ils n'étaient pas tels sur le papier qu'en l'air, et que mes yeux en feraient contraire jugement à mes oreilles, tant la prononciation a de crédit à donner prix et façon aux ouvrages qui passent à sa merci. »

7. Cf. Montaigne, *Essais* II, 12, p. 304 : « Vous récitez simplement une

cause à l'avocat, il vous y répond chancelant et douteux ; vous sentez qu'il lui est indifférent de prendre à soutenir l'un ou l'autre parti ; l'avez-vous bien payé pour y mordre et pour s'en formaliser, commence-t-il d'en être intéressé, y a-t-il échauffé sa volonté? sa raison et sa science s'y échauffent quant et quant ; voilà une apparente et indubitable vérité qui se présente à son entendement ; il y découvre une toute nouvelle lumière, et le croit à bon escient, et se le persuade ainsi. »

8. Cf. Montaigne, *Essais,* II, 12, p. 341 : « Vraiment, il y a bien de quoi faire si grande fête de la fermeté de cette belle pièce, qui se laisse manier et changer au branle et accidents d'un si léger vent! »

9. Cf. Montaigne, *Essais,* II, 12, p. 304 : « Les secousses et ébranlements que notre âme reçoit par les passions corporelles peuvent beaucoup en elle, mais encore plus les siennes propres, auxquelles elle est si fort en prise qu'il est à l'aventure soutenable qu'elle n'a aucune autre allure et mouvement que du souffle de ses vents... »

10. Cf. Montaigne, *Essais,* III, 8, p. 190 : « Qu'il ôte son chaperon, sa robe et son latin ; qu'il ne batte pas nos oreilles d'Aristote tout pur et tout cru, vous le prendrez pour l'un d'entre nous, ou pis. »

11. Le mot est difficile à déchiffrer, mais la lecture « balourds » correspond mieux à la graphie que les autres lectures proposées : « hallebardes » (Havet, Brunschvicg), « balafrés » (Lafuma).

12. Tourneur et Lafuma lisent « troupes »; en fait, Pascal a écrit très nettement « troignes »; le mot « troupe » figurait en effet dans le premier jet et on peut encore le lire facilement sous la rature. Mais le groupe *gn* de « troignes » ne peut pas être confondu avec le *p* de « troupes ».

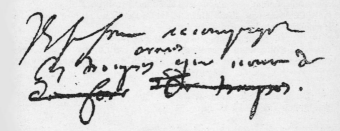

Pascal avait pu rencontrer le mot trois fois chez Montaigne et deux fois chez Charron. D'autre part, la correction de « troupes » en « troupes armées » ne s'expliquerait pas, alors que la précision est fort utile quand il s'agit de « trognes ».

13. Cf. fr. 561. Pascal pourrait faire allusion, de mémoire, à *La forza*

dell'opinione, « dramma morale » de Francesco Sbarra, publié pour la première fois à Lucques en 1658 (voir Jacques Voisine, « Un mystérieux titre italien cité par Pascal », *XVIIe siècle,* 74, 1967, p. 65). J. Dedieu a fait remarquer, d'autre part, que l'*Éloge de la folie* d'Érasme porte ces mots en épigraphe.

14. Cf. Descartes, *Les Principes de la philosophie,* I, 47 : « Que pour ôter les préjugés de notre enfance, il faut considérer ce qu'il y a de clair en chacune de nos premières notions. Or, pendant nos premières années, notre âme ou notre pensée était si fort offusquée du corps, qu'elle ne connaissait rien distinctement... »

15. C'est l'opinion de Descartes (*Principes,* II, 17-18). Pascal a soutenu l'opinion contraire dans les *Expériences nouvelles touchant le vide* (1647) et dans la polémique avec le P. Noël.

16. Cf. Montaigne, *Essais,* II, 12, p. 302 : « Et ne faut pas douter, encore que nous ne le sentions pas, que, si la fièvre continue peut atterrer notre âme, que la tierce n'y apporte quelque altération selon sa mesure et proportion. »

17. D'après Havet, il y aurait ici un souvenir de l'*Aristippe* de Jean-Louis Guez de Balzac, vers la fin du discours VI : « J'ai vu de ces faux justes deçà et delà les monts. J'en ai vu qui, pour faire admirer leur intégrité, et pour obliger le monde de dire que la faveur ne peut rien sur eux, prenaient l'intérêt d'un étranger contre celui d'un parent ou d'un ami, encore que la raison fût du côté du parent ou de l'ami. Ils étaient ravis de faire perdre la cause qui leur avait été recommandée par leur neveu ou par leur cousin germain ; et le plus mauvais office qui se pouvait rendre à une bonne affaire était une semblable recommandation. Lorsque plusieurs compétiteurs prétendaient à une même charge, ils la demandaient pour celui qu'ils ne connaissaient point, et non pour celui qu'ils jugeaient digne. »

18. Cf. Montaigne, *Essais,* II, 17, p. 411 : « J'ai l'esprit tardif et mousse; le moindre nuage lui arrête sa pointe... »

19. Cf. Montaigne, *Essais,* II, 12, p. 341 : « Cette même piperie que les sens apportent à notre entendement, ils la reçoivent a leur tour. Notre âme parfois s'en revanche de même; ils mentent et se trompent à l'envi. »

42

1. Ces notes rapides seront développées dans le fragment 183 et encore plus brillamment dans le fragment 392

43

1 Pascal exprime les mêmes idées dans une lettre à Mlle de Roannez que Jean Mesnard date de janvier 1657 « Le passé ne nous doit point embarrasser, puisque nous n'avons qu'à avoir regret de nos fautes Mais l'avenir nous doit encore moins toucher, puisqu'il n'est point du tout à notre égard, et que nous n'y arriverons peut-être jamais Le présent est le seul

temps qui est véritablement à nous, et dont nous devons user selon Dieu. C'est là où nos pensées doivent être principalement comptées. Cependant le monde est si inquiet, qu'on ne pense presque jamais à la vie présente et à l'instant où l'on vit, mais à celui où l'on vivra. De sorte qu'on est toujours en état de vivre à l'avenir, et jamais de vivre maintenant. » Dans les deux cas, il se souvient sans doute de Montaigne (*Essais*, I, 3, p. 62) : « Ceux qui accusent les hommes d'aller toujours béant après les choses futures, et nous apprennent à nous saisir des biens présents et nous rasseoir en ceux-là, comme n'ayant aucune prise sur ce qui est à venir, voire assez moins que nous n'avons sur ce qui est passé, touchent la plus commune des humaines erreurs, s'ils osent appeler erreur chose à quoi nature même nous achemine, pour le service de la continuation de son ouvrage, nous imprimant, comme assez d'autres, cette imagination fausse, plus jalouse de notre action que de notre science. Nous ne sommes jamais chez nous, nous sommes toujours au-delà. La crainte, le désir, l'espérance nous élancent vers l'avenir, et nous dérobent le sentiment et la considération de ce qui est, pour nous amuser à ce qui sera, voire quand nous ne serons plus. » Peut-être se souvient-il aussi de Charron (*La Sagesse*, I, 41) : « Par mémoire du passé et anticipation de l'avenir, nous ne pouvons faillir d'être misérables... »

44

1. Cf. Montaigne, *Essais*, III, 13, p. 374 : « J'ai l'esprit tendre et facile à prendre l'essor; quand il est empêché à part soi, le moindre bourdonnement de mouche l'assassine. » Quelques lignes plus haut, Montaigne parle de « tintamarre » et du « son des roues à puiser l'eau ».

2. Cette apostrophe en italien est empruntée à l'épître dédicatoire d'une thèse bouffonne dédiée au comédien Scaramouche et affichée sur la porte des Grands Augustins en 1657 : « ... car quoiqu'il semble que votre juridiction ne s'étende pas plus loin que la comédie et les théâtres, je ne pense pas que les savants s'en puissent affranchir, puisque leur profession, aussi bien que toutes les autres que nous voyons, est qu'une comédie, et que toute l'étendue du monde n'est qu'un vaste théâtre où chacun joue son différent rôle. Regardez donc favorablement, *ô très ridicule héros*, ce combat scolastique, et par vos effroyables grimaces, défendez-moi de celles de nos trop critiques savants » (voir Godefroi Hermant, *Mémoires*, éd. Gazier, t. III, 1906, pp. 250-252).

45

1. 1. Cf. Montaigne, *Essais*, II, 34, pp. 512-513 : « Je le trouve un peu plus retenu et considéré en ses entreprises qu'Alexandre : car celui-ci semble rechercher et courir à force les dangers, comme un impétueux torrent qui choque et attaque sans discrétion et sans choix tout ce qu'il rencontre...

Aussi était-il embesogné en la fleur et première chaleur de son âge, là où César s'y prit étant déjà mûr et bien avancé. »

46

1. On retrouve cette idée dans le fragment 677 : « Ici c'est la force qui se tient par l'imagination en un certain parti, en France des gentilshommes, en Suisse des roturiers, etc. »

47

1. Ce développement est ébauché dans les fragments 7 et 18; il est repris dans le fragment 56, § 3.

48

1. Dans le fragment 122, Pascal, exposant « les principales forces des pyrrhoniens », écrit : « De plus que personne n'a d'assurance hors de la foi s'il veille ou s'il dort, vu que durant le sommeil on croit veiller aussi fermement que nous faisons. » Il ne trouve à opposer aux arguments des pyrrhoniens que cette raison de la bonne foi : « Je m'arrête à l'unique fort des dogmatistes qui est qu'en parlant de bonne foi et sincèrement, on ne peut douter des principes naturels. »

2. Dans l'*Entretien avec M. de Saci*, Pascal disait déjà : « Je vous avoue, Monsieur, que je ne puis voir sans joie dans cet auteur la superbe raison si invinciblement froissée par ses propres armes, et cette révolte si sanglante de l'homme contre l'homme. » « Cet auteur », c'est Montaigne, chez qui Pascal avait pu lire (*Essais*, II, 12, p. 150) : « Le moyen que je prends pour rabattre cette frénésie et qui me semble le plus propre, c'est de froisser et fouler aux pieds l'orgueil et humaine fierté; leur faire sentir l'inanité, la vanité et dénéantise de l'homme; leur arracher des poings les chétives armes de leur raison; leur faire baisser la tête et mordre la terre sous l'autorité et révérence de la majesté divine. »

49

1. Cf. Grotius, *De veritate religionis christianae*, IV, 7 : « Ce qu'il y a de plus honteux, c'est que les hommes se soient abaissés jusqu'à adorer des animaux. »

50

1. Cf. Pierre Charron, *La Sagesse*, I, 40 : « Inconstance... Il rit et pleure d'une même chose. »

51

1. La dernière phrase du fragment est inachevée, et il faut suppléer « touches » ou plutôt « marches » qui est le terme propre. Pascal développe

une image empruntée à Montaigne, dans le chapitre intitulé « De l'inconstance de nos actions » (*Essais*, II, 1, p. 18) : « Le discours en serait bien aisé à faire, comme il se voit du jeune Caton : qui en a touché une marche, a tout touché ; c'est une harmonie de sons très accordants, qui ne se peut démentir. A nous, au rebours, autant d'actions, autant faut-il de jugements particuliers. » Peut-être se souvient-il aussi de Charron (*La Sagesse*, II, 3) : « Le preud'hommie est semblable au bon joueur d'orgues qui touche bien et justement selon l'art : la grâce et l'esprit de Dieu est le souffle et le vent qui exprime les touches, anime et fait parler l'instrument, et produit la mélodie plaisante. » Sur ce fragment, voir Jean Mesnard, « Pascal et la musique », *Pascal, Textes du tricentenaire,* Paris, Fayard, 1963, pp. 203-204.

54

1. Pascal exprime déjà une idée analogue dans sa lettre à la reine de Suède, écrite en juin 1652 : « Le pouvoir des rois sur les sujets n'est, ce me semble, qu'une image du pouvoir des esprits sur les esprits qui leur sont inférieurs, sur lesquels ils exercent le droit de persuader, qui est parmi eux ce que le droit de commander est dans le gouvernement politique. Ce second empire me paraît même d'un ordre d'autant plus élevé, que les esprits sont d'un ordre plus élevé que les corps. »

2. Cf. Charron, *La Sagesse*, I, 6 : « La première considération qui donna prééminence aux uns sur les autres a été l'avantage de la beauté : c'est aussi une qualité puissante ; il n'y en a point qui la passe en crédit, ni qui ait tant de part au commerce des hommes. Il n'y a barbare si résolu qui n'en soit frappé. Elle se présente au devant, elle séduit et préoccupe le jugement, donne des impressions, et presse avec grande autorité, dont Socrate l'appelait une courte tyrannie ; Platon, le privilège de nature ; car il semble que celui qui porte sur le visage les faveurs de la nature imprimées en une rare et excellente beauté, ait quelque légitime puissance sur nous, et que tournant nos yeux à soi, il y tourne aussi nos affections et les y assujettisse malgré nous. Aristote dit qu'il appartient aux beaux de commander, qu'ils sont vénérables après les Dieux, qu'il n'appartient qu'aux aveugles de n'en être touchés. » Charron démarque ici une page de Montaigne (*Essais,* III, 12, pp. 345-346).

55

1. D'après Havet, cela aurait pu être écrit à l'occasion des négociations qui aboutiront en 1659 au traité des Pyrénées. Pascal reprocherait au roi d'Espagne de s'être si longtemps refusé à la paix, et d'avoir fait verser pour son ambition le sang de ses sujets à la bataille des Dunes, près de Dunkerque, où Turenne battit l'armée espagnole le 14 juin 1658.

1. Les éditions, suivant en cela la Copie, séparent le développement sur les lois des textes rayés qui l'encadrent sur le manuscrit autographe. Il semble préférable de prendre le parti contraire, qui présente l'avantage d'indiquer clairement quelle place tient la critique des lois dans le mouvement de la pensée de Pascal : l'homme est misérable parce que sa raison ne suffit à lui faire connaître ni le souverain bien, ni la justice, ni son âme, ni son corps. On reconnaît dans cet inventaire des faiblesses de la raison humaine la démarche de Montaigne dans l' « Apologie de Raimond Sebond ». Pascal suit ici Montaigne, de plus près encore que dans l'*Entretien avec M. de Saci*.

2. Tout ce développement sur le souverain bien semble préparé par les notes du fragment 387, mais il est évident qu'il a été rédigé après une nouvelle lecture du passage où Montaigne traite de la même question.

3. Cf. Montaigne, *Essais*, II, 12, p. 318 : « Les uns disent notre bien-être loger en la vertu, d'autres en la volupté, d'autres au consentir à nature ; qui, en la science ; qui, à n'avoir point de douleur ; qui, à ne se laisser emporter aux apparences (et à cette fantaisie semble retirer cette autre, de l'ancien Pythagore.

> *Nil admirari prope res una, Numaci,*
> *Solaque quae possit facere et servare beatum,*

qui est la fin de la secte Pyrrhonienne) ; Aristote attribue à magnanimité rien n'admirer. Et disait Archésilas les soutènements et l'état droit et inflexible du jugement être les biens, mais les consentements et applications être les vices et les maux. Il est vrai qu'en ce qu'il l'établissait par axiome certain, il se départait du Pyrrhonisme. Les Pyrrhoniens, quand ils disent que le souverain bien c'est l'ataraxie, qui est l'immobilité du jugement, ils ne l'entendent pas dire d'une façon affirmative... »

4. « Heureux celui qui a pu connaître les causes des choses » (Virgile, *Géorgiques*, II, 489, cité par Montaigne, *Essais*, III, 10, p. 300).

5. « Ne s'étonner de rien, à peu près la seule chose qui puisse donner et conserver le bonheur » (citation approximative du texte d'Horace, *Épîtres*, I, VI, 1-2, que Montaigne rapportait à propos du souverain bien).

6. Cf. Montaigne, *Essais*, II, 12, p. 316 : « Il me semble, entre autres témoignages de notre imbécillité, que celui-ci ne mérite pas d'être oublié, que par désir même l'homme ne sache trouver ce qu'il lui faut ; que, non par jouissance, mais par imagination et par souhait, nous ne puissions être d'accord de ce de quoi nous avons besoin pour nous contenter. »

7. C'est sans doute ici la « lettre de l'injustice » dont fait mention le fragment 7. Tout ce fragment est visiblement inspiré de Montaigne. Il a sans doute été composé après une lecture du développement de l' « Apologie de

Raimond Sebond » consacré au caractère relatif des lois humaines
Cf. *Essais*, II, 12, p. 319 : « Au demeurant, si c'est de nous que nous
tirons le règlement de nos mœurs, à quelle confusion nous rejetons-nous! Car
ce que notre raison nous y conseille de plus vraisemblable, c'est généralement
à chacun d'obéir aux lois de son pays, comme est l'avis de Socrate inspiré,
dit-il, d'un conseil divin... La droiture et la justice, si l'homme en connaissait
qui eût corps et véritable essence, il ne l'attacherait pas à la condition des
coutumes de cette contrée ou de celle-là ; ce ne serait pas de la fantaisie des
Perses ou des Indes que la vertu prendrait sa forme. »

8. Les « Perses » viennent des *Essais* (voir le texte cité dans la note
précédente) tout comme les « Indiens » mentionnés par une variante de
Pascal. Le premier état du passage faisait aussi mention des « Gascons »,
montrant que Pascal pensait à Montaigne lui-même.

9. Cf. Montaigne, *Essais*, II, 12, p. 320 : « Quelle bonté est-ce que je
voyais hier en crédit, et demain plus, et que le trait d'une rivière fait
crime? Quelle vérité que ces montagnes bornent, qui est mensonge au
monde qui se tient au-delà? »

10. Cf. Montaigne, *Essais*, II, 12, pp. 320-321 : « Mais ils sont plaisants
quand, pour donner quelque certitude aux lois, ils disent qu'il y en a aucunes
fermes, perpétuelles et immuables, qu'ils nomment naturelles, qui sont
empreintes en l'humain genre par la condition de leur propre essence. Et, de
celles-là, qui en fait le nombre de trois, qui de quatre, qui plus, qui moins :
signe que c'est une marque aussi douteuse que le reste. Or ils sont si
défortunés (car comment puis-je autrement nommer cela que défortune, que
d'un nombre de lois si infini il ne s'en rencontre au moins une que la fortune
et témérité du sort ait permis être universellement reçue par le consentement
de toutes les nations?), ils sont, dis-je, si misérables que de ces trois ou
quatre lois choisies il n'y en a une seule qui ne soit contredite et désavouée,
non par une nation, mais par plusieurs. »

11. Cf. Montaigne, *Essais*, II, 12, pp. 321-322 : « Telle chose est ici
abominable, qui apporte recommandation ailleurs, comme en Lacédémone
la subtilité de dérober. Les mariages entre les proches sont capitalement
défendus entre nous, ils sont ailleurs en honneur... Le meurtre des enfants,
meurtre des pères, communication de femmes, trafic de voleries, licence à
toutes sortes de voluptés, il n'est rien en somme si extrême qui ne se trouve
reçu par l'usage de quelque nation. »

12. Cet exemple revient si souvent dans les *Pensées*, sous une forme plus
ou moins développée, qu'on pourrait presque y voir une sorte d'obsession
chez Pascal; cf. fr. 7, 18 et 47.

13. Cf. Montaigne, *Essais*, II, 12, p. 322 : « Il est croyable qu'il y a des
lois naturelles, comme il se voit ès autres créatures; mais en nous elles sont
perdues, cette belle raison humaine s'ingérant partout de maîtriser et
commander, brouillant et confondant le visage des choses selon sa vanité et

inconstance. " *Nihil itaque amplius nostrum est   quod nostrum dico, artis est.* " »

14. « Car il ne reste rien qui soit nôtre : ce que nous appelons nôtre est effet de l'art. » Pascal reproduit, avec une légère inexactitude, une citation qu'il a trouvée dans les *Essais* (voir la note précédente) et que Montaigne emprunte à un texte de Cicéron (*De finibus*, V, 21) en le modifiant considérablement.

15. « C'est en vertu des senatus-consultes et des plébiscites qu'on commet des crimes. » Texte de Sénèque (*Lettre* 95), cité par Montaigne (*Essais*, III, 1, p. 35).

16. « Comme autrefois de nos turpitudes, nous souffrons aujourd'hui de non lois » Texte de Tacite (*Annales*, III, 25), cité par Montaigne (*Essais*, III, 13, p. 354).

17. Cf *Essais*, II, 12, p. 321 : « Protagoras et Ariston ne donnaient autre essence à la justice des lois que l'autorité et opinion du législateur; et que, cela mis à part, le bon et l'honnête perdaient leurs qualités et demeuraient des noms vains de choses indifférentes. Thrasimaque, en Platon, estime qu'il n'y a point d'autre droit que la commodité du supérieur. »

18. On reconnaît ici un écho de la première maxime de la morale provisoire de Descartes; voir le *Discours de la méthode*, IIIᵉ partie.

19. Cf. Montaigne, *Essais*, III, 13, p. 361 : « et de ce que tiennent les Cyrénaïques, qu'il n'y a rien juste de soi, que les coutumes et lois forment la justice ».

20. Cf. Montaigne, *Essais*, III, 13, p. 362 : « Or les lois se maintiennent en crédit, non parce qu'elles sont justes, mais parce qu'elles sont lois. C'est le fondement mystique de leur autorité; elles n'en ont point d'autre... Il n'est rien si lourdement et largement fautier que les lois, ni si ordinairement. Quiconque leur obéit parce qu'elles sont justes, ne leur obéit pas justement par où il doit. » Ce que Pascal ajoute au texte de Montaigne semble répondre à une affirmation de Charron (*La Sagesse*, II, 3) . « pour les bien entendre et savoir leur intention, souldre et sortir d'une ambiguïté, difficulté, antinomie, il les faut ramener à la source, et rentrant au dedans, les mettre à la touche et coucher au niveau de la nature ».

21. Cf. Montaigne, *Essais*, II, 12, p. 325 « Les lois prennent leur autorité de la possession et de l'usage; il est dangereux de les ramener à leur naissance. »

22. Cf. Montaigne, *Essais*, II, 12, p. 139 . « le vulgaire, n'ayant pas la faculté de juger des choses par elles-mêmes, se laissant emporter à la fortune et aux apparences après qu'on lui a mis en main la hardiesse de mepriser et contrôler les opinions qu'il avait eues en extrême rèvèrence, comme sont celles où il va de son salut, et qu'on a mis aucuns articles de sa religion en doute et à la balance, il jette tantôt après aisement en pareille incertitude outes les autres pièces de sa creance qui n'avaient pas chez lui plus

d'autorité ni de fondement que celles qu'on lui a ebranlées; et secoue comme un joug tyrannique toutes les impressions qu'il avait reçues par l'autorité des lois ou révérence de l'ancien usage ». Dans la suite de la phrase, Pascal se souvient encore de Montaigne (*Essais*, I, 23, p. 189) : « Ceux qui donnent le branle à un État sont volontiers les premiers absorbés en sa ruine. Le fruit du trouble ne demeure guère à celui qui l'a ému; il bat et brouille l'eau pour d'autres pêcheurs. » Mais il précise l'idée à la lumière, semble-t-il, des événements de la Fronde.

23. Cf. Montaigne, *Essais*, II, 12, p. 233 : « Platon... dit tout détroussé-ment en sa *République* que, pour le profit des hommes, il est souvent besoin de les piper. » La périphrase « le plus sage législateur », que Pascal ajoute au texte de Montaigne, pourrait surprendre; pourtant, on peut la rapprocher du fait que le duc de Roannez fit orner sa chambre d'un portrait de Platon, en 1654-1655, à un moment où l'influence de Pascal s'exerçait très fortement sur lui (voir Jean Mesnard, *Pascal et les Roannez*, p. 414).

24. « Quand il ignore la vérité qui délivre, il lui est bon d'être trompé. » C'est une citation inexacte d'une citation elle-même inexacte que fait Montaigne de saint Augustin (*La Cité de Dieu*, IV, 31). Montaigne (*Essais*, II, 12, p. 263) n'indique pas que ce texte vient de saint Augustin : « Voici l'excuse que nous donnent, sur la considération de ce sujet, Scévola, grand pontife, et Varron, grand théologien, en leur temps : Qu'il est besoin que le peuple ignore beaucoup de choses vraies et en croie beaucoup de fausses : " *cum veritatem qua liberetur, inquirat, credatur ei expedite, quod fallitur* ". »

25. D'après Ant. Uhlir (« Montaigne et Pascal », *R.H.L.F.*, 1907, pp. 442-454), ce chiffre, comme les suivants, renvoie à l'édition de 1652 des *Essais* de Montaigne. Cf. *Essais*, II, 12, p. 272 : « Or voyons ce que l'humaine raison nous a appris de soi et de l'âme; non de l'âme en général, de laquelle quasi toute philosophie rend les corps célestes et les premiers corps participants; ni de celle que Thalès attribuait aux choses mêmes qu'on tient inanimées, convié par la considération de l'aimant; mais de celle qui nous appartient, que nous devons mieux connaître. »

26. Cf. Montaigne, *Essais*, II, 12, p. 273 : « Il n'y a pas moins de dissension ni de débat à la loger. »

27. Cf. Montaigne, *Essais*, II, 12, pp. 278-290. C'est ici que se termine le passage concerné par la note marginale. La suite a été écrite immédiatement après le développement sur les lois.

28. Pascal reprend ici les idées qu'il exposait dans l'*Entretien avec M. de Saci :* « Il demande si l'âme connaît quelque chose, si elle se connaît elle-même; si elle est substance ou accident, corps ou esprit; ce que c'est que chacune de ces choses, et s'il n'y a rien qui ne soit de l'un de ces ordres; si elle connaît son propre corps; ce que c'est que matière. »

29. Cf. Montaigne, *Essais*, II, 12, p. 291 : « Il n'y a point moins de témérité en ce qu'elle nous apprend des parties corporelles. »

30 Cf Montaigne, *Essais* II, 12. pp 263-267

31 « Laquelle est la vraie de ces opinions, c est a un dieu de le voir Cicéron, *Tusculanes* I, XI cité par Montaigne *Essais* II 12, p 273)

58

1 Charles Ier, roi d'Angleterre, fut décapité en 1649. Christine de Suède abdiqua en 1654, le roi de Pologne est Jean-Casimir D'après Havet, ce fragment aurait été écrit en 1656, puisque Jean-Casimir, dépossédé de son royaume par les victoires de Charles-Gustave, roi de Suède, en 1656, y rentra la même année. Il est toutefois possible qu'il ait été écrit en 1657, année de la prise de Varsovie par les Suédois.

59

1. Il convient de rapprocher ce fragment des fragments 32, 120 et 541, comme l'indique un début de phrase rayé : « Le talon de soulier »

2. Il s'agit des élèves des Petites Écoles de Port-Royal.

3. Cf. Charron, *La Sagesse*, I, 21 : « Ceux qui ne veulent flatter l'ambition disent qu'elle sert à la vertu, et est un aiguillon aux belles actions. »

60

1. Voir Gilbert Chinard, *En lisant Pascal*, Lille, Giard et Genève, Droz, 1948, pp. 83-96. « Usurpation » signifierait « prise de possession par l'usage » et n'aurait pas encore la signification de prise de possession illégale. Pour Pascal, la propriété n'a d'autre fondement que la prise de possession initiale. C'est d'ailleurs l'opinion habituelle des juristes de son temps. L'idée de ce fragment a pu être suggérée à Pascal par Charron qui écrit, à propos du vêtement (*La Sagesse,* III, 40) : « de là premièrement a commencé la propriété des choses, le mien et le tien »

61

1. Terme scolastique : un homme est un sujet, une unité pour la pensée.

62

1. Cf. Charron, *La Sagesse,* III, 16 : « et qu'il ne faut pas obéir au supérieur, pour ce qu'il est digne et dignement commande, mais pour ce qu'il est supérieur, non pour ce qu'il est bon, mais pour ce qu'il est vrai et légitime. Il y a bien grande différence entre vrai et bon, tout ainsi qu'il faut obéir à la loi, non pour ce qu'elle est bonne et juste, mais tout simplement pour ce qu'elle est loi ».

63

1. Cf. Montaigne, *Essais,* III, 6, p 161 : « La juridiction ne se donne

point en faveur du juridiciant, c'est en faveur du juridicié. On fait un supérieur, non jamais pour son profit, ains pour le profit de l'inférieur, et un médecin pour le malade, non pour soi. »

2. « Pais mes brebis, non les tiennes. » Citation de saint Augustin (*Epist. ad Cath.*, 16, n. 20), commentant l'évangile de saint Jean, XXI, 17.

64

1. « Le souvenir d'un homme logé pour un jour, qui passe outre » (*Sagesse*, V, 14).

2. Ces idées seront reprises dans le fragment 398 : « Je vois ces effroyables espaces de l'univers qui m'enferment, et je me trouve attaché à un coin de cette vaste étendue, sans que je sache pourquoi je suis plutôt placé en ce lieu qu'en un autre, ni pourquoi ce peu de temps qui m'est donné à vivre m'est assigné à ce point plutôt qu'à un autre de toute l'éternité qui m'a précédé et de toute celle qui me suit. »

65

1 Cette note est développée dans le fragment 382.

66

1 On trouve la même idée sous une forme presque identique dans le fragment 702.

67

1 Cf. fr. 442.

68

1 Cf. Charron, *La Sagesse*, I, 1 : « Exhortations à s'étudier et connaître. . Pour devenir sage et mener une vie plus réglée et plus douce, il ne faut point d'instruction d'ailleurs que de nous. »

69

1 Cf. fr 543 (fin).

71

1 . Cf. *Ecclésiaste*, VIII, 17 : « Et ai entendu que de toutes les œuvres de Dieu, de celles qui sont faites sous le soleil, l'homme n'en peut trouver aucune raison Et d'autant plus qu'il aura labouré à la chercher, de tant moins la trouvera-t-il Aussi même si le sage dit qu'il la connaît, il ne la pourra trouver » (traduction de la Bible de Louvain). Il est possible que l'attention de Pascal ait été attirée sur ce verset par les *Septièmes Objections* aux *Méditations* de Descartes (7ᵉ scrupule), où il est cité et commenté.

72

1 Le titre de ce fragment s'explique peut-être par l'influence du *De gradibus humilitatis et superbiae* de saint Bernard, où il est dit que la curiosité est le premier degré de l'orgueil.

2 On a l'impression que Pascal répond ici à Senault (*L'Homme criminel*, I, 8) « C'est la passion de voir quelque nouveauté qui nous appelle dans la foule des compagnies, et toutes ces modes que nous inventons sont plutôt des marques de notre curiosité que de notre vanité. »

3 Cf Montaigne. *Essais*, I. 39, p 353, où se trouve cité ce passage de Perse (I. 26-27).

Usque adeone
Scire tuum nihil est, nisi te scire hoc sciat alter ?

(« Est-ce à ce point que savoir n'est rien pour toi, si un autre ne sait pas que tu sais ? ») Dans ce passage, Montaigne ne parle ni de voyages ni de curiosité

75

1 Cf fr 30.

76

1 Cf saint Augustin, *La Cité de Dieu*, XIX, 11 : « C'est un si grand bien en effet que la paix, que même dans les choses terrestres et mortelles il n'y a rien dont on entende parler habituellement avec plus de plaisir, on ne peut rien désirer de plus souhaitable, et enfin rien trouver de mieux. »

2 « Si vous ne devenez pas comme des petits enfants » (Matthieu, XVIII, 3)

77

1. C'est en quelque sorte le sujet de la troisième partie des *Principes de la philosophie* de Descartes.

2. Cf. fr. 702 : « Descartes inutile et incertain », et la note.

3 Ce texte rayé se trouve au verso du développement : « Le monde juge bien des choses... »

4. Cf. Montaigne, *Essais*, II, 12, pp. 218-221 : « L'ignorance qui était naturellement en nous, nous l'avons, par longue étude, confirmée et avérée... Le plus sage homme qui fut onques, quand on lui demanda ce qu'il savait, répondit qu'il savait cela, qu'il ne savait rien... L'ignorance qui se sait, qui se juge et qui se condamne, ce n'est pas une entière ignorance. »

5. Cf. Montaigne, *Essais*, I, 54, pp. 433-434 : « Il se peut dire, avec apparence, qu'il y a ignorance abécédaire, qui va devant la science ; une autre, doctorale, qui vient après la science : ignorance que la science fait et engendre, tout ainsi comme elle défait et détruit la première

« Des esprits simples, moins curieux et moins instruits, il s'en fait de bons chretiens qui, par révérence et obéissance, croient simplement et se maintiennent sous les lois. En la moyenne vigueur des esprits et moyenne capacité s'engendre l'erreur des opinions: ils suivent l'apparence du premier sens, et ont quelque titre d'interpréter à simplicité et bêtise de nous voir arrêter en l'ancien train, regardant à nous qui n'y sommes pas instruits par etude Les grands esprits, plus rassis et clairvoyants, font un autre genre de bien croyants.

« Les paysans simples sont honnêtes gens, et honnêtes gens les philosophes, ou, selon notre temps, des natures fortes et claires, enrichies d'une large instruction de sciences utiles Les métis qui ont dédaigné le premier siege d'ignorance de lettres, et n'ont pu joindre l'autre (le cul entre deux selles, desquels je suis, et tant d'autres), sont dangereux, ineptes, importuns, ceux-ci troublent le monde Pourtant, de ma part, je me recule tant que je puis dans le premier et naturel siège, d'où je me suis pour néant essayé de partir » Cette distinction est reprise par Charron, *La Sagesse*, I, 45.

78

1 « Le droit extrême est une extrême injustice » (Cicéron, *De officiis* I 10. cité par Charron, *La Sagesse*, I, 39)

2 Cf Hobbes, *Le Corps politique ou les Éléments de la loi morale et civile* 1652. II⁰ partie, chap. 1 « IX Or d'autant que ce droit de glaive n'est autre chose que l'autorité de s'en servir quand on le jugera nécessaire; il s'ensuit que la puissance de juger de toutes sortes de différends, dans lesquels l'épée de Justice est d'usage, ou de déterminer des choses qui regardent la guerre dépendent de celui-là même qui en possède la souveraineté.

« X Au reste, vu qu'il n'est pas moins important au bien de la paix, et que c'est une chose plus nécessaire de prévenir la violence, et empêcher les désordres, que de les apaiser, ou de les punir quand ils arrivent, et que toute querelle naît des différentes opinions que les hommes ont sur les questions du mien et du tien, du juste et de l'injuste, du bien et du mal, et autres semblables que chacun estime à sa fantaisie et selon son caprice, c'est à la même souveraine puissance à prescrire certaines mesures publiquement reçues, par lesquelles chacun puisse savoir ce qui lui appartient, et ce qui est à un autre, ce que c'est que l'on doit appeler bien ou mal, comme aussi à donner des règles, pour connaître ce qu'il faut faire, ou ne pas faire. Or ces règles et mesures des actions des sujets, sont ce que l'on nomme les lois civiles ou politiques, lesquelles doivent être établies par celui qui a le droit de glaive, ou de l'épée de guerre, afin qu'il puisse contraindre et forcer les sujets de les garder Car autrement elles seraient faites en vain. »

3 Voici cette fin de la 12ᵉ *Provinciale* « C'est une étrange et longue guerre que celle où la violence essaie d'opprimer la vérité. Tous les efforts de la violence ne peuvent affaiblir la vérité, et ne servent qu'à la relever

davantage. Toutes les lumières de la vérité ne peuvent rien pour arrêter la violence, et ne font que l'irriter encore plus. Quand la force combat la force, la plus puissante détruit la moindre : quand l'on oppose les discours aux discours, ceux qui sont véritables et convaincants confondent et dissipent ceux qui n'ont que la vanité et le mensonge ; mais la violence et la vérité ne peuvent rien l'une sur l'autre. Qu'on ne prétende pas de là néanmoins que les choses soient égales : car il y a cette extrême différence, que la violence n'a qu'un cours borné par l'ordre de Dieu, qui en conduit les effets à la gloire de la vérité qu'elle attaque : au lieu que la vérité subsiste éternellement, et triomphe enfin de ses ennemis, parce qu'elle est éternelle et puissante comme Dieu même. »

79

1. Cf. Montaigne, *Essais*, III, 1, p. 34 : « La justice en soi, naturelle et universelle, est autrement réglée, et plus noblement, que n'est cette autre justice, spéciale, nationale, contrainte au besoin de nos polices : " *Veri juris germanaeque justitiae solidam et expressam effigiem nullam tenemus ; umbra et imaginibus utimur* " » (« De droit vrai et justice véritable, nous ne possédons aucune représentation solide et exacte ; nous employons leurs ombres et leurs images »). Pascal a pu aussi trouver cette citation de Cicéron (*De officiis*, III, 17) chez Charron (*La Sagesse*, III, 5).

2. Cf. Charron, *La Sagesse*, II, 8 : « la règle des règles, et la générale loi des lois, est de suivre et observer les lois et coutumes du pays où l'on est ».

80

1. Cf. fr. 41.

81

1. Il est intéressant de rapprocher ce fragment de ce que Pascal écrivait en 1645, dans la *Lettre dédicatoire* de la machine d'arithmétique : « Les inventions qui ne sont pas connues ont toujours plus de censeurs que d'approbateurs : on blâme ceux qui les ont trouvées, parce qu'on n'en a pas une parfaite intelligence ; et, par un injuste préjugé, la difficulté que l'on s'imagine aux choses extraordinaires fait qu'au lieu de les considérer pour les estimer, on les accuse d'impossibilité, afin de les rejeter ensuite comme impertinentes. »

82

1. Étoffe qui imite le brocart.
2. Cf. fr. 17.
3. Pascal pense évidemment à ce passage des *Essais* (I, 42, pp. 368-369) : « Mais, à propos de l'estimation des hommes, c'est merveille que, sauf nous, aucune chose ne s'estime que par ses propres qualités. Nous louons un

cheval de ce qu'il est vigoureux et adroit..., non de son harnais; un lévrier de
sa vitesse, non de son collier; un oiseau de son aile, non de ses longes et
sonnettes. Pourquoi de même n'estimons-nous un homme par ce qui est
sien? Il a un grand train, un beau palais, tant de crédit, tant de rente : tout
cela est autour de lui, non en lui. » L'inexactitude de l'amorce de citation
qui termine le fragment montre qu'elle est faite de mémoire, sans que Pascal
se soit reporté au texte de Montaigne.

84

1. Cf. fr. 659 : « J'aurai aussi mes pensées de derrière la tête. »
2. L'idée, semble-t-il, vient de Charron (*La Sagesse*, II, 2) : « je veux bien
que l'on vive, l'on parle, l'on fasse comme les autres et le commun, mais non
que l'on juge comme le commun, voire je veux que l'on juge le commun. »

87

1. Dans ces réflexions sur les guerres civiles et sur les changements
politiques, on sent l'influence de Montaigne (*Essais*, III, 9, pp. 225-226) :
« Non par opinion mais en vérité, l'excellente et meilleure police est à
chacune nation celle sous laquelle elle s'est maintenue. Sa forme et
commodité essentielle dépend de l'usage. Nous nous déplaisons volontiers
de la condition présente. Mais je tiens pourtant que d'aller désirant le
commandement de peu en un État populaire, ou en la monarchie une autre
espèce de gouvernement, c'est vice et folie... Rien ne presse un État que
l'innovation : le changement donne seul forme à l'injustice et à la tyrannie.
Quand quelque pièce se démanche, on peut l'étayer : on peut s'opposer à ce
que l'altération et corruption naturelle à toutes choses ne nous éloigne trop
de nos commencements et principes. Mais d'entreprendre à refondre une si
grande masse et à changer les fondements d'un si grand bâtiment, c'est à
faire à ceux qui pour décrasser effacent, qui veulent amender les défauts
particuliers par une confusion universelle et guérir les maladies par la
mort. » Il faut aussi rappeler que Pascal a vécu la Fronde : il se trouvait à
Paris le 2 juillet 1652, lors des combats du faubourg Saint-Antoine qui
opposèrent Condé à Turenne (voir Jean Mesnard, *Pascal et les Roannez*,
p. 296).

88

1. Brave : vêtu, paré avec soin.

89

1. L'interprétation de ce fragment est difficile. Il faudrait peut-être
comprendre : « tant de beautés qu'on établit comme de savoir bien jouer du
luth ». Pascal aurait alors omis par inadvertance de rayer ce qui suit

lorsqu'il a corrigé son texte primitif « ne point jouer du luth » en « savoir bien jouer du luth »

91

1. La comparaison avec le fragment 494 montre que Pascal pense ici à Montaigne. Cf. *Essais*, III, 8, p. 193 : « Voire mais, pourquoi, sans nous émouvoir, rencontrons-nous quelqu'un qui ait le corps tordu et mal bâti, et ne pouvons souffrir la rencontre d'un esprit mal rangé sans nous mettre en colère? » Mais c'est Pascal lui-même qui associe à l'idée de Montaigne l'exemple du « boiteux » et la métaphore de l' « esprit boiteux ».

2. Pascal a pu rencontrer à plusieurs reprises l'expression « j'ai mal à la tête » dans la traduction des *Propos* d'Épictète par Dom Jean-de-Saint-François (Goulu) : « J'ai mal à la tête, voudriez-vous avoir mal aux cornes? » (I, 18, p. 91); « J'ai mal à la tête, ne dites pas ha mon Dieu! » (I, 18, p. 92); « J'ai la tête bien saine, et tout le monde pense que j'ai mal à la tête. Que me soucié-je? je n'ai point de fièvre, et ils me plaignent comme étant travaillé de la fièvre... » (IV, 6, pp. 572-573). En fait, l'idée vient d'un autre chapitre des *Propos* où il est question de fièvre, mais non de mal de tête : « Si ce n'est aussi que le médecin semble faire tort au malade quand il lui dit : il vous est à voir que vous n'avez rien, mais vous avez bien fort la fièvre, faites diète aujourd'hui, et boivez de l'eau; nul ne dit en ce cas : ô le grand affront qu'il m'a fait! mais si vous dites à quelqu'un : vos désirs sont trop bouillants, vos fuites basses, vos entreprises sont trop impertinentes, vos mouvements sont déréglés et discordants de la nature, vos opinions sont vaines et trompeuses, incontinent sortant hors de soi-même s'écriera : il m'a fait un affront » (II, 14, p. 227). Une note marginale de Goulu résume ainsi le passage : « On ne s'offense pas du médecin qui dit que nous sommes malades de corps. Mais à celui qui dit que nous sommes malades d'esprit » (voir Michel Le Guern, *L'Image dans l'œuvre de Pascal*, pp. 101-102).

3. « Mauvais propos corrompent les bonnes mœurs » (I *Corinthiens*, XV, 33).

92

1. Cf. fr. 91, n. 2.

2. Le *Manuel* d'Épictète commence par cette distinction : « Entre les choses il y en a qui sont en notre puissance, et d'autres qui n'y sont pas. »

3. Cf. Épictète, *Propos*, IV, 7 : « Que si par une espèce de manie, aucun peut être ainsi disposé, à l'endroit de ces choses, et par une coutume comme les Galiléens, personne ne pourra-t-il apprendre par raison, et démonstration, que Dieu a fait tout ce qui est au monde? Quant au monde pris en son tout, il l'a fait accompli et parfait, sans pouvoir être empêché » (traduction Goulu, p. 580). Une note marginale de Goulu, en face de « Galiléens », indique · « Ainsi appelaient-ils les Chrétiens. » Cf. fr. 136

93

1. Cf. fr. 126.

2. Cf. Charron, *La Sagesse,* I, 41 : « Or ce serait chose bien longue de spécifier et nommer les folles opinions dont tout le monde est abreuvé. Mais en voici quelques-unes, qui seront traitées plus au long en leurs lieux... 5. Estimer les personnes par les biens, richesses, dignités, honneurs, et mépriser ceux qui n'en ont point... » La suite de remarques numérotées que présente Pascal dans ce fragment fait penser à la manière de Charron.

3. Cf. Montaigne, *Essais,* I, 31, « Des cannibales », p. 316 : « Ils dirent qu'ils trouvaient en premier lieu fort étrange que tant de grands hommes, portant barbe, forts et armés, qui étaient autour du Roi (il est vraisemblable qu'ils parlaient des Suisses de sa garde), se soumissent à obéir à un enfant, et qu'on ne choisisse plutôt quelqu'un d'entre eux pour commander. »

4. Cf. fr. 494.

95

1. « Être en passe » signifie être en mesure de faire passer sa boule ou sa bille par ce qu'on appelle la *passe.* La métaphore, empruntée au jeu de mail, était courante au XVIIᵉ siècle.

96

1. Pascal fournit ici un argument supplémentaire à la démonstration de Descartes (à la fin de la Vᵉ partie du *Discours de la méthode*) que les animaux diffèrent de l'homme en ce qu'ils n'ont point d'âme : « Ce qu'ils font mieux que nous ne prouve pas qu'ils ont de l'esprit. » Il répond sans doute à une objection sur ce que Descartes affirme de l'absence de parole chez les animaux. Il convient de rapprocher ce fragment de ce que Pascal dit de l'histoire du brochet et de la grenouille dans le fragment 627.

97

1. Cf. fr. 109.

98

1. Pascal a sans doute noté cet exemple pour illustrer la théorie cartésienne des animaux-machines.

99

1. Cf. fr. 580. Cette analyse de la sensation, qui cherche à délimiter les rôles respectifs du corps et de l'âme, est tout à fait conforme aux théories de Descartes; l'exemple du plaisir semble lui-même emprunté aux *Principes de la philosophie,* IV, 191.

100

1. Le début de ce fragment, dans sa première version, précise qu'il s'agit ici des mots primitifs qu'on ne peut définir Cf. *De l'esprit géométrique* « La géométrie. ne définit aucune de ces choses. espace, temps, mouvement. nombre, égalité, ni les semblables qui sont en grand nombre, parce que ces termes-là désignent si naturellement les choses qu'ils signifient, à ceux qui entendent la langue, que l'éclaircissement qu'on en voudrait faire apporterait plus d'obscurité que d'instruction. » C'est là une notion qui vient de Descartes (*Principes de la philosophie* I, 10) : « Qu'il y a des notions d'elles-mêmes si claires qu'on les obscurcit en les voulant définir à la façon de l'École. » Dans la suite du fragment, Pascal s'écarte un peu de la pensée de Descartes, ce qui s'explique par son désir de rabaisser la raison.

101

1 Cf. *De l'esprit géométrique* « [L'ordre de la géométrie] ne définit pas tout et ne prouve pas tout mais il ne suppose que des choses claires et constantes par la lumière naturelle. et c'est pourquoi il est parfaitement véritable, la nature le soutenant au défaut du discours. » Tout ce fragment reprend des idées développées dans l'opuscule *De l'esprit géométrique*.

2 Si l'on pouvait avoir $a^2 = 2b^2$. a et b étant des nombres entiers, on aurait $a = b \sqrt{2}$; $\sqrt{2}$ étant un nombre irrationnel, cela est impossible.

3. Cf. le fragment 362, dicté à la même personne, et qui se trouvait peut-être sur la même feuille avant le découpage préliminaire au classement en liasses.

102

1 Cf fr 125 « Le moi consiste dans ma pensée. »

2. C'est une idée de Descartes que Pascal expose dans ce fragment. Cf *Discours de la méthode*, IVe partie « Examinant avec attention ce que j'étais, et voyant que je pouvais feindre que je n'avais aucun corps » Le fragment de Pascal fait surtout penser à la manière dont Descartes exprime cette idée dans *La Recherche de la vérité par la lumière naturelle* « Il a fallu aussi, pour me considérer simplement tel que je sais être, que je rejette toutes ces parties et tous ces membres qui constituent la machine du corps humain, c'est-à-dire me considérer sans bras, sans jambes, sans tête, en un mot sans corps » (Descartes, *Œuvres*, éd. Bridoux, « Bibl. de la Pléiade », 1953, p. 896). Ce texte n'a été publié qu'en 1701, dans une traduction latine, mais ce rapprochement et quelques autres pourraient faire supposer que Pascal en a eu communication en manuscrit.

103

1 Il s'agit vraisemblablement ici de l'instinct animal, et non de l'intuition, désignée sous le nom d'instinct dans le fragment 101 On trouve

cette double valeur du mot « instinct » chez Descartes, par exemple dans la lettre du 16 octobre 1639 à Mersenne : « Pour moi, je distingue deux sortes d'instincts : l'un est en nous en tant qu'hommes et est purement intellectuel ; c'est la lumière naturelle ou *intuitus mentis,* auquel seul je tiens qu'on se doit fier ; l'autre est en nous en tant qu'animaux, et est une certaine impulsion de la nature à la conservation de notre corps, à la jouissance des voluptés corporelles, etc., lequel ne doit pas toujours être suivi. »

104

1. Cf. fr. 186.
2. Pour Descartes, le corps se définit par l'étendue dans l'espace comme l'âme par la pensée.

105

1. Cf. saint Augustin, *La Cité de Dieu,* XIX, 13, n. 2 : « Dieu en effet n'enlève pas à la nature tout ce qu'il lui a donné, mais il enlève quelque chose et laisse quelque chose, afin que subsiste un être qui se lamente de ce qu'il a perdu. »

108

1. Cf. saint Augustin, *De la grâce et du péché originel,* II, 40, n. 46 : « Ce qui est nature chez l'animal est corruption chez l'homme. »
2. Cf. fr. 13.

109

1. Cf. fr. 97.

110

1. Cf. fr. 397, p. 13 du tome II.

112

1. Montaigne (*Essais,* II, 12) et Charron (*La Sagesse,* I, 35) comparent les animaux à l'homme en montrant qu'ils ne lui sont pas inférieurs.
2. Ce thème de la comparaison de l'homme avec l'ange et avec la bête est un lieu commun de la littérature morale. Pascal se souvient sans doute de Montaigne (*Essais,* III, 13, p. 415) : « Ils veulent se mettre hors d'eux et échapper à l'homme. C'est folie : au lieu de se transformer en anges, ils se transforment en bêtes, au lieu de se hausser, ils s'abattent. » D'autre part, dans la dédicace à la reine Marguerite de sa traduction d'Épictète — c'est la traduction qu'utilise Pascal —, Dom Jean-de-Saint-François écrit que de l'assemblage du corps et de l'âme qui constitue l'homme « résulte non un ange, car il est pur esprit, ni une bête, car elle est sans raison ». Cf. fr. 468 (« Il n'est ni ange, ni bête, mais homme ») et fr. 572.

113

1. Cette abréviation signifie « A Port-Royal ». Ce fragment faisait sans doute partie des notes prises par Pascal en vue de la conférence à Port-Royal où il exposait son projet d'apologie. Voir fr. 139, n. 2.

2. Cf. fr. 105.

116

1 Cf. Montaigne, *Essais,* I, 23, p. 184 : « Et les communes imaginations, que nous trouvons en crédit autour de nous et infuses en notre âme par la semence de nos pères, il semble que ce soient les générales et naturelles. »

117

1 Cf Montaigne, *Essais,* III, 10, p. 287 : « L'accoutumance est une seconde nature, et non moins puissante. »

118

1 « De » signifie ici « par le fait de ».

2 « *Animum arcendi* » signifie, d'après Brunschvicg, « instinct d'écarter, c'est l'instinct du chien de garde ». Quant à la comparaison du cheval et du chien, elle vient vraisemblablement, comme l'idée qu'elle illustre, d'Épictète (*Propos,* I, 2). « Par aventure que ce qui est grand et excellent appartient à d'autres, comme à Socrate et à ses semblables. Mais pourquoi est-ce que, puisque nous sommes de même nature, nous ne sommes pas tous ou la plupart semblables? Comme si tous les chevaux étaient vites à la course, et tous les chiens bons à la chasse. »

3 Cf. Épictète, *Propos,* I, 6 : « Mais il [Dieu] a produit l'homme comme pour être spectateur de lui et de ses ouvrages; et non seulement cela, mais aussi interprète et truchement d'iceux. Et pour ce c'est chose honteuse à l'homme de commencer et finir où les bêtes commencent et finissent. »

120

1 Cf. fr 32 et fr 541

122

1 L'édition de Port-Royal ajoute ce paragraphe d'introduction : « Rien n'est plus étrange dans la nature de l'homme que les contrariétés que l'on y découvre à l'égard de toutes choses. Il est fait pour connaître la vérité; il la désire ardemment, il la cherche; et cependant quand il tâche de la saisir, il s'éblouit et se confond de telle sorte, qu'il donne sujet de lui en disputer la possession. C'est ce qui a fait naître les deux sectes de Pyrrhoniens et de Dogmatistes, dont les uns ont voulu ravir à l'homme toute connaissance de la vérité, et les autres tâchent de la lui assurer; mais

chacun avec des raisons si peu vraisemblables qu'elles augmentent la confusion et l'embarras de l'homme, lorsqu'il n'a point d'autre lumière que celle qu'il trouve dans sa nature. »

2. Cf. *Entretien avec M. de Saci* : « Et puisque nous ne savons que par la seule foi qu'un Être tout bon nous les a donnés véritables, en nous créant pour connaître la vérité, qui saura sans cette lumière si, étant formés à l'aventure, ils ne sont pas incertains, ou si, étant formés par un être faux et méchant, il ne nous les a pas donnés faux afin de nous séduire? » L'idée vient évidemment de Descartes (*Méditation première*, dans *Œuvres*, éd. Bridoux, pp. 270-272) : « Mais peut-être que Dieu n'a pas voulu que je fusse déçu de la sorte, car il est dit souverainement bon. Toutefois, si cela répugnait à sa bonté, de m'avoir fait tel que je me trompasse toujours, cela semblerait aussi lui être aucunement contraire, de permettre que je me trompe quelquefois, et néanmoins je ne puis douter qu'il ne le permette. Il y aura peut-être ici des personnes qui aimeront mieux nier l'existence d'un Dieu si puissant, que de croire que toutes les autres choses sont incertaines. Mais ne leur résistons pas pour le présent, et supposons, en leur faveur, que tout ce qui est dit ici d'un Dieu soit une fable. Toutefois, de quelque façon qu'ils supposent que je sois parvenu à l'état et à l'être que je possède, soit qu'ils l'attribuent à quelque destin ou fatalité, soit qu'ils le réfèrent au hasard, soit qu'ils veuillent que ce soit par une continuelle suite et liaison des choses, il est certain que, puisque faillir et se tromper est une espèce d'imperfection, d'autant moins puissant sera l'auteur qu'ils attribueront à mon origine, d'autant plus sera-t-il probable que je suis tellement imparfait que je me trompe toujours... Je supposerai donc qu'il y a, non point un vrai Dieu, qui est la souveraine source de vérité, mais un certain mauvais génie, non moins rusé et trompeur que puissant, qui a employé toute son industrie à me tromper. » La réserve que Pascal ajoute à la démonstration de Descartes, « hors la foi et la révélation », marque nettement l'écart entre les deux pensées; il faut remarquer que cette précision apparaît dès l'*Entretien avec M. de Saci.*

3. Cf. *Entretien avec M. de Saci* : « Enfin il [Montaigne] examine si profondément les sciences, et la géométrie, dont il montre l'incertitude dans les axiomes et dans les termes qu'elle ne définit point, comme d'étendue, de mouvement, etc., et la physique en bien plus de manières, et la médecine en une infinité de façons, et l'histoire, et la politique, et la morale, et la jurisprudence et le reste, de telle sorte qu'on demeure convaincu que nous ne pensons pas mieux à présent que dans quelque songe dont nous ne nous éveillons qu'à la mort, et pendant lequel nous avons aussi peu les principes du vrai que durant le sommeil naturel. » C'est là une idée qui vient de Montaigne (*Essais*, II, 12, p. 342) : « Ceux qui ont apparié notre vie à un songe, ont eu de la raison, à l'aventure plus qu'ils ne pensaient. Quand nous songeons, notre âme vit, agit, exerce toutes ses facultés, ni plus ni moins que

quand elle veille; mais si plus mollement et obscurément, non de tant certes que la différence y soit comme de la nuit à une clarté vive, oui, comme de la nuit à l'ombre : là elle dort, ici elle sommeille, plus et moins. Ce sont toujours ténèbres, et ténèbres Cimmériennes.

« Nous veillons dormants, et veillants dormons. Je ne vois pas si clair dans le sommeil; mais, quant au veiller, je ne le trouve jamais assez pur et sans nuage. Encore le sommeil en sa profondeur endort parfois les songes. Mais notre veiller n'est jamais si éveillé qu'il purge et dissipe bien à point les rêveries, qui sont les songes des veillants, et pires que songes.

« Notre raison et notre âme, recevant les fantaisies et opinions qui lui naissent en dormant, et autorisant les actions de nos songes de pareille approbation qu'elle fait celles du jour, pourquoi ne mettons-nous en doute si notre penser, notre agir, n'est pas un autre songer et notre veiller quelque espèce de dormir? » Ce thème est repris par Descartes dans la *Méditation première* (*Œuvres,* éd. Bridoux, pp. 268-269), qui a vraisemblablement servi de point de départ à la réflexion de Pascal : « Toutefois j'ai ici à considérer que je suis homme, et par conséquent que j'ai coutume de dormir et de me représenter en mes songes les mêmes choses, ou quelquefois de moins vraisemblables, que ces insensés, lorsqu'ils veillent. Combien de fois m'est-il arrivé de songer, la nuit, que j'étais en ce lieu, que j'étais habillé, que j'étais auprès du feu, quoique je fusse tout nu dedans mon lit? Il me semble bien à présent que ce n'est point avec des yeux endormis que je regarde ce papier. que cette tête que je remue n'est point assoupie; que c'est avec dessein et de propos délibéré que j'étends cette main, et que je la sens · ce qui arrive dans le sommeil ne semble point si clair ni si distinct que tout ceci. Mais, en y pensant soigneusement, je me ressouviens d'avoir été souvent trompé, lorsque je dormais, par de semblables illusions. Et m'arrêtant sur cette pensée, je vois si manifestement qu'il n'y a point d'indices concluants, ni de marques assez certaines par où l'on puisse distinguer nettement la veille d'avec le sommeil, que j'en suis tout étonné; et mon étonnement est tel, qu'il est presque capable de me persuader que je dors. » Pascal avait pu aussi trouver la même idée chez Épictète, dont il semble se souvenir dans d'autres passages de ce fragment : « Apercevez-vous bien que vous êtes éveillé? Nenni, dit-il, non plus que quand je m'imagine en songeant que je suis éveillé » (*Propos,* I, 5).

4. Cf. fr. 662, milieu.

5. Puisque Pascal n'a présenté jusque-là que l'opinion des « pyrrhoniens », il faut sous-entendre en face du scepticisme une autre philosophie, vraisemblablement le cartésianisme comme semble l'indiquer un peu plus bas la phrase : « Je m'arrête à l'unique fort des dogmatistes qui est qu'en parlant de bonne foi et sincèrement on ne peut douter des principes naturels. »

6. « Leurs livres », c'est-à-dire les livres des pyrrhoniens, comme le

confirme une variante; mais on pense surtout aux *Essais,* dont les réminiscences truffent tout ce passage.

7. Pascal ramène à deux les « trois générales sectes de Philosopnie » qu'il trouvait chez Montaigne. La première rédaction fait mention ɑes « académiciens », mais il semble que le texte définitif ne les distingue pas des pyrrhoniens, à moins que cette correction ne signifie que Pascal n'englobe pas les platoniciens dans la même condamnation que les tenants des autres philosophies. Il y a dans les *Pensées* d'autres indices qui permettent de penser que Pascal était assez favorable au platonisme. Voir fr. 519 et note.

8. Cf. Montaigne, *Essais,* II, 12, p. 272 : « car la vraie raison et essentielle, de qui nous dérobons le nom à fausses enseignes, elle loge dans le sein de Dieu; c'est là son gîte et sa retraite, c'est de là où elle part quand il plaît à Dieu nous en faire voir quelque rayon ».

9. Cf. fr. 385. Pascal se souvient sans doute d'Épictète, *Propos,* I, 5 : « Si quelqu'un, dit-il, résiste aux choses qui sont fort évidentes, il est malaisé de trouver aucune raison qui le puisse persuader » et II, 20 : « Les misérables Académiciens n'ont pu jeter hors, ni aveugler leurs sentiments, encore qu'ils s'y soient fort étudiés. Quelle misère est-ce là, d'avoir reçu de la nature des mesures et des règles, pour reconnaître la vérité; et cependant ne mettre pas peine d'augmenter ni cultiver le reste? mais tout au contraire s'efforcer d'arracher et exterminer, si la nature a donné quelque faculté pour connaître la vérité. »

10. La métaphore du « nœud » est empruntée à Montaigne (*Essais,* II, 12, p. 148) : « Le nœud qui devrait attacher notre jugement et notre volonté, qui devrait étreindre notre âme et joindre à notre créateur, ce devrait être un nœud prenant ses replis et ses forces, non pas de nos considérations, de nos raisons et passions, mais d'une étreinte divine et surnaturelle »; mais, alors que chez Montaigne elle désigne les rapports qui devraient unir l'homme à Dieu, Pascal s'en sert pour traduire la notion de péché originel en l'associant à l'évocation de l' « abîme ». Ces réflexions sur le péché originel sont très proches d'une formule de saint Augustin (*Les Mœurs de l'Église,* I, 22) : « Mais entre tous les biens que l'on possède en cette vie, le corps est celui qui par une ordonnance très équitable de Dieu attache l'homme par le lien le plus fort, ce qui vient du premier péché, qui est la chose du monde la plus connue et la plus inconnue: dont on parle davantage et que l'on entend le moins. » C'est peut-être le mot de « lien » qui a poussé Pascal à prendre chez Montaigne la métaphore toute proche du « nœud ».

11. « Mes délices sont d'être avec les fils des hommes » (*Proverbes,* VIII, 31).

12. « Je répandrai mon esprit sur toute chair » (Joël, II, 28); ce texte est encore cité dans le fragment 283 et, en traduction, dans le fragment 309.

13. « Vous êtes dieux » (*Psaume* LXXXI, 6 et Jean, X, 34).

14. « Toute chair est foin » (Isaïe, XL, 6).

15. « L'homme a été comparé aux bêtes sans entendement, et a été fait semblable à elles » (*Psaume* XLVIII, 13).

16. *Ecclésiaste*, III, 18 : « J'ai dit en mon cœur des enfants des hommes que Dieu les éprouverait et leur montrerait qu'ils sont semblables aux bêtes. »

123

1. On trouve ici l' « ordre par dialogues » mentionné dans le fragment 2.

124

1. Cf. Montaigne, *Essais*, I, 20, p. 145 : « Le but de notre carrière, c'est la mort, c'est l'objet nécessaire de notre visée : si elle nous effraie, comme est-il possible d'aller un pas avant, sans fièvre? Le remède du vulgaire, c'est de n'y penser pas. Mais de quelle brutale stupidité lui peut venir un si grossier aveuglement? » L'édition de Port-Royal (XXVI, 4) fait suivre cette phrase de tout un développement destiné à montrer comment l'argument du divertissement s'intègre dans le dessein apologétique de Pascal : « C'est tout ce qu'ils ont pu inventer pour se consoler de tant de maux. Mais c'est une consolation bien misérable, puisqu'elle va non pas à guérir le mal, mais à le cacher simplement pour un peu de temps, et qu'en le cachant elle fait qu'on ne pense pas à le guérir véritablement. Ainsi par un étrange renversement de la nature de l'homme, il se trouve que l'ennui qui est son mal le plus sensible est en quelque sorte son plus grand bien, parce qu'il peut contribuer plus que toute chose à lui faire chercher sa véritable guérison; et que le divertissement qu'il regarde comme son plus grand bien est en effet son plus grand mal, parce qu'il l'éloigne plus que toute chose de chercher le remède à ses maux. Et l'un et l'autre est une preuve admirable de la misère, et de la corruption de l'homme, et en même temps de sa grandeur; puisque l'homme ne s'ennuie de tout, et ne cherche cette multitude d'occupations, que parce qu'il a l'idée du bonheur qu'il a perdu; lequel ne trouvant pas en soi, il le cherche inutilement dans les choses extérieures, sans se pouvoir jamais contenter, parce qu'il n'est ni dans nous, ni dans les créatures, mais en Dieu seul. »

125

1. Cf. Descartes, *Principes*, I, 8 : « nous sommes par cela seul que nous pensons ». C'est là une des idées essentielles de tout le système cartésien.

2. C'est l'idée que Descartes développe dans la troisième *Méditation* et qu'il résume ainsi dans les *Principes*, I, 14 : « de cela seul qu'elle [la pensée] aperçoit que l'existence nécessaire et éternelle est comprise dans l'idée qu'elle a d'un être tout parfait, elle doit conclure que cet être tout parfait est ou existe ».

126

1. Les bouleversements subis par ce fragment entre le premier jet et la rédaction définitive sont considérables; l'ordre même des feuillets a été modifié. Sur le détail des remaniements successifs apportés par Pascal à ce fragment, voir Michel Le Guern, « Pascal au travail. La composition du fragment sur le Divertissement », *Revue de l'Université d'Ottawa*, 1966, pp. 209-231.

2. Pascal ne conseille pas de fuir le divertissement; il constate sa nécessité.

3. « En » représente « un roi », qui se trouvait dans la première version. La correction est restée incomplète; il faudrait lire : « qu'on s'imagine un roi accompagné de toutes les satisfactions ».

4. L'édition de Port-Royal a considérablement transformé ce paragraphe en supprimant tout ce qui y concernait directement la royauté : « Qu'on choisisse telle condition qu'on voudra, et qu'on y assemble tous les biens et toutes les satisfactions qui semblent pouvoir contenter un homme. Si celui qu'on aura mis en cet état est sans occupation, et sans divertissement, et qu'on le laisse faire réflexion sur ce qu'il est, cette félicité languissante ne le soutiendra pas. Il tombera par nécessité dans des vues affligeantes de l'avenir : et si on ne l'occupe hors de lui, le voilà nécessairement malheureux. » Les éditeurs ont écarté toute mention de la condition royale.

5. Signe de renvoi à la page suivante du manuscrit.

6. Le rapprochement habituel que l'on fait avec Montaigne (*Essais*, III, 8, pp. 191-192 : « L'agitation et la chasse est proprement de notre gibier ») n'est guère justifié : la chasse et le gibier de Montaigne ne sont que métaphoriques.

7. De tous les fragments de quelque étendue, celui-ci est sans doute le plus original. On ne connaît pas de devancier à Pascal dans sa conception du divertissement, et on voit mal où il aurait pu prendre l'idée de ce long développement. On pourrait peut-être se risquer à y trouver quelques échos de saint Augustin. Philippe Sellier (*Pascal et saint Augustin*, Paris, Colin, 1970, pp. 164-165), établit un rapprochement intéressant avec un passage des *Confessions* (X, 35, n. 57) : « Que de bagatelles infimes et méprisables tentent chaque jour notre curiosité, et que de fois nous tombons!... Que de fois, quand on nous raconte des futilités, nous les écoutons d'abord avec une sorte de patience, pour ne pas choquer les faibles, et insensiblement nous finissons par nous y intéresser volontiers. Un chien à la poursuite d'un lièvre, je ne vois plus ce spectacle quand je vais au cirque; mais à la campagne, si je viens à passer, il détourne mon attention, peut-être même de quelque haute pensée, pour la tourner vers lui, vers cette chasse, qui impose une fausse direction non pas au corps de ma monture, mais au penchant de mon cœur... Eh quoi! je suis assis chez moi, et un lézard qui cherche à prendre des mouches, une araignée qui les entortille dans ses toiles dès

qu'elles s'y jettent, suffisent souvent à capter mon attention... Ma vie est remplie de semblables misères, et je n'ai qu'une espérance : l'extrême grandeur de ta miséricorde. En effet, comme notre cœur se fait le réceptacle de choses de ce genre et porte un épais foisonnement de futilités, de là vient que même nos prières sont souvent interrompues et troublées et qu'en ta présence, tandis que nous dirigeons vers tes oreilles la voix de notre cœur, des pensées frivoles, faisant irruption de je ne sais où, coupent court à une si grande élévation. »

Nous verrions plutôt dans le fragment de Pascal l'aboutissement de réflexions inspirées par un autre texte de saint Augustin, le *Sermon 70, De verbis Domini,* 9, 2, n. 2 : « Comme il voyait, par les yeux intérieurs de sa foi, quel avantage c'est que d'entrer dans la vie future; d'éviter les supplices éternels, qui sont préparés aux impies, et de jouir à jamais, dans une parfaite sécurité, de la félicité des justes; il trouvait que d'acheter un tel avantage, au prix de tous les maux qu'on peut souffrir en cette vie, et de la perte de tous les biens temporels, c'était encore l'acheter bien peu. Cela devrait-il nous paraître étrange, [...] quand nous voyons qu'un soldat prend en gré tout ce qu'il y a de plus affreux dans les travaux de la guerre, par la seule vue du repos languissant dont il espère de jouir sur la fin de ses jours, lorsqu'il aura obtenu son congé ; et dont la durée se trouve souvent sans comparaison plus courte que celle des fatigues par où on y parvient? Quand nous voyons à combien d'orages et de tempêtes s'exposent les marchands, et ce qu'ils essuient des vents et de la mer pour acquérir des richesses qui ne vont qu'à contenter la vanité; et dont la possession est souvent plus orageuse que l'acquisition? Quand nous voyons ce que les chasseurs ont à souffrir du froid et du chaud, de la faim et de la soif; et à quels périls les exposent les chutes de chevaux, les fossés, les précipices, les fleuves qu'il faut traverser, les bêtes mêmes qu'ils poursuivent, de quoi ils se trouvent souvent réduits à se nourrir dans les lieux où la chasse les mène; et tout cela pour prendre une bête qui n'est, la plupart du temps, de nul usage pour la table, et dont la prise, quand la bête serait bonne à manger, est plutôt un plaisir pour l'imagination que les chairs n'en sont un pour le goût? » On trouve une allusion très nette à ce texte dans le fragment 494 des *Pensées* « Saint Augustin a vu qu'on travaille pour l'incertain sur mer, en bataille, etc., mais il n'a pas vu la règle des partis qui démontre qu'on le doit. » Le fragment 126 fait aussi mention des voyages sur mer et de la guerre, mais il développe surtout le thème de la chasse en des termes qui imposent le rapprochement avec le sermon de saint Augustin.

8. Cette remarque a été écartée du développement quand Pascal l'a remanié, mais elle n'a pas été rayée. Cf. Montaigne, *Essais,* I, 42, p. 379 : ‹ Quand le roi Pyrrhus entreprenait de passer en Italie, Cynéas, son sage conseiller, lui voulant faire sentir la vanité de son ambition : " Eh bien! Sire, lui demanda-t-il, à quelle fin dressez-vous cette grande entreprise? ‹ Pour

me faire maître de l'Italie, répondit-il soudain. — Et puis, suivit Cynéas, cela fait? — Je passerai, dit l'autre, en Gaule et en Espagne. — Et après? — Je m'en irai subjuguer l'Afrique ; et enfin, quand j'aurai mis le monde en ma sujétion, je me reposerai et vivrai content et à mon aise. — Pour Dieu, Sire, rechargea lors Cynéas, dites-moi à quoi il tient que vous ne soyez dès à présent, si vous voulez, en cet état? pourquoi ne vous logez-vous, dès cette heure, où vous dites aspirer, et vous épargnez tant de travail et de hasard que vous jetez entre deux? " »

9. Ce passage est nettement augustinien : « notre première nature », c'est la nature de l'homme avant le péché originel. En écrivant que « le bonheur n'est en effet que dans le repos », Pascal se souvient peut-être de Jansénius, *Augustinus*, P.N., I, 2 : « la nature cependant désire être en repos et par cela elle désire être davantage en repos et être plus heureuse. » Quand, un peu plus loin, Pascal reprend le même thème en l'inversant, il se souvient vraisemblablement de Charron, *La Sagesse*, I, 54 : le peuple « n'aime la guerre pour sa fin, ni la paix pour le repos, sinon en tant que de l'un à l'autre il y a toujours du changement : la confusion lui fait désirer l'ordre, et quand il y est, lui déplaît ».

10. Cf. Montaigne, *Essais*, II, 12, p. 303 : « de son autorité privée à cette heure le chagrin prédomine en moi, à cette heure l'allégresse. »

11. Cf. fr. 72 et fr. 534.

12. Ces deux paragraphes ont été écartés de la suite du développement par l'établissement d'un nouveau système de renvoi de page à page, mais Pascal ne les a pas rayés. Cf. fr. 652. L'image vient de Montaigne (*Essais*, II, 12, p. 256) : « C'est pitié que nous nous pipons de nos propres singeries et inventions... comme les enfants qui s'effraient de ce même visage qu'ils ont barbouillé et noirci à leur compagnon. »

13. Cf. fr. 468 : « Cet homme si affligé de la mort de sa femme et de son fils unique, qui a cette grande querelle qui le tourmente... » Ici, c'est sans doute une réminiscence de Montaigne, *Essais*, II, 1, p. 20 : « Nous ne verrions pas un même homme donner dans la brèche d'une brave assurance, et se tourmenter après, comme une femme, de la perte d'un procès ou d'un fils. »

128

1. Cf. Montaigne, *Essais*, I, 14, p. 110 : « Et je trouve par expérience que c'est plutôt l'impatience de l'imagination de la mort qui nous rend impatients de la douleur, et que nous la sentons doublement griève de ce qu'elle nous menace de mourir » et I, 18, p. 136 : « Et tant de gens qui de l'impatience des pointures de la peur se sont pendus, noyés et précipités, nous ont bien appris qu'elle est encore plus importune et insupportable que la mort. »

129

1 Cf Montaigne, *Essais* I, 39, p 349 « Nos affaires ne nous donnaient pas assez de peine, prenons encore à nous tourmenter et rompre la tête de ceux de nos voisins et amis. »

2. Cf Charron, *La Sagesse*, I, 15 « C'est un fond d'obscurité, plein de creux et de cachots, un labyrinthe, un abîme confus et bien entortillé que cet esprit humain. »

130

1. Cf. Épictète, *Propos*, II, 12 « Et néanmoins si la guide trouve quelqu'un par les champs fourvoyé, elle le radresse et le met au chemin qu'il faut, et ne passe pas outre en se moquant de lui ou l'injuriant. Et vous aussi, montrez-lui la vérité, et vous verrez comme il la suivra. »

2. Jean, XIV, 6 : « Je suis le chemin, et la vérité et la vie : nul ne vient au Père sinon par moi. »

3. Il s'agit de Zénon de Cittium, fondateur de l'école stoïcienne. Pascal se souvient peut-être d'un texte de Cicéron (*De natura deorum*, III, 31), cité par Montaigne (*Essais*, I, 25, p. 215) : « *acerbos ex Zenonis schola exire* » (« ce sont des sauvages qui sortent de l'école de Zénon »).

131

1. Cf. Épictète, *Propos*, II, 7 : « Il faut recommencer par indifférence, sans désir et sans fuite, ainsi que le voyageur demande au premier qu'il rencontre, où va l'un ou l'autre de ces chemins-là, n'ayant pas désir de prendre la main droite plutôt que la gauche, parce qu'il ne veut aller ni à l'une ni à l'autre, mais à celle qui le mène là où il veut aller. Il faudrait aller à Dieu de cette sorte, comme à un guide de chemins. »

132

1. L'édition de Port-Royal (XXIX, 50) précise : « Les Platoniciens, et même Épictète et ses sectateurs ».

133

1. Cf. Épictète, *Propos*, I, 26 : « Mais quant aux actions de la vie, il y a plusieurs choses qui nous distrayent et tirent ailleurs. »

2. Cf. Épictète, *Propos*, II, 16 · « Que si vous voulez autre chose que lui, pleurant et criant, vous suivrez celui qui sera le plus fort, cherchant toujours votre contentement et félicité en dehors, et jamais ne pouvant être heureux ni content, d'autant que vous la cherchez où elle n'est pas, et laissez de la chercher où elle est. » Pascal se souvient aussi, semble-t-il, de Montaigne, *Essais*, I, 39, p. 348 : « Ains il la faut ramener et retirer en soi : c'est la vraie solitude, et qui se peut jouir au milieu des villes et des cours des rois; mais elle se jouit plus commodément à part. Or, puisque nous entreprenons de

vivre seuls et de nous passer de compagnie, faisons que notre contentement dépende de nous; déprenons-nous de toutes les liaisons qui nous attachent à autrui, gagnons sur nous de pouvoir à bon escient vivre seuls et y vivre à notre aise. » Cf. fr. 386.

134

1. Cf. Montaigne, *Essais*, II, 2, p. 24 : « Les vices sont tous pareils en ce qu'ils sont tous vices, et de cette façon l'entendent à l'aventure les Stoïciens. »

135

1. Pascal étend à l'examen de la philosophie le thème augustinien des trois concupiscences : la *libido sentiendi*, c'est-à-dire la recherche du plaisir, a fait les épicuriens et les pyrrhoniens; la *libido sciendi*, c'est-à-dire la curiosité, explique les académiciens, les aristotéliciens et peut-être aussi Descartes; la *libido dominandi*, c'est-à-dire l'orgueil, a fait les stoïciens.

136

1. Cf. Épictète, *Propos*, IV, 7 : « Que si par une espèce de manie, aucun peut être ainsi disposé, à l'endroit de ces choses, et par une coutume comme les Galiléens, personne ne pourra-t-il apprendre par raison, et démonstration, que Dieu a fait tout ce qui est au monde »; par « Galiléens », Épictète désigne les chrétiens, comme le signale une note marginale de la traduction de Goulu.

137

1. « Qu'il te suffise de toi-même et des biens qui prennent naissance de toi » (Sénèque, *Lettres à Lucilius*, XX, 8, cité par Jansénius, *De haeresi pelagiana*, V, 1).

2. Dans ce fragment, Pascal se souvient de Jansénius qui, dans le *De statu purae naturae* (II, 1-9), traite de la recherche du souverain bien : « Les stoïciens ont dit que leur sage, satisfait de sa seule vertu, était très heureux même dans le taureau de Phalaris... On cherche à jouir par le secours de la mort! » Jansénius utilise ici un texte de saint Augustin auquel il semble bien que Pascal se soit reporté (*Lettre* 155-52, I, 3) : « Qu'est-elle donc devenue cette vie heureuse du sage lorsque se trouvant aveugle, sourd et accablé de douleurs, il se donne la mort à lui-même? Car si avec tous ces maux le sage est encore heureux, il résulte donc du raisonnement de tous ces grands hommes qu'il y a telle vie heureuse que le sage ne saurait porter, ou ce qui est encore plus absurde, qu'il y a telle vie heureuse que le sage ne doit pas porter, et qu'il doit trancher et s'arracher à lui-même par le fer ou par le poison, ou par quelque autre sorte de mort qui lui fasse gagner le por[t] de l'insensibilité en le faisant

absolument cesser d'être, selon l'opinion insensée des épicuriens et de quelques autres, ou en le faisant passer dans un état où son bonheur sera de s'être délivré d'une vie heureuse comme du plus grand de tous les malheurs. » La dernière phrase de Pascal semble calquée sur le texte latin : « *ab illa beata vita, tamquam ab aliqua peste liberatus* ».

138

1. Le thème du souverain bien est un sujet si souvent traité dans les livres que lisait Pascal qu'on ne peut pas dire précisément où il a pris l'idée de ce développement. Il n'est pas facile de démêler ce qui vient de saint Augustin, de Jansénius, de Montaigne, de Charron ou de Descartes (dans le premier volume de la *Correspondance*).

2. Cf. saint Augustin, *Des mœurs de l'Église catholique*, III, début : « Il est certain que nous désirons tous d'être heureux; il n'y a point d'homme qui ne demeure d'accord de cette proposition, avant même qu'on la lui ait faite. »

3. Cf. Charron, *La Sagesse*, I, 39 : « Il est hors de notre puissance de choisir ce qu'il nous faut : quoi que nous ayons désiré, et qu'il nous advienne, il ne nous satisfait point, et allons béant après les choses inconnues et à venir, d'autant que les présentes ne nous soûlent point, et estimons plus les absentes. »

4. Cf. saint Augustin, *De la véritable religion*, XXXVII : « Ils viennent ensuite jusqu'à adorer les animaux et les corps mêmes... Il y en a d'autres qui adorent outre la lune, les corps des autres planètes, et tout le ciel avec ses étoiles. D'autres adorent l'air, et cette substance plus pure qui est au-dessus de l'air, et soumettent ainsi leurs âmes à ces deux éléments plus élevés que les autres. »

5. Cf. Montaigne, *Essais*, II, 12, p. 238 : « J'eusse encore plutôt suivi ceux qui adoraient le serpent, le chien et le bœuf. »

6. Grotius (*De veritate religionis christianae*, IV, 8) mentionne la fièvre parmi les objets de l'adoration des païens, tout comme Montaigne (*Essais*, II, 12, p. 239) : « il faut que cela soit parti d'une merveilleuse ivresse de l'entendement humain... d'avoir attribué la divinité non seulement à la foi, à la vertu, à l'honneur, concorde, liberté, victoire, piété; mais aussi à la volupté, fraude, mort, envie, vieillesse, misère, à la peur, à la fièvre et à la male fortune, et autres injures de notre vie frêle et caduque ».

7. On reconnaît ici le thème augustinien des trois concupiscences, qui revient si souvent dans les *Pensées*. Cf. saint Augustin, *De la véritable religion*, XXXVIII · « Ils sont esclaves de trois passions, de la volupté, de l'orgueil et de la curiosité. Car je soutiens qu'il n'y a en a pas un de ceux qui croient qu'on ne doit rien adorer, qui ne soit esclave des plaisirs de la chair, ou qui ne soit ravi d'avoir du pouvoir et de l'autorité, ou qui ne soit dans une folle passion de se repaître les yeux ou l'esprit d'objets vains et inutiles... Ils souffrent que leurs vices les dominent, étant emportés, ou par

les débauches, ou par l'orgueil, ou par la curiosité, ou par les trois ensemble. »

8. Cf. saint Augustin, *Des mœurs de l'Église catholique*, XXVI : « Selon cela vous devez agir envers votre prochain, comme vous agissez envers vous-mêmes, savoir en le portant aussi à aimer Dieu d'un amour parfait, puisque ce n'est pas l'aimer comme vous-mêmes si vous ne le portez à tendre au même bien auquel vous-mêmes tendez, n'y ayant que ce seul bien qui ne diminue point par la multitude de ceux qui tâchent avec nous de l'acquérir. »

9. Cf. saint Augustin, *Des mœurs de l'Église catholique*, III, fin : « L'autre qualité qu'il doit avoir est qu'il soit tel qu'on ne puisse le perdre contre son gré, n'étant pas possible que nous nous assurions sur un bien que nous savons nous pouvoir être ravi, quoique nous ayons passion de le conserver. Que si l'on n'est pas assuré du bien dont on jouit, comment peut-on être heureux, puisque l'on est troublé par la crainte si juste et si violente de le perdre? »

139

1. L'ordre dans lequel il convient de présenter les diverses parties de ce fragment n'est pas évident. On peut arriver à déterminer avec une probabilité satisfaisante l'ordre chronologique de leur composition : Pascal a commencé par le développement qui s'intitulait d'abord « Prosopopée », puis il a noté la série de remarques : « Adam, Jésus-Christ... » ; les réflexions qui ont pour titre « Incroyable que Dieu s'unisse à nous » ont été rédigées à ce moment-là, avant les deux paragraphes qui servent de conclusion au fragment ; c'est en tout dernier lieu que Pascal a composé le texte qui porte l'indication : « Commencement. Après avoir expliqué l'incompréhensibilité. » Les éditeurs (Brunschvicg, Tourneur, Lafuma) ont pris l'habitude de placer en tête ce texte, mais ils ne suivent en cela que la première partie de l'indication donnée par Pascal. « Après avoir expliqué l'incompréhensibilité », cela signifie sans doute après le paragraphe « Incroyable que Dieu s'unisse à nous ». L'ordre traditionnel se heurte à une autre difficulté : comme l'a fait remarquer Pol Ernst (*La Trajectoire pascalienne de l'Apologie, Archives des lettres modernes*, 84, 1967, pp. 16-23), la série de notes elliptiques qui va de « Adam, Jésus-Christ », à « Tant de contradictions se trouveraient-elles dans un sujet simple » sert de brouillon préparatoire à la prosopopée de la sagesse divine ; il ne serait donc pas logique de la placer dans l'édition après la prosopopée. En fait, ces notes ne sont utilisées que dans la partie de la prosopopée qui se termine par : « Voyez s'il ne faut pas que la cause en soit une autre nature. »

Nous avons choisi de présenter tous ces textes dans un ordre tenant compte à la fois du cheminement de la pensée de Pascal et de la structure logique qui s'est imposée progressivement à son esprit ; après une première version de la prosopopée et les notes préparatoires, nous avons cherché à reconstituer d'après les indications de Pascal lui-même la rédaction à laquelle il s'est arrêté.

2. On traduit habituellement l'abréviation « A P.R. » par « A Port-Royal ». Pol Ernst a proposé d'autres interprétations : « Apologie à Port-Royal », « Apologie Pour la Religion », « Apologie : Prosopopée de la Religion » (*La Trajectoire pascalienne de l'Apologie*, pp. 8-11). On s'accorde à voir dans ce fragment des notes préparatoires à la conférence où Pascal présentait son projet d'Apologie. Cette conférence, que rapportent Filleau de La Chaise dans le *Discours sur les Pensées* et Étienne Périer dans la Préface à la première édition des *Pensées*, a été prononcée à Port-Royal, en octobre ou novembre 1658 d'après Louis Lafuma, en mai ou juin de la même année d'après Jean Mesnard.

3. L'idée — et le ton — de cette prosopopée qui fait parler la Sagesse de Dieu vient sans doute des *Proverbes* (I, 22-33 et VIII, 4-36).

4. Cf. *Entretien avec M. de Saci :* « Ainsi ces deux états, qu'il fallait connaître ensemble pour voir toute la vérité, étant connus séparément, conduisent nécessairement à l'un de ces deux vices, d'orgueil, et de paresse, où sont infailliblement tous les hommes avant la grâce. »

5. Cf. Épictète, *Propos*, I, 9 (traduction Goulu, p. 51) : « C'est être homme, vraiment parent des Dieux. » Saint-Cyran (*Lettres chrétiennes et spirituelles*, I, L) écrit que les stoïciens « ne tendaient qu'à s'égaler à Dieu par leur orgueil comme les anges ».

6. Cf. fr. 377. « Nature », c'est l'état de pure nature, dans lequel se trouvait Adam avant le péché originel ; « pénitence » semble désigner ici l'état de la nature déchue après le péché originel ; quant à la « grâce », elle caractérise le troisième état de l'humanité, rachetée par Jésus-Christ. Pour les augustiniens, et surtout pour les jansénistes, ce troisième état est supérieur à l'état de pure nature par son caractère surnaturel qui nous unit à Dieu. Ces quelques notes de Pascal montrent qu'il envisage l'histoire de l'humanité dans la même perspective que Jansénius.

7. Pol Ernst comprend « cette double capacité » comme une capacité de connaître et d'aimer Dieu. On pourrait y voir, avec autant de vraisemblance, la possibilité pour l'homme de se trouver soit dans l'état de nature déchue, soit dans l'état de grâce.

8. Cf. *Entretien avec M. de Saci* « Il me semble que la source des erreurs de ces deux sectes est de n'avoir pas su que l'état de l'homme à présent diffère de celui de sa création. »

9. Cf. fr. 215 et fr. 397 · « S'il y a un Dieu, il est infiniment incompréhensible. » Le mot vient probablement de la *Théologie familière* de Saint-Cyran (leçon I, § 8) : « Comment faut-il donc concevoir Dieu ? Il faut concevoir que c'est un esprit incompréhensible. »

10. Il arrive que la surface limitée par une courbe et son asymptote soit

limitée, alors que, par définition, la courbe et l'asymptote ne se rejoignent qu'à l'infini.

11. Cf. Épictète, *Propos*, I, 9 : « C'est être homme, vraiment parent des Dieux » ; et I, 12 : « il fallait quand vous demeurez seul, appeler cela tranquillité, liberté, et vous estimer en cet état semblable à Dieu... La grandeur de la raison ne se juge pas à la longueur et hauteur, mais par bonnes opinions. Ne voulez-vous donc pas constituer là votre bien, en quoi vous êtes égal aux Dieux ? »

12. On reconnaît ici une seconde rédaction du deuxième paragraphe du fragment. L'addition au sujet des Mahométans vient peut-être de Montaigne (*Essais*, II, 12, p. 240) : « Mahomet promet aux siens un paradis tapissé, paré d'or et de pierreries, peuplé de garces d'excellente beauté, de vins et de vivres singuliers » ; mais Pascal aurait pu tout aussi bien trouver ce renseignement chez Charron ou Grotius.

13. Cf. Saint-Cyran, *Théologie familière*, leçon II : « 8. Quels biens a-t-il communiqués aux hommes ? Ils sont de deux sortes : les uns dans eux-mêmes, et les autres au-dehors. 9. Quels biens leur a-t-il donnés hors d'eux-mêmes ? Le ciel et la terre, et toutes les choses qu'ils contiennent, lesquelles il a faites pour l'entretien et le service de l'homme. 10. Quels biens leur a-t-il donnés dans eux-mêmes ? Premièrement, leur vie et leur nature, avec toutes les parties dont elle est ornée, tant dans l'âme que dans le corps. Secondement, une grâce et une innocence merveilleuse qu'il leur a données dès le premier moment de leur création, par laquelle comme ils étaient parfaitement soumis à Dieu, ainsi toutes choses leur étaient parfaitement soumises, tant dans eux-mêmes qu'au-dehors. »

14. Cf. Saint-Cyran, *Théologie familière*, leçon III : « 4. Quel dessein avait l'homme en commettant ce péché ? Il voulait s'élever par-dessus sa condition, et ne reconnaître plus la soumission qu'il devait à Dieu, mais vivre indépendant comme lui. 5. Quel effet ce péché a-t-il produit ? Il a fait tout le contraire de ce qu'il prétendait : il l'a rabaissé au-dessous de toutes les créatures ; il les a soulevées contre lui, il l'a rendu esclave de ses passions et du diable, et sujet à la mort éternelle du corps et de l'âme. 6. L'homme a donc perdu sa royauté ? Oui, car tous ses sujets se sont bandés contre lui, et l'ont abandonné, parce qu'il avait abandonné Dieu. Il n'est pas seulement demeuré maître de lui-même : tous ses sens et tous ses mouvements, tant du corps que de l'âme, se sont révoltés contre la raison. »

15. Cf. fr. 90.

16. Cf. saint Augustin, *De la véritable religion*, XXIV : « Il faut reconnaître néanmoins qu'en suivant l'autorité on ne laisse pas de suivre en quelque sorte la raison, lorsque l'on considère à qui il faut croire. Et il faut avouer aussi qu'il n'y a point d'autorité plus souveraine que celle qu'a la vérité sur les esprits, lorsqu'elle est connue, et qu'elle est claire. »

17. C'est là un des thèmes essentiels — peut-être même le thème le plus

important   de l'apologétique de Pascal, qui donne par cette présentation dialectique une vigueur nouvelle et une dimension tragique à une idée qu'il avait pu trouver dans saint Augustin (*De la véritable religion*, XVII) . « Car ce qui est obscur dans l'Écriture se règle et s'explique par ce qui est clair. Et s'il n'y avait rien qui ne fût aisé à comprendre, on n'aurait pas tant d'ardeur à chercher la vérité, ni tant de plaisir à la trouver. Que s'il n'y avait point de signes et de figures dans les Livres saints et dans ces figures des marques et des traces de vérité, nous ne pourrions pas régler nos actions par les connaissances que nous en tirons. » Pascal se souvient peut-être aussi d'un autre passage de saint Augustin (*Des mœurs de l'Église catholique*, VII) : « Il faut donc que selon l'ordre établi par l'ineffable Sagesse, l'autorité, qui est comme environnée d'un nuage sombre, se présente à ceux qui veulent rentrer dans l'obscurité de leur erreur, et qu'elle les flatte par des attraits aussi agréables que sont ces figures et ces ombres merveilleuses, dont la splendeur de la vérité est tempérée dans les Écritures. » Antoine Arnaud avait traduit *Des mœurs de l'Église catholique* en 1644 et *De la véritable religion* en 1647.

Sur ce thème, que Pascal développe encore dans les fragments 217, 398, 414, 507, etc., voir Henri Gouhier, *Blaise Pascal. commentaires*. Paris, Vrin. ¹966, pp. 192-200.

¹40

1. Cf. r. 150.

2. Cf. *Ecclésiaste*, III, 18-20 : « J'ai dit en mon cœur des enfants des hommes, que Dieu les éprouverait, et leur montrerait qu'ils sont semblables aux bêtes. Pour cette cause une même mort est de l'homme, et des bêtes, et la condition de l'un et de l'autre est égale. Ainsi comme l'homme meurt, ainsi pareillement icelles meurent. Toutes choses prennent leur haleine d'une même sorte, et n'a l'homme rien plus que la bête. Toutes choses sont sujettes à vanité : et toutes s'en vont en un lieu. Elles sont faites de la terre : et semblablement retournent en la terre. »

3. Cf. saint Augustin, *Des mœurs de l'Église catholique*, X : « Si donc vous avez quelque modération, si vous vous aimez vous-mêmes, informez-vous avec piété et avec soin de quelle sorte on doit entendre les façons de parler de l'Écriture. Vous êtes bien malheureux, si vous refusez de vous en éclaircir. »

143

1. Pascal donne une définition très claire de ce qu'il entend par « parti » dans le *Traité du triangle arithmétique* (*Œuvres complètes*, éd. Mesnard, t. II, p. 1308) : « Pour entendre les règles des partis, la première chose qu'il faut considérer est que l'argent que les joueurs ont mis au jeu ne leur appartient plus, car ils en ont quitté la propriété : mais ils ont reçu en revanche le droit

d'attendre ce que le hasard leur en peut donner, suivant les conditions dont ils sont convenus d'abord. Mais, comme c'est une loi volontaire, ils la peuvent rompre de gré à gré; et ainsi, en quelque terme que le jeu se trouve, ils peuvent le quitter; et, au contraire de ce qu'ils ont fait en y entrant, renoncer à l'attente du hasard, et rentrer chacun en la propriété de quelque chose. Et en ce cas, le règlement de ce qui doit leur appartenir doit être tellement proportionné à ce qu'ils avaient droit d'espérer de la fortune que chacun d'eux trouve entièrement égal de prendre ce qu'on lui assigne ou de continuer l'aventure du jeu; et cette juste distribution s'appelle le parti. »

144

1. Voir la note précédente.
2. En ramenant à deux les cinq suppositions qu'il avait énumérées dans la première version, Pascal a écrit : « Faux » sur les paragraphes qu'il supprimait.

146

1. Dans *Les Trois Vérités* (I, 3, p. 5 de l'édition de 1635), Pierre Charron écrit, à propos de ceux qui nient l'existence de Dieu : « Cette espèce d'athéisme, première, insigne, formée et universelle, ne peut loger qu'en une âme extrêmement forte et hardie. » Mais la remarque de Pascal peut tout aussi bien avoir été suscitée par un autre passage de Charron (*La Sagesse*, II, 5) où, comparant l'athéisme à la superstition, il écrit qu'il « est d'exploit beaucoup plus difficile et laborieux, qui a moins de montre, et est des esprits forts et généreux ».

147

1. Dans sa démarche apologétique, Pascal remplace les preuves métaphysiques de l'existence de Dieu par un raisonnement fondé sur le calcul des probabilités; on trouve le développement le plus complet de ce raisonnement dans le fragment 397.

150

1. Cf. Épictète, *Propos*, II, 20. « Il faut que ceux qui contredisent se servent par nécessité de raisons saines et évidentes. »

152

1 Cf. Robert Arnauld d'Andilly, *Œuvres chrétiennes*, 1644, Stance LXXXIX

DE L'ERREUR DE CEUX
QUI NE SE PRÉPARENT PAS A LA MORT

Quand un criminel sait que son roi veut qu'il meure,
Et que dans cet orage il ne voit aucun port

> *Combien le plaindrais-tu, si l'oubli de son sort*
> *Le rendait insensible à cette dernière heure?*
> *Mais nous, plus malheureux, ne l'imitons-nous pas?*
> *Puisqu'étant en naissant condamnés au trépas.*
> *Nous vivons sans penser à la fin de la vie?*
> *Elle se passe toute en cet aveuglement;*
> *Et lorsque tout d'un coup elle nous est ravie,*
> *Quel doit être, ô pécheur, ce terrible moment!*

153

1. Cf. la réponse de Pascal au P. Noël, du 29 octobre 1647 (*Œuvres complètes*, éd. Mesnard, t. II, p. 524) : « C'est ainsi que, quand on discourt humainement du mouvement ou de la stabilité de la terre, tous les phénomènes des mouvements et rétrogradations des planètes s'ensuivent parfaitement des hypothèses de Ptolémée, de Tycho, de Copernic et de beaucoup d'autres qu'on peut faire, de toutes lesquelles une seule peut être véritable. »

154

1. La metaphore se trouvait déjà dans Montaigne (*Essais*, I, 19, p. 140) : mourir est « jouer le dernier acte de sa comédie, et sans doute le plus difficile » ; et dans Charron (*La Sagesse*, I, 36) : « La vie présente n'est qu'une entrée et issue de comédie. »

156

1. Louis Lafuma propose de voir dans ce fragment l'énoncé complet du titre de la liasse. Toute cette liasse est très nettement inspirée de saint Augustin. Le titre lui-même résume la première moitié du chapitre XXIV du traité *De la véritable religion* . « Nous voyons aussi que la guérison de l'âme, qui est un effet de la Providence de Dieu et de sa bonté ineffable, paraît infiniment belle dans l'ordre de ses degrés, et dans la distinction de ses parties. Car elle se divise en deux branches, en l'autorité et en la raison. L'autorité demande de la docilité et de la foi, et elle prépare et conduit l'homme à la raison, et la raison le fait passer à la connaissance claire, que l'on appelle intelligence. Il faut reconnaître néanmoins qu'en suivant l'autorité, on ne laisse pas de suivre en quelque sorte la raison, lorsque l'on considère à qui il faut croire. Et il faut avouer aussi qu'il n'y a point d'autorité plus souveraine que celle qu'a la vérité sur les esprits, lorsqu'elle est connue, et qu'elle est claire. » La seconde moitié de ce chapitre était déjà paraphrasée par Pascal dans la lettre du 1er avril 1648 à Gilberte.

157

1. Philippe Sellier (*Pascal et la liturgie*, p. 36) voit dans ce fragment un

souvenir de l'hymne *Adoro te* en l'honneur du Saint-Sacrement   « *Credo quidquid dixit Dei filius* » (« Je crois tout ce qu'a dit le fils de Dieu »).

158

1 Cf. saint Augustin, *La Cité de Dieu*, XXII, 7   « L'intelligence humaine ne pourrait admettre la résurrection de la chair du Christ et son ascension au ciel, comme une chose qui ne peut pas arriver, et, en l'écartant des oreilles, la rejetterait du cœur, si la divinité de sa vérité ou la vérité de sa divinité et les signes probants des miracles n'en démontraient la possibilité et la réalité. »

159

1. Ce fragment montre bien le caractère composite et dialectique de la pensée de Pascal.

160

1. « Ils reçurent la parole avec la plus grande avidité, cherchant dans les Écritures s'il en était ainsi » (*Actes des Apôtres*, XVII, 11). Il s'agit des Juifs de Bérée qui, écoutant la prédication de saint Paul, examinent la Bible pour vérifier si le Messie qu'il proclame est celui qui était annoncé.

161

1. Cf. *Sagesse*, VIII, 1 : la Sagesse de Dieu « atteint donc en la terre d'un bout jusques à l'autre, et dispose toutes choses doucement ».

2. Pascal s'oppose ainsi à saint Augustin, qui écrivait dans la *Lettre 93-48* à Vincent : « Si l'on usait de la terreur sans pratiquer l'enseignement, cela se présenterait comme une tyrannie. Mais d'un autre côté, si l'on enseignait sans recourir à la terreur, [les donatistes] endurcis par l'ancienneté de leurs routines mettraient trop de paresse à emprunter la route du salut. » Pascal cite en latin le début de ce texte dans le fragment 504. L'idée de ce fragment semble avoir été donnée à Pascal par un texte de Grotius (*De veritate religionis christianae*, VI, 2) contre les Mahométans, qui prétendent inspirer la religion par les menaces et par la force ; « ce qui est le comble de l'irréligion, car celui qui croit par contrainte ne croit pas, faisant semblant de croire... Il n'y a point de vrai culte de Dieu, s'il n'a son fondement dans le cœur et dans la volonté ».

163

1. Havet a vu que ce fragment avait été inspiré à Pascal par la lecture d'une lettre de saint Augustin à Consentius (*Lettre 120-222*, 3) : « Que la foi doive précéder la raison, cela même est un principe raisonnable. Car, si ce précepte n'est pas raisonnable, il est donc déraisonnable ; ce qu'à Dieu ne plaise ! Si donc il est raisonnable que, pour arriver à des hauteurs que nous

ne pouvons encore atteindre, la foi précède la raison, il est évident que cette raison telle quelle qui nous persuade cela, précède elle-même la foi. » La même idée est développée dans la *Logique de Port-Royal* (IV, 12), où il est aussi fait référence à saint Augustin.

165

1. Ici, Pascal se sépare de saint Augustin qui utilisait l'argument du consentement universel. Il se souvient peut-être de la *Traduction d'un excellent discours de saint Athanase contre ceux qui jugent de la vérité par la seule autorité de la multitude,* publiée en 1651 par Le Roy de Hautefontaine. Cf. fr. 166 et 457.

166

1. Les travaux scientifiques de Pascal lui ont montré le manque de valeur de l'argument du consentement universel, argument habituel de la tradition apologétique.

167

. Pascal renvoie ainsi au fragment 269.

168

1. Cf. Charron, *La Sagesse,* II, 5. « Plutarque déplore l'infirmité humaine, qui ne sait jamais tenir mesure, et demeurer ferme sur ses pieds; car elle penche ou dégénère ou en superstition et vanité, ou en mépris et nonchalance des choses divines. »

169

1. Cf. saint Augustin, *De la véritable religion,* XXV « Mais l'on peut remarquer sur ce point ce que nous avons appris de l'Histoire et de la Tradition, que nos ancêtres ne se sont rendus, comme ils ne pouvaient aussi se rendre qu'à des miracles visibles, et étant montés par ce degré des choses temporelles aux éternelles, leur créance a fait que les miracles qui les ont portés à croire, n'ont plus été nécessaires à ceux qui sont venus après eux Car après que l'Église catholique a été répandue et établie par toute la terre, Dieu n'a pas voulu faire durer ces miracles jusques à notre temps, de peur que l'esprit ne cherchât toujours des choses visibles, et que les hommes ne se refroidissent voyant ces merveilles devenues communes et ordinaires, au lieu qu'ils les avaient reçues avec chaleur lorsqu'elles étaient extraordinaires et nouvelles. » Grotius (*De veritate religionis christianae,* I, 18) répond aussi à l'objection faite contre les miracles qu'on n'en voit plus de nos jours Dieu ne fait des miracles que « dans des occasions importantes, et où les voies naturelles auraient été trop faibles, et sans effet. Lorsque le véritable culte de la Divinité, ignoré de tous les hommes, était renfermé dans un petit coin de

la terre, ou lorsque la religion chrétienne a dû, conformément aux desseins de Dieu, se répandre par tout l'univers, rien n'était plus à propos que de l'affermir puissamment par des coups d'éclat, qui arrêtassent les débordements de l'impiété et de l'idolâtrie ».

170

1. Cf. Charron, *La Sagesse,* II, 5 : « Pour savoir quelle est la vraie piété, il faut premièrement la séparer de la fausse, feinte et contrefaite, afin de n'équivoquer comme la plupart du monde fait. Il n'y a rien qui fasse plus belle mine, et prenne plus de peine à ressembler la vraie piété et religion, mais qui lui soit plus contraire et ennemie que la superstition. »

2. En vue de l'édition de 1678, qui n'a d'ailleurs pas retenu ce fragment, Nicole a complété sur la Première Copie : « c'est faire ce qu'ils nous reprochent que d'exiger cette soumission dans les choses qui ne sont pas matière à soumission ».

3. Nicole complète ainsi : « sur ce qu'on n'y voit pas Jésus-Christ ; car on ne le doit point voir, quoiqu'il y soit ».

4. Nicole complète : « de croire que des propositions sont dans un livre, quoiqu'on ne les y voie pas, parce qu'on les y doit voir, si elles y sont ». Il convient de rapprocher ce fragment de la seizième *Provinciale,* où il est question de l'Eucharistie, et de la dix-septième, où il est reproché aux Jésuites de vouloir faire passer pour hérétiques ceux qui ne reconnaissent pas que les cinq propositions sont dans Jansénius.

171

1. Cf. fr. 163 et note.

173

1. « Voyez si je mens » (*Job,* VI, 26).

174

1. Philippe Sellier (*Pascal et la liturgie,* p. 36) rapproche ce fragment de plusieurs strophes de l'hymne *Pange lingua* (vêpres du Saint-Sacrement) et du *Lauda Sion* (messe et procession du Saint-Sacrement). On peut fort bien y voir un souvenir de ces deux vers du *Pange lingua* « *Praestet fides supplementum Sensuum defectui* » (« Que la foi nous éclaire mieux que nos sens déficients »), que l'on chantait à chaque bénédiction du Saint-Sacrement.

175

1. Ce fragment est ainsi complété sur la Première Copie, sans doute par Nicole : « leur faites accroire que cette créance les engage à se persuader que des propositions soient dans un livre, j'entreprends de l'en détromper ». Ce

fragment pourrait avoir été prélevé par Pascal, au moment de la constitution des liasses, parmi des notes préparatoires a la dix-septième *Provinciale* « Et comme vous abusez une infinité de personnes en leur faisant accroire que les points sur lesquels vous essayez d'exciter un si grand orage sont essentiels à la foi, je trouve d'une extrême importance de détruire ces fausses impressions, et d'expliquer ici nettement en quoi ils consistent, pour montrer qu'en effet il n'y a point d'hérétiques dans l'Église » (éd Cognet, p 333).

177

1 Cf. Charron, *Les Trois Vérités*, II, 12 : « Avisons à nous-mêmes, qui nous touchons de si près, combien de choses y sentons-nous dont jamais n'en pouvons trouver le ressort ni la raison?... Comment donc pourrons-nous venir à bout des divines, surnaturelles, infinies? »

178

1. Cf. *Romains*, I, 21 : « Pour ce qu'ayant connu Dieu ils ne l'ont point glorifié comme Dieu, et ne lui ont rendu grâces; ains ils sont devenus vains en leurs discours; et leur cœur destitué d'intelligence a été rempli de ténèbres. » Saint Augustin cite et commente ce verset dans le *Sermon* 141 *De verbis domini*, 55, 2.

2. Pascal cite de mémoire la *Première Épître aux Corinthiens*, I, 21, voici le texte de la Vulgate : « *Nam quia in Dei sapientia non cognovit mundus per sapientiam Deum, placuit Deo per stultitiam praedicationis salvos facere credentes* » (traduction de la Bible de Louvain : « Car puisqu'en la sapience de Dieu le monde n'a point connu Dieu par sapience, il a plu à Dieu par la folie de la prédication sauver les croyants »).

179

1. C'est sans doute pour cela que Pascal trouve « Descartes inutile et incertain » (fr. 702).

2. « Ce qu'ils ont trouvé par leur curiosité, ils l'ont perdu par leur orgueil » (saint Augustin, *Sermon* 141 *De verbis domini*, 55, 2).

180

1. C'est-à-dire qu'ils ont voulu se rendre en quelque sorte semblables à Dieu par leur orgueil, alors que ce n'est que par l'humilité que l'on arrive à une véritable connaissance de Dieu.

2. « Meilleur on est, pire on devient, si on s'attribue à soi-même ce par quoi on est bon » (saint Bernard, *In cantica sermones*, LXXXIV).

181

1. Cf. Saint-Cyran, *Lettres chrétiennes et spirituelles*, t. I, lettre I, p. 15 :

« Ne pas se connaître soi-même, c'est orgueil ; et après s'être connu dans ses misères, ne connaître pas Dieu dans sa bonté infinie, c'est désespoir. »

2. Cf. fr. 198 et 333.

182

1. Cf. Charron, *La Sagesse,* II, 4 : « les actions d'un sage homme tendent toujours à quelque fin certaine... Mais la plupart n'en délibère point ni n'en consulte, l'on se laisse mener comme buffles, ou emporter au temps, compagnie, occasion, et ne saurait dire pourquoi il est plutôt de cette vacation que d'une autre, sinon que son père en était ».

2. Cf. Charron, *La Sagesse,* II, 5 : « la religion n'est pas de notre choix et élection, l'homme sans son su est fait Juif ou Chrétien, à cause qu'il est né dedans la Juiverie ou Chrétienté, que s'il fût né ailleurs, dedans la Gentilité ou le Mahumétisme, il eût été de même Gentil ou Mahumétan ».

3. Cf. fr. 541.

4. Cf. Montaigne, *Essais,* I, 23, p. 184 : « C'est par l'entremise de la coutume que chacun est content du lieu où Nature l'a planté, et les sauvages d'Écosse n'ont que faire de la Touraine, ni les Scythes, de la Thessalie. »

183

1. Cf. Montaigne, *Essais,* I, 26, p. 219 : « un peu de chaque chose, et rien du tout, à la Française ».

2. Cf. Montaigne, *Essais,* II, 12, p. 340 : « comme, à ouïr mâcher près de nous, ou ouïr parler quelqu'un qui ait le passage du gosier ou du nez empêché, plusieurs s'en émeuvent jusques à la colère et la haine ».

3. Cf. fr. 42 et 392. C'est sans doute lors du classement en liasses que Pascal a rayé ces textes, qu'il avait écrits au verso du premier paragraphe.

184

1. On interprète habituellement ce sigle : chapitre de l'homme, art. 5.

2. Pascal a rayé ces trois mots, sans doute par inadvertance.

185

1. Ce fragment, le plus étendu et un des plus travaillés des *Pensées,* a suscité tant de commentaires qu'il ne saurait être question de les mentionner tous ici. Le problème des sources, en particulier, a été abordé par de nombreux travaux, parmi lesquels on retiendra surtout : Ernest Jovy, *Études pascaliennes,* Paris, Vrin, t. VII, « La sphère infinie de Pascal », 1930, et t. VIII, « Les antécédents de l'infiniment petit dans Pascal », 1932 ; René Jasinski, « Sur les deux infinis de Pascal », *Revue d'histoire de la philosophie,* 1933, pp. 134-159 (Pascal et Gassendi) ; Gilbert Chinard, *En lisant Pascal,* Paris, Giard et Genève, Droz, 1948, pp. 35-57 (la source de Pascal serait Hobbes) ; Philippe Sellier, *Pascal et saint Augustin,* Paris, Colin, 1970,

pp. 31-33 (l'idée du fragment a pu naître d'une méditation sur le traité *De la véritable religion* de saint Augustin); Michel Le Guern, *Pascal et Descartes*, Paris, Nizet, 1971, pp. 65-72 (les éléments cartésiens du fragment). Ce que l'on peut affirmer avec certitude, c'est que la première partie de ce fragment, celle qui porte sur les deux infinis, n'est pas le rappel de vérités admises par tous depuis longtemps : c'est sans doute la plus belle expression littéraire de la découverte essentielle de la « nouvelle science » : le monde est infini. Tout comme l'infini de grandeur, l'infini de petitesse est une découverte récente, due pour une bonne part à l'invention du microscope. Mais cela n'empêche pas Pascal de nourrir son exposé de toute sa culture. Le texte du premier jet du fragment a été établi et publié par Yôichi Maeda (« Le premier jet du fragment pascalien sur les deux infinis », *Études de langue et littérature françaises*, Tokyo, Hakusuisha, n° 4, 1964, pp. 1-19). Il est intéressant de comparer le fragment 185 à la fin de l'opuscule *De l'esprit géométrique* où Pascal développait déjà ce thème, dans un contexte tout imprégné de réminiscences cartésiennes : « Mais ceux qui verront clairement ces vérités pourront admirer la grandeur et la puissance de la nature dans cette double infinité qui nous environne de toutes parts, et apprendre par cette considération merveilleuse à se connaître eux-mêmes, en se regardant placés entre une infinité et un néant d'étendue, entre une infinité et un néant de nombre, entre une infinité et un néant de mouvement, entre une infinité et un néant de temps. Sur quoi on peut apprendre à s'estimer son juste prix, et former des réflexions qui valent mieux que tout le reste de la géométrie. »

2. Cf. Montaigne, *Essais*, I, 26, p. 234 : « Mais qui se présente, comme dans un tableau, cette grande image de notre mère nature en son entière majesté; qui lit en son visage une si générale et constante variété; qui se remarque là-dedans, et non soi, mais tout un royaume, comme un trait d'une pointe très délicate : celui-là seul estime les choses selon leur juste grandeur. » Charron suit ce passage de très près dans *La Sagesse*, II, 2.

3. Cf. Charron, *Les Trois Vérités*, I, 5 : « Certes ce monde n'est qu'un point (devant Dieu) en un champ vaste, et au milieu d'une circonférence infinie. »

4. Cf. Hobbes, *Elementorum philosophiae, sectio prima, de corpore*, Londres, 1655, XXVII, 1 : « Il appartient à l'auteur de la nature de faire que le grand cercle dont le rayon s'étend de la terre au soleil soit comme un point à l'égard de la distance du soleil aux étoiles fixes... »

5. Cf. Montaigne, *Essais*, II, 12, p. 152 : « Qui lui a persuadé [à l'homme] que ce branle admirable de la voûte céleste, la lumière éternelle de ces flambeaux roulant si fièrement sur sa tête, les mouvements épouvantables de cette mer infinie, soient établis et se continuent tant de siècles pour sa commodité et pour son service? » Les réminiscences de ce texte, très sensibles dans le premier jet de Pascal, ont été éliminées pour la plupart lors des corrections. Pascal semble se souvenir aussi de Charron (*Les Trois*

Vérites I, 6) « Or que l'on contemple le bâtiment et structure de cette voûte céleste, où sont logés tant de flambeaux éclairants, et sans cesse roulant sur nos têtes. »

6 Cf Descartes, *Principes*, II, 21 : « Nous savons aussi que ce monde, ou la matière étendue qui compose l'univers, n'a point de bornes, pour ce que, quelque part où nous en veuillons feindre, nous pouvons encore imaginer au-delà des espaces indéfiniment étendus, que nous n'imaginons pas seulement, mais que nous concevons être tels en effet que nous les imaginons. » Dans l'article précédent des *Principes*, Descartes affirme que la matière est divisible à l'infini ; c'est l'idée que Pascal reprend un peu plus loin en parlant de l'infini de petitesse.

7 On rapproche habituellement cette phrase de Pascal d'un passage de la préface de Mlle de Gournay aux *Essais* de Montaigne : « Trismégiste à côté de ce propos, appelant la Déité, cercle dont le centre est partout, et la circonférence nulle part. » On pense aussi à un texte du P. Marin Mersenne, que Pascal avait fréquenté dans sa jeunesse : « C'est pourquoi, chrétien, si tu veux être juste et parfait dans tes actions, tourne-toi vers le centre, vois la volonté immuable de la Divinité, vois toutes les sciences comme des moyens et des intermédiaires qui te conduisent à la connaissance de Dieu, et te fassent aisément parvenir à l'éternité circulaire, dans laquelle le centre est partout, la circonférence nulle part » (*Quaestiones celeberrimae in Genesim*, Paris, Cramoisy, 1623, col. 57). Il convient toutefois de remarquer que Pascal applique cette métaphore non à Dieu, mais au monde ; il se serait donc peut-être souvenu de ce passage de Montaigne (*Essais*, II, 12, p. 311) : « En la plus fameuse des Grecques écoles, le monde est tenu un Dieu fait par un autre Dieu plus grand, et est composé d'un corps et d'une âme qui loge en son centre, s'épandant par nombres de musique à sa circonférence » ; Charron a transcrit ce passage presque mot pour mot dans *La Sagesse* (II, 2). Quoi qu'il en soit, il y a longtemps que la philosophie et la spiritualité se servent de cette image pour évoquer soit l'immensité de l'univers, soit la Divinité ; elle est assez fréquente au début du XVIIe siècle. Voir E. Jovy, *Études pascaliennes*, t. VII, « La sphère infinie de Pascal », Paris, Vrin, 1930 ; Maurice de Gandillac, « Sur la sphère infinie de Pascal », *Revue d'histoire de la philosophie*, janvier-mars 1943, pp. 32-44 ; Georges Poulet, *Les Métamorphoses du cercle*, Paris, Plon, 1961 (le troisième chapitre est consacré à Pascal).

8. Cf. Saint-Cyran, *Lettres chrétiennes et spirituelles*, t. II, lettre I, pp. 87-88 · « Si toute la terre n'est qu'un point à l'égard du ciel qui l'environne, que sera-t-elle à l'égard du ciel supérieur, qui environne le matériel et visible, et tous les cieux inférieurs, et qui est incomparablement plus noble et plus excellent que les autres? Et s'il n'y a rien de plus petit qu'un point, quelle petitesse doit être celle de toutes les choses que la terre contient en sa surface et dans son sein? »

9. Cf. Montaigne, *Essais*, II, 12, p. 248 : « Tu ne vois que l'ordre et la police de ce petit caveau où tu es logé. »

10. Pour Ernest Jovy, ce passage a pu être inspiré à Pascal par ce que Hobbes, Fontana et Pierre Borel ont écrit sur leurs observations au microscope. On peut cependant remarquer que le texte de Pascal est très proche de ce qu'écrivait Mersenne dans ses *Quaestiones celeberrimae in Genesim*, col. 127 : « Qu'y a-t-il, je vous prie, de plus digne d'admiration que de voir un moucheron, dans lequel il est certain qu'il y a un foie, un cœur, un cerveau, avec des veines, des artères et des nerfs » ; et col. 128 : « Qu'un athée se lève, et qu'il me dise, s'il le peut, combien il faut compter de jointures dans les pieds d'une fourmi, combien de nerfs dans chaque jambe, quelle doit être la grandeur de l'œil, combien ils doivent avoir de membranes et de quelle couleur, combien d'humeurs, et quelle doit être la longueur des nerfs optiques. »

11. Cf. Descartes, *Méditations,* IV, éd. Bridoux, p. 302 : « Je suis comme un milieu entre Dieu et le néant, c'est-à-dire placé de telle sorte entre le souverain être et le non-être, qu'il ne se rencontre, de vrai, rien en moi qui me puisse conduire dans l'erreur, en tant qu'un souverain être m'a produit ; mais que, si je me considère comme participant en quelque façon du néant ou du non-être, c'est-à-dire en tant que je ne suis pas moi-même le souverain être, je me trouve exposé à une infinité de manquements, de façon que je ne me dois pas étonner si je me trompe. »

12. Il faut peut-être voir là une allusion aux *Principes de la philosophie* de Descartes.

13. Cf. Montaigne, *Essais,* II, 12, p. 204 : « De même impudence est cette promesse du livre de Démocrite : " Je m'en vais parler de toutes choses ". »

14. Il s'agit évidemment du livre de Descartes.

15. Pascal semble faire allusion au titre d'une des neuf cents thèses proposées par Pic de La Mirandole : « *Per numeros habetur via ad omnis scibilis investigationem et intellectionem* » (« la voie des nombres peut conduire à la découverte et à l'intelligence de tout ce qui tombe sous la connaissance »).

16. Cf. Charron, *Discours chrétiens,* Discours premier, « De la connaissance de Dieu », p. 4 : « Ainsi le peu et le beaucoup tombent en même inconvénient : l'esprit humain n'est capable que des choses médiocres : les extrémités l'étonnent et le troublent, la vérité de ceci est aisée à voir par exemples : les choses trop peu présentes et trop éloignées de notre vue ne peuvent être vues, il faut de la proportion ; il n'y a rien de plus aisé à voir que le soleil, tout clair, pur, net, exposé aux yeux ; et n'y a rien qui se voie plus mal à l'aise à cause de sa trop grande, forte, vive et éclatante clarté, qui étonne la vue, et qui s'y voudrait fort opiniâtrer en recevrait du dommage ; la trop grande clarté empêche de voir comme les ténèbres. »

17. Cela n'est d'ailleurs vrai que si zéro est pris absolument comme synonyme de néant ; si c'est le zéro algébrique, le résultat sera — 4.

18. Cf. Montaigne, *Essais*, III, 10, p. 281 : « La volupté même est douloureuse en sa profondeur » et Charron, *La Sagesse*, I, 39 : « les biens, les voluptés et plaisirs ne se peuvent laisser jouir sans mélange de mal et d'incommodité... L'extrême volupté a un air de gémissement et de plainte étant venue à sa perfection ».

19. « Les bienfaits sont agréables tant qu'ils paraissent pouvoir être payés de retour. S'ils dépassent de beaucoup ce pouvoir, au lieu de reconnaissance nous les payons de haine » (Tacite, *Annales*, IV, XVIII, texte cité par Montaigne, *Essais*, III, 8, p. 206).

20. Cf. Montaigne, *Essais*, I, 54, p. 432 : « L'extrême froideur et l'extrême chaleur cuisent et rôtissent. »

21. Cf. fr. 19, n. 1.

22. Cf. Montaigne, *Essais*, II, 12, pp. 243-244 : « tournoyant et flottant dans cette mer vaste, trouble et ondoyante des opinions humaines, sans bride et sans but ».

23. Cf. Montaigne, *Essais*, II, 12, p. 348 : « Et si, de fortune, vous fichez votre pensée à vouloir prendre son être, ce sera ni plus ni moins que qui voudrait empoigner l'eau : car tant plus il serrera et pressera ce qui de sa nature coule partout, tant plus il perdra ce qu'il voulait tenir et empoigner. »

24. Cf. Montaigne, *Essais*, III, 13, p. 411 : « ils outrepassent le présent et ce qu'ils possèdent, pour servir à l'espérance et pour des ombrages et vaines images que la fantaisie leur met au-devant,... lesquelles hâtent et allongent leur fuite à même qu'on les suit ».

25. Cf. Montaigne, *Essais*, II, 12, p. 298 : « Si nos facultés intellectuelles et sensibles sont sans fondement et sans pied, si elles ne font que flotter et venter, pour néant laissons-nous emporter notre jugement à aucune partie de leur opération, quelque apparence qu'elle semble nous présenter ; et la plus sûre assiette de notre entendement, et la plus heureuse, ce serait celle-là où il se maintiendrait rassis, droit, inflexible, sans branle et sans agitation. »

26. Pascal renchérit ici sur Charron (*La Sagesse*, I, 19) : « les sens, pour ne pas comprendre tout ce qui est de la raison, sont souvent déçus par l'apparence ».

27. Ce thème, que l'on retrouve au début du fragment 397, prend son origine dans la conclusion que Pascal avait donnée à son traité *Sommation des puissances numériques* : « On n'augmente pas une grandeur continue lorsqu'on lui ajoute, en tel nombre que l'on voudra, des grandeurs d'un ordre d'infinitude inférieur. »

28. Cf. Raymond de Sebonde, *Théologie naturelle*, II : « Il a rapport aux corps insensibles ; il en est nourri, il loge chez eux, il vit par leur moyen, et

ne peut s'en passer un seul moment; il a une grande alliance, convenance et amitié avec les autres créatures. »

29. Il s'agit ici d'une critique de la métaphore, signe de l'infirmité de l'esprit humain. Elle rappelle nettement ce que Pascal écrivait dans le *Récit de la grande expérience de l'équilibre des liqueurs*, en 1648 : « la nature n'a aucune répugnance pour le vide, [...] tous les effets qu'on a attribués à cette horreur procèdent de la pesanteur et pression de l'air; [...] manque de la connaître, on avait inventé exprès cette horreur imaginaire du vide pour en rendre raison. Ce n'est pas en cette seule rencontre que, quand la faiblesse des hommes n'a pu trouver les véritables causes, leur subtilité en a substitué d'imaginaires, qu'ils ont exprimées par des noms spécieux qui remplissent les oreilles et non pas l'esprit : c'est ainsi que l'on dit que la sympathie et antipathie des corps naturels sont les causes efficientes et univoques de plusieurs effets, comme si des corps inanimés étaient capables de sympathie et antipathie » (éd. Mesnard, t. II, p. 688).

30. Cf. Charron, *La Sagesse*, I, 3 : « L'homme, comme un animal prodigieux, est fait de pièces toutes contraires et ennemies. L'âme est comme un petit dieu, le corps comme une bête, un fumier. »

31. « La manière dont les esprits sont unis aux corps est tout à fait étonnante, et ne peut pas être comprise par l'homme et c'est cela qui est l'homme même » (saint Augustin, *La Cité de Dieu*, XXI, x, cité par Montaigne, *Essais*, II, 12, p. 268)

186

1. Cf. fr. 104.

2. Cf. Descartes, *Principes*, I, 53 : « Que chaque substance a un attribut principal, et que celui de l'âme est la pensée, comme l'extension est celui du corps. »

187

1. Voir Paul Valéry, « Variation sur une Pensée de Pascal », *Revue hebdomadaire*, 14 juillet 1923, pp. 33-42, et Maurice de Gandillac, « Pascal et le silence du monde », *Blaise Pascal, l'homme et l'œuvre*, Paris, éd. de Minuit, 1956, pp. 342-365. La question, tant débattue, de savoir si c'est Pascal qui confesse son propre effroi ou s'il met cette réflexion dans la bouche du libertin ne peut pas être tranchée. Signalons enfin le commentaire que Claudel donne de ce court fragment dans « Réflexions et propositions sur le vers français » (*Œuvres en prose*, Paris, Gallimard, 1965, p. 36 « Dissyllabe net et ouvert sur un blanc faisant équilibre à lui seul à cette grande phrase légère et spacieuse composée de quatre anapestes. Remarquez en soutien le choc sourd des deux nasales *en* et *in*. Aussi cette espèce de déhiscence sidérale entre *espaces* et *infinis*. »

190

1. Les adeptes des autres religions, et sans doute plus particulièrement les mahométans.
2. Les chrétiens.
3. Isaïe, XLIII, 9 : « Toutes les gens sont assemblées ensemble, et les lignées se sont recueillies. Lequel d'entre vous annoncera cette chose, et lequel vous fera ouïr les choses qui sont premières? Qu'ils donnent leurs témoins.. » Isaïe, XLIV, 8 : « Ne veuillez craindre, et ne soyez troublés. Dès ce temps-là je t'ai fait ouïr, et l'ai annoncé, vous êtes mes témoins... »

191

1. Adam.
2. Jésus-Christ.

192

1. « Ils ont vu la chose, ils n'ont pas vu la cause. » Saint Augustin avait écrit, au singulier : « *Rem vidit, causam nescivit* » (*Contra Jul.*, IV, 12, n. 60); il visait ainsi Cicéron qui, dans le livre III du *De republica*, avait analysé la misère de l'homme, mais sans pouvoir donner les causes exactes de l'état présent, puisqu'il n'était pas instruit de l'Écriture.

193

1. Cf. Grotius, *De veritate religionis christianae*, III, 2 : « Les écrits qui sont reçus unanimement par tous les chrétiens, et attribués aux auteurs dont ils portent le nom, sont effectivement de ces auteurs. La raison en est que les Docteurs des premiers siècles, comme Justin, Irénée, Clément, et ceux qui les ont suivis, ont cité ces écrits sous les mêmes noms d'auteurs qu'ils portent aujourd'hui. »
2. Cf. Charron, *Les Trois Vérités*, II, 4 : « L'empereur Julien, Porphyre, Hiéroclès platoniciens, Celse épicurien, philosophes ennemis jurés du christianisme, ont avoué les miracles de Jésus-Christ. » Pascal combine ce souvenir de Charron avec une réminiscence de Grotius, III, 2 : « Julien même avoue que les écrits qui sont attribues à saint Pierre, à saint Paul, à saint Matthieu, à saint Marc et à saint Luc ont été écrits par ces auteurs. » Il semble bien que l'on ne trouve rien de tel chez Celse ou Porphyre, mais Pascal lie la question de l'authenticité des textes du Nouveau Testament à celle de l'historicité des miracles de Jésus.

194

1. Cf. Jean-François Senault, *L'Homme chrétien*, III, 10, p. 311 : « Mais il faut que le chrétien dans cet avantage se défende de deux malheurs qui le menacent ; le premier est l'orgueil... ; le second est la paresse... »
2. Cf. *Entretien avec M. de Saci* : « L'un remarquant quelque traces de sa

première grandeur, et ignorant sa corruption, a traité la nature comme saine, et sans besoin de réparateur, ce qui le mène au comble de la superbe ; au lieu que l'autre éprouvant la misère présente, et ignorant la première dignité, traite la nature comme nécessairement infirme et irréparable, ce qui le précipite dans le désespoir d'arriver à un véritable bien, et de là dans une extrême lâcheté. Ainsi ces deux états, qu'il fallait connaître ensemble pour voir toute la vérité, étant connus séparément, conduisent nécessairement à l'un de ces deux vices, d'orgueil, et de paresse, où sont infailliblement tous les hommes avant la grâce. »

195

1. Les éléments de cette comparaison sont empruntés au sixième livre du *De veritate religionis christianae* de Grotius.

2. Cf. Grotius, *De veritate*, VI, 5 : « Mahomet même avoue que Jésus-Christ est le Messie qui avait été promis dans la Loi et dans les Prophètes. »

3. Cf. *De veritate*, VI, 5 : « Mahomet donne pour preuve de sa mission, non le pouvoir de faire des miracles, mais l'heureux succès de ses armes. » Pascal avait d'abord écrit : « Mahomet par armes. »

4. Cf. *De veritate*, VI, 2 : « Cette religion a en général deux caractères, l'un d'inspirer la cruauté, et de porter ses sectateurs à répandre du sang ; l'autre, d'exiger une soumission aveugle, de défendre l'examen de ses dogmes, et d'interdire au peuple, par une suite naturelle de ce principe, la lecture des livres qu'elle leur fait recevoir comme sacrés. »

196

1. Cf. fr. 97 et surtout fr. 109.

197

1. Expression empruntée à la *Genèse*, VIII, 21 : « *Figmentum enim humani cordis malum est* » (car le fond du cœur de l'homme est mauvais).

199

1. « Plus digne de coups que de baisers, je ne crains pas parce que j'aime » (saint Bernard, *In cantica sermones*, LXXXIV, 6).

203

1. Il faut comprendre : « aux figures des Apocalyptiques ». Les éditeurs de 1670 définissent ce terme par « ceux qui fondent des prophéties sur l'*Apocalypse*, qu'ils expliquent à leur fantaisie ».

204

1. Cf. Grotius, *De veritate religionis christianae*, VI, 11 : « Si nous voulions user de récrimination, rapporter ici tout ce qu'il y a de faux, de

ridicule et de contraire à la foi des histoires dans les écrits des Mahométans, nous aurions une ample matière de leur insulter et de les couvrir de confusion... Ils disent... que dans la vie à venir, ce que l'on mangera se dissipera par les sueurs : qu'à chaque homme seront assignées des troupes de femmes pour assouvir sa passion. »

205

1. Cf. Charron, *La Sagesse,* II, 5 : « De tant de diverses religions et manières de servir Dieu, qui sont ou peuvent être au monde, celles semblent être plus nobles et avoir plus d'apparence de vérité, lesquelles sans grande opération externe et corporelle, retirent l'âme au-dedans, et l'élèvent par pure contemplation, à admirer et adorer la grandeur et majesté immense de la première cause de toutes choses, et l'être des êtres... En l'autre bout et extrémité sont ceux qui veulent avoir une Déité visible et perceptible par les sens, lequel erreur vilain et grossier a trompé presque tout le monde, et Israël au désert se faisant un veau... La Chrétienté comme au milieu a bien le tout tempéré, le sensible et externe avec l'insensible et interne, servant Dieu d'esprit et de corps, et s'accommodant aux grands et aux petits, dont est mieux établie et plus durable. »

207

1. *Genèse,* XII, 3.

2. *Genèse,* XXII, 18.

3. Isaïe, XLIX, 6 : « C'est peu de chose, que tu me sois serviteur, pour susciter les lignées de Jacob, et pour convertir ceux qui sont délaissés d'Israël. Voici, je t'ai donné pour lumière aux Gentils, afin que tu sois mon salut jusques au bout de la terre. »

4. « Lumière pour éclairer toutes les nations » (Luc, II, 32).

5. « Il n'a point fait ainsi à toute nation » (*Psaume* CXLVII, 20).

6. Philippe Sellier (*Pascal et la liturgie,* pp. 42-43 et 76-77) date ce fragment des environs de Pâques 1658, après avoir montré que l'idée de l'opposition entre le salut apporté par Moïse à un seul peuple et la rédemption offerte à tous par Jésus-Christ avait été donnée à Pascal par l'oraison qui suivait la troisième lecture de l'office du samedi saint : « Ô Dieu, qui nous faites voir encore aujourd'hui l'éclat des merveilles dont les siècles passés ont été les témoins, en opérant, pour le salut des nations, par l'eau de la régénération, ce que vous avez fait pour délivrer *un seul peuple* de la persécution des Égyptiens, faites que *tous les peuples du monde* deviennent les enfants d'Abraham, et qu'ils entrent dans la participation de la grandeur et des avantages du peuple d'Israël. »

208

1. Pascal renvoie ainsi à la liasse XXI, « Perpétuité », où il explique ce qu'il entend par « juifs charnels » dans les fragments 269, 270 et 272.

210

1. Cf. Grotius, *De veritate religionis christianae*, IV, 9 : « S'il est vrai, par exemple, que Vespasien ait rendu la vue à un aveugle, je ne doute pas que Dieu n'ait eu en vue de lui frayer un chemin à l'empire en lui attirant la vénération des Romains. » Le P. Boucher (*Les Triomphes de la religion chrétienne*, I, 11) fait aussi mention de « l'empereur Vespasien qui par l'application de sa salive guérit un aveugle, et par l'attouchement de son pied redressa la cuisse d'un boiteux ». Montaigne avait déjà parlé de ces miracles dans les *Essais* (III, 8, p. 210), en rapportant ses impressions d'une lecture de Tacite.

212

1. Cf. Grotius, *De veritate religionis christianae*, II, 7 : « Mais que celui qui a produit la vie la puisse aussi reproduire, cela n'est ni impossible ni contradictoire. » Il ne s'agit, dans ce passage de Grotius, que de répondre aux objections contre la possibilité de la résurrection du Christ, mais l'idée d'en rapprocher « l'enfantement d'une Vierge » a pu être donnée à Pascal par le texte de saint Justin que Grotius cite en note au même endroit · « Il est impossible, non absolument, mais à la nature, de produire sans semence des êtres animés. Si ceux qui disent que la résurrection est impossible l'entendent dans le premier sens, il n'est rien de plus faux... »

213

1. Cf. Isaïe, XLV, 15 : « Vraiment tu es le Dieu caché. »
2. Cf. Isaïe, VIII, 14 : « Et il vous sera en sanctification : mais il sera comme pierre d'achoppement, et comme pierre de scandale aux deux maisons d'Israël. »
3. Isaïe, VI, 10 : « Aveugle le cœur de ce peuple ici, et étoupe ses oreilles, ferme ses yeux, afin qu'il ne voie de ses yeux, qu'il n'oye de ses oreilles, et qu'il n'entende de son cœur, et qu'il ne se convertisse, et que je ne le guérisse. »

215

1. Cf. fr. 139 et 397. L'idée était déjà exprimée par Charron dans *Les Trois Vérités* et les *Discours chrétiens*, ainsi que par Grotius, *De veritate religionis christianae*, I, 2 : « L'objection qu'on tire de l'incompréhensibilité de l'Être suprême n'a pas plus de force que la précédente pour prouver qu'il n'y a point de Dieu. On sait qu'il est de la nature des choses inférieures de ne pouvoir bien comprendre celles qui sont d'un ordre plus élevé et plus éminent. » On sait que cette notion des ordres est familière à Pascal (voir la Lettre à la reine de Suède et le fragment 290).

219

1. Cette idée est au centre de la pensée de Pascal, puisqu'elle fonde la dialectique de la lumière et de l'obscurité dans l'apologie. Elle vient, entre autres sources, de Grotius (*De veritate religionis christianae*, II, 19) · « Dieu eût pu fonder notre foi sur le témoignage des sens de chaque fidèle, et même sur des démonstrations : mais il voulait commander aussi bien que persuader, et donner à la foi un caractère d'obéissance et de soumission Il suffisait donc qu'il se révélât d'une manière capable de convaincre les esprits dociles. Il voulait que l'Évangile fût une pierre de touche qui distinguât les âmes ployables et flexibles d'avec celles qui sont d'une opiniâtreté incurable Nos preuves ont persuadé un très grand nombre de personnes sages et vertueuses ; il est donc évident que l'incrédulité des autres ne vient pas de l'insuffisance de ces preuves, mais de la répugnance qu'ils ont contre des vérités et des lois qui choquent leurs passions, et qu'ils ne peuvent admettre sans s'engager à compter pour rien la gloire, les honneurs, et les biens de cette vie. »

220

1. Souvenir du *Magnificat :* « Il a rempli de biens les affamés, et renvoye les riches vides. »

221

1. Saint Augustin (*La Cité de Dieu*, XI, 22), cité par Montaigne dans l'« Apologie de Raymond Sebond » (*Essais*, II, 12, p. 287) : « *Ipsa veritatis occultatio, aut humilitatis exercitatio est, aut elationis attritio* » (« Cela même que la vérité nous soit cachée, c'est pour exercer l'humilité, ou pour mater la superbe »). Nous citons le texte et la traduction d'après l'édition de 1652 des *Essais*.

2. Le chapitre xxxviii de la *Genèse* raconte comment Thamar donna a Juda deux fils, Pharès et Zara. Le *Livre de Ruth* se termine par la généalogie de David à partir de Pharès. Ces textes établissent donc que David descend de Juda et concernent directement la généalogie de Jésus.

3. Les généalogies de Jésus en Matthieu, I, et Luc, III, ne concordent pas

4. Cf. Grotius, *De veritate religionis christianae*, III, 14 « Je dirai même qu'à le bien prendre, ces diversités sont à quelque égard avantageuses à nos Auteurs, et qu'elles sont très propres à dissiper le soupçon qu'il y eût de la collusion entre eux, et qu'ils eussent conspiré à nous en faire accroire, puisque ceux qui forment de pareils desseins ont coutume de concerter si bien leurs récits qu'ils n'y laissent pas même les moindres apparences de diversité. »

222

1 Isaïe, viii, 14.

2. Henri Gouhier (*Blaise Pascal, commentaires,* p. 197, n. 41) propose l'explication suivante : « Il faut sans doute entendre · notre argument pour convaincre est dans l'explication que nous donnons de sa conduite, dans l'ambiguïté voulue qui empêche sa conduite d'être soit immédiatement convaincante, soit immédiatement non convaincante. »

226

1. Cf. *Épître aux Philippiens,* II, 8 : « Il s'est abaissé soi-même, et a été obéissant jusques à la mort, voire la mort de la croix. »
2. Pascal se souvient de la Préface du Temps pascal « *qui mortem nostram moriendo destruxit* » (« lui qui a détruit notre mort en mourant ») Philippe Sellier date ce fragment de la fin d'avril 1658.

227

1. « Vraiment tu es le Dieu caché » (Isaïe, XLV, 15).
2. Cf. Grotius, *De veritate religionis christianae,* VI, 6 : « Mahomet donne pour preuves de sa mission, non le pouvoir de faire des miracles, mais l'heureux succès de ses armes. Quelques-uns néanmoins de ses disciples ont prétendu qu'il en avait fait. » Ce que réfute Grotius.
3. Cf. *Deutéronome,* XXXI, 11 : « Quand tout Israël sera venu pour apparaître devant la face du Seigneur ton Dieu, au lieu que le Seigneur aura élu, tu liras les paroles de cette loi devant tout Israël, eux oyants. » Ce verset fait partie des dernières recommandations de Moïse avant sa mort
4. Cf. Charron, *Les Trois Vérités,* II, 5 : « Grande certes et très excellente marque de la Chrétienté qu'il y a eu une religion capitale expresse au monde pour lui servir de préambule et préparatifs. »

230

1. Cf. *Exode,* II, 11-14 : « Et advint qu'en ce temps-là Moïse, étant devenu grand, issit à ses frères, et vit leur affliction, et aussi un homme égyptien frappant un homme hébreu d'entre ses frères. Et regardant çà et là, voyant qu'il n'y avait personne, tua l'Égyptien, et le cacha dedans le sablon Derechef issit le second jour et vit deux personnages hébreux qui noisaient donc il dit à celui qui avait le tort : " Pourquoi frappes-tu ton prochain ? " Lequel répondit : " Qui t'a constitué pour être prince et juge sur nous ? Me penses-tu tuer comme tu tuas hier l'Égyptien ? " » Philippe Sellier (*Pascal et saint Augustin,* pp. 478-479) a montré que l'interprétation figurative de ce passage avait été suggérée à Pascal par saint Augustin, *Contra Faustum* XXII, 70 : « Le fait que Moïse ait frappé l'Égyptien, sans pourtant que Dieu le lui ait ordonné, a été permis par Dieu, les personnages étant des figures. pour signifier par avance quelque chose de futur... »

231

1. A propos des prêtres et des sacrifices établis par la loi de Moïse, saint Paul écrit dans l'*Épître aux Hébreux,* VIII, 5 : « Lesquels servent au patron et à l'ombre des choses célestes, comme il fut répondu à Moïse, quand il devait achever le Tabernacle : Or vois, dit-il, que tu fasses toutes choses selon le patron qui t'a été montré en la montagne. »

232

1. Cf. Jérémie, XIII, 1-12 : « Le Seigneur me dit telles choses : Va, et prends pour toi une ceinture de lin, et la mettras sur tes reins, et ne la bouteras point en l'eau. Et pris une ceinture selon la parole du Seigneur, et la mis autour de mes reins. Et la parole du Seigneur me fut faite pour la seconde fois, disant : Prends la ceinture que tu as eue, qui est autour de tes reins, et te lève : et t'en va vers l'Euphrate, et la cache illec au pertuis d'une pierre... »

2. Cf. Ézéchiel, V, 1-4 : « Aussi toi fils de l'homme, prends un glaive aigu, qui rase les poils, et le prendras et le feras passer sur ton chef, et parmi ta barbe : puis prendras une balance à peser, et les diviseras. Tu en brûleras la troisième partie au feu, au milieu de la cité selon l'accomplissement des jours du siège : et en prendras la troisième partie, et les couperas d'un couteau à l'environ d'icelle : et l'autre troisième partie tu l'épandras au vent, et je dégainerai l'épée après eux... »

233

1. Jean, IV, 23 : « Mais l'heure vient, et est maintenant, que les vrais adorateurs adoreront le Père en esprit et vérité. »

2. « Voici l'agneau de Dieu qui enlève les péchés du monde » ; ce sont les paroles, empruntées à Jean, I, 29, que prononce le prêtre avant la communion, en présentant l'hostie aux fidèles.

234

1. Cf. saint Augustin, *De Genesi contra Manichaeos,* I, 17 : « Tous ceux qui comprennent spirituellement les Écritures ont appris à comprendre par ces noms... des puissances spirituelles, de même que pour casques, écu, épée, et beaucoup d'autres. »

2. *Psaume* XLIV, 4 : « Ceins ton épée sur ta cuisse, ô très puissant. »

235

. Cette idée est exprimée par saint Augustin dans le *De doctrina christiana,* XIII, 28, sous une forme quelque peu différente. Mais la véritable source de Pascal est le P. Boucher, qui indique en marge des *Triomphes de la religion chrétienne,* I, 7 : « *Qui dat sensum scripturae, et non capit sensum a scriptura hostis est scripturae. Aug. de doct. Chr.* » Pascal traduit littéralement ce texte comme si c'était une citation exacte du *De doctrina christiana*, alors que ce n'en est qu'une glose.

237

1 Luc, XXIV, 45, rapportant les paroles de Jésus ressuscité aux apôtres : « Lors il leur ouvrit l'entendement pour entendre les Écritures. »

2. Jean, I, 47 : « Jésus, voyant Nathanaël venir à lui, dit de lui : Voici vraiment un Israélite, auquel n'y a point de fraude. »

3 Jean, VIII, 36 : « Si donc le fils vous affranchit, vous serez vraiment libres. »

4 Jean, VI, 32 : « Jésus donc leur dit : En vérité, en vérité je vous dis, Moïse ne vous a point donné le pain du ciel mais mon Père vous donne le vrai pain du ciel. »

5. Cf. *Épître aux Philippiens*, II, 8 : « Il s'est abaissé soi-même, et a été obéissant jusques à la mort, voire la mort de la croix. »

6. Cf. Luc, XXIV, 26 : « Ne fallait-il pas que le Christ souffrît ces choses, et qu'il entrât ainsi dans sa gloire ? »

7. Cf. Préface du Temps pascal : « Lui qui a détruit notre mort en mourant. » Philippe Sellier (*Pascal et la liturgie*, p. 75) propose pour ce fragment la date du 22 avril 1658 (lundi de Pâques).

239

1. Membre de phrase rayé par inadvertance.

2. Cette lettre hébraïque est le *mem* fermé. Voir fr. 255, n. 7.

240

1 Cf. Matthieu, XXII, 45 : « Si donc David l'appelle Seigneur, comment est-il son fils ? »

2. Cf Jean, VIII, 56-58 : « Abraham votre père s'est réjoui pour voir cette mienne journée ; et il l'a vue, et s'en est éjoui. Les Juifs donc lui dirent : Tu n'as point encore cinquante ans, et tu as vu Abraham ? Jésus leur dit : En vérité, en vérité je vous le dis, devant qu'Abraham fût, je suis. »

3. Cf. Jean, XII, 34 : « La troupe lui répondit : Nous avons ouï par la Loi que le Christ demeure éternellement ; comment donc dis-tu qu'il faut que le Fils de l'homme soit enlevé ? Qui est ce fils de l'homme ? »

241

1 Osée, III, 4 : « Car les enfants d'Israël seront plusieurs jours sans roi, et sans prince et sans sacrifice.. »

2. *Genèse*, XLIX, 10 : « Le sceptre ne sera ôté de Juda, ni le duc de sa cuisse, jusques à ce que celui qui doit être envoyé vienne ; et il sera l'attente des Gentils. »

242

1 Tous ces versets du *Deutéronome* contiennent l'expression : « au lieu que le Seigneur ton Dieu aura élu ».

2 Osee, III, 4.

3 « L'agneau a été immolé dès le commencement du monde » (*Apocalypse* XIII, 8).

4 « Sacrifice perpétuel. » Daniel (VIII, 11 ; XI, 31 ; XII, 11) annonce la suppression de ce « sacrifice perpétuel », dont parle Ézéchiel (XLVI, 14).

244

1 Cf *Pugio fidei,* IIe part., chap. XIII, § 2, p. 352 : « C'est un double avènement que trouvent dans l'Écriture sainte tous ceux qui la comprennent, et qui ne sont pas spirituellement aveugles : le premier avec la plus grande humilité, le second avec le plus grand éclat et la plus grande majesté » Sur le *Pugio fidei,* voir fr. 260, n. 1.

246

1 *Genèse,* XLIX, 10.

2. Osée, III, 4.

3 Ézéchiel, XX, 11.

4. Ézéchiel, XX, 25.

249

1 *Genèse,* XLIX, 10.

2. Osée, III, 4.

251

1 *Seconde Épître aux Corinthiens,* III, 6 : « La lettre tue, mais l'esprit vivifie »

2. *Première Épître aux Corinthiens,* X, 11 : « Or toutes ces choses leur advenaient en figure, et sont écrites pour nous admonester. »

3 Cf. fr. 237 et notes.

4 *Épître aux Romains,* II, 29 : « La circoncision est celle qui est du cœur en esprit, non point en la lettre. »

5 Jean, VI, 27 : « Travaillez, non point pour avoir la viande qui périt, mais celle qui est permanente à la vie éternelle, laquelle le Fils de l'homme vous donnera. »

6. Jean, VIII, 36 : « Si donc le fils vous affranchit, vous serez vraiment libres. »

7 Jean, VI, 32 : « Moïse ne vous a point donné le pain du ciel, mais mon Père vous donne le vrai pain du ciel. »

252

1. *Psaume* CXXIX, 8 : « Et icelui délivrera Israël de toutes ses iniquités. »
2. Isaïe, XLIII, 25 : « Je suis, je suis celui qui abolis tes iniquités. »
3. Daniel, IX, 24 : « Les septante semaines sont abrégées sur ton peuple, et sur ta sainte cité, afin que la prévarication soit consommée, et que le péché prenne fin, et que l'iniquité soit effacée, et que la justice éternelle soit amenée, et que la vision soit accomplie, et la prophétie, et que le Saint des Saints soit oint. »

253

1. Cf. *Première Épître aux Corinthiens*, X, 11 : « Or toutes ces choses leur advenaient en figure, et sont écrites pour nous admonester, auxquels les fins des temps sont parvenues. »
2. Tout le chapitre VIII de l'*Épître aux Romains* développe ce thème.
3. Cf. *Épître aux Hébreux*, IX, 24 : « Car Jésus n'est point entré ès lieux saints faits de mains, qui étaient figures correspondantes aux vrais; ains est entré au ciel même »; et *Actes des Apôtres*, XVII, 26 : « Dieu qui a fait le monde et toutes choses qui y sont, comme ainsi soit qu'il soit Seigneur du ciel et de la terre, n'habite point ès temples faits de mains. »
4. Cf. *Épître aux Romains*, II, 28-29 : « Car celui n'est point Juif, qui l'est par dehors, et celle n'est point circoncision, qui est faite par dehors en la chair. Mais celui est Juif, qui l'est au-dedans, et la circoncision est celle qui est du cœur, en esprit, non point en la lettre. »
5. Cf. Jean, VI, 32 : « En vérité, en vérité, je 'vous dis : Moïse ne vous a point donné le pain du ciel mais mon Père vous donne le vrai pain du ciel. »
6. Cf. saint Augustin, *De doctrina christiana*, III, 10 : « A quoi on reconnaît si une expression est figurée... L'Écriture ne prescrit pas autre chose que la charité. »
7. Cf. *Pugio fidei*, p. 79 (commentaires de Joseph de Voysin) : « Il faut enfin observer que les histoires et les descriptions qui sont rapportées dans la Loi et les autres livres de l'Écriture sainte ne sont pas tant proposées pour manifester aux fidèles la connaissance des choses qui ont été faites en ce temps-là, que pour être les figures des mystères que Dieu a voulu cacher sous ces ombres jusqu'a ce qu'il les révélât ouvertement »
8 Cf *Cantique des cantiques*, IV, 5 « Tes deux mamelles sont comme deux bichelots gémeaux de la biche, lesquels pâturent entre les lis. » La Bible de Louvain donne pour titre a ce chapitre « Desquelles vertus doivent être ornés ceux qui veulent être unis a Dieu »

255

1 Sous le nom de « figures », Pascal examine ici les métaphores anthropomorphiques que la Bible applique a Dieu Pour lui, la figure

biblique ne diffère pas d'une métaphore. En cela, il s'inspire des méthodes exégétiques de saint Augustin. Dans sa préface au *Pugio fidei*, Joseph de Voysin écrit : « Saint Augustin dans son livre *Contra Mendacium*, chap. x, observe que ce qui, dans la Sainte Écriture, est faux littéralement, est très vrai en tant que figure des mystères. »

    2. *Psaume* CIX, 1 : « Le Seigneur a dit à mon Seigneur : Sieds-toi à ma dextre. »

    3. Étienne Pascal traitait de ce problème dans la lettre au P. Noël (avril 1648), où il opposait les métaphores bibliques à celles qui ornent le traité sur « Le Plein du vide » : « L'Écriture en est toute remplie, parce que les divins mystères nous étant tellement inconnus que nous n'en savons pas seulement les véritables noms, nous sommes obligés d'user de termes métaphoriques pour les exprimer ; c'est ainsi que l'Église dit que *le Fils est assis à la dextre de son Père ;* que l'Écriture se sert si souvent du mot de *Royaume des cieux ;* que David dit : " Lave-moi, Seigneur, et je serai plus blanc que neige " ; mais en toutes ces métaphores, il est très certain que tous ces termes métaphoriques sont les symboles et les images des choses que nous voulons signifier, et dont nous ignorons les véritables noms » (Pascal, *Œuvres complètes,* éd. Mesnard, t. II, pp. 595-596).

    4. Isaïe, v, 25 : « Pourtant s'est courroucée la fureur du Seigneur contre son peuple. »

    5. *Exode*, XX, 5.

    6. *Psaume* CXLVII, 12-13 : « Ô Sion, loue ton Dieu. Car il a renforcé les serrures de tes portes. »

    7. Cette lettre hébraïque est le *mem* fermé. On écrit le *mem* fermé à la fin d'un mot, alors qu'on utilise le *mem* ouvert (מ) dans les autres positions. Pascal critique les excès de l'exégèse allégorique, dont il trouve un exemple dans le *Pugio fidei*, IIIe part., dist. I, chap. IX, § 6, p. 427 : « Donc, quand le Prophète, une fois donnés les huit noms du Messie déjà mentionnés, qui sont Admirable, Conseiller, Dieu, Fort, etc., a placé à la fin de tous au milieu d'un mot la lettre *Mem* fermée contrairement à l'écriture normale de l'hébreu, il est manifeste que par ce moyen il a voulu que soit compris par les sages et que soit caché aux impies le fait que le Verbe, fils de Dieu, ou l'enfant Messie qui nous est né, et le Fils qui nous a été donné devait naître d'une Vierge fermée, contrairement au mode habituel de la naissance. En outre, par le fait que le *Mem* fermé de cette manière signifie le nombre 600, il montre sans aucun doute qu'à partir du moment de cette prophétie jusqu'à la nativité du Messie il y aurait six cents ans, ce que l'événement a prouvé par la suite. » Le passage ainsi commenté est un verset d'Isaïe, IX, 6 : « Car le petit enfant nous est né et le fils nous est donné, et sa domination est mise sur son épaule, et sera son nom appelé Admirable, Conseiller, Dieu, Fort, Père du siècle à venir, le Prince de paix. »

    8. Ces lettres hébraïques sont le *tsadé* et le *hé*. Pascal semble penser à des

interprétations allégoriques de l'absence de ces lettres là où on s'attendrait à les trouver. Raymond Martin (*Pugio fidei*, III⁰ part., dist. II, chap. VIII, § 1) rapporte un commentaire du rabbin Abhu, d'après qui la forme même du *hé* signifierait par sa large ouverture inférieure que les morts descendent aux enfers, tandis que l'étroite fenêtre latérale indiquerait les hommes de pénitence. Le même paragraphe du *Pugio fidei* présente une interprétation analogue de la lettre *vod*.

257

1. Le *Pugio fidei* (p. 599) rapporte ce passage de Maïmonide : « Mais pour les prophètes il n'est pas besoin de preuve, puisque tous leurs livres parlent de cette chose » ; il s'agit du Messie.

2. Dans sa préface au *Pugio fidei*, p. 60, Joseph de Voysin définit ainsi la Cabale : « Bien que le Talmud tout entier soit appelé Cabale, cependant on désigne particulièrement par Cabale la partie dont les principes et les fondements essentiels sont les dix Séphirot qui, si on les examine dans leurs effets, ne sont pas autre chose que l'enchaînement des choses créées avec la cause première, de laquelle elles dépendent. »

258

1. Cf. Isaïe, LI, 10 : « N'as-tu pas séché la mer, et l'eau de l'abîme véhément ? Qui as fait voie au fond de la mer, afin que ceux qui étaient délivrés passassent. »

2. Marc, II, 10-11 : « Afin que vous sachiez que le Fils de l'homme a puissance de pardonner les péchés, je te dis, lève-toi et charge ton lit, et t'en va en ta maison. » C'est la guérison du paralytique.

3. Cf. fr. 456.

4. Pascal a écrit « grâce », mais c'est évidemment un lapsus qu'il faut corriger en « gloire ».

260

1. Le *Pugio fidei adversus Mauros et Judaeos*, composé en 1278 par Raymond Martin, dominicain de Catalogne, a été publié en 1651 avec des commentaires de Joseph de Voysin. C'est là que Pascal se renseigne sur le *Talmud* et sur la littérature rabbinique. Tous les éléments de ce fragment sur la chronologie du rabbinisme sont empruntés à la préface de Joseph de Voysin.

2. Cf. *Pugio fidei*, p. 56 : « Des commentaires du Mischna, et essentiellement de l'un et l'autre Talmuds. »

3. Le premier *Talmud*, ou *Talmud de Jérusalem*.

4. Après avoir parlé des *Barajetot*, Joseph de Voysin écrit (p. 56 du *Pugio fidei*) : « Le Bereschit Rabah, qui a été composé par Osaia, est un commentaire du Mischna... Le Bereschit Rabah est un ensemble de discours

de Rabah bar Nachmoni, subtils et agréables, tantôt historiques, tantôt théologiques, sur l'Écriture sainte... Rabah bar Nachmoni est encore l'auteur d'autres livres, que l'on appelle couramment Rabot. »

5. Cf. *Pugio fidei,* p. 58 : « R. Ase a composé le Talmud de Babylone environ cent ans après l'achèvement par R. Jochanan du Talmud de Jérusalem... Tout ce qui est contenu dans le Talmud de Babylone est proposé aux Israélites comme devant être nécessairement observé... Cette œuvre de R. Ase est appelée Gemara, c'est-à-dire complément... Le Talmud comprend l'un et l'autre, le Mischna et le Gemara. »

261

1. Ce fragment constitue la traduction, à peine abrégée, d'un long développement du *Pugio fidei*, IIIe part., dist. II, chap. vi, § 2 et 3, pp. 463-467.

2. *Ecclésiaste*, iv, 13.

3. Le secrétaire à qui Pascal a dicté ce fragment a écrit « condition », mais la correction s'impose.

262

1. *Deutéronome*, xxx, 6 : « Le Seigneur ton Dieu circoncira ton cœur. »

264

1. Pour Louis Havet, la source essentielle de ce fragment serait un texte de Jean-Louis Guez de Balzac, publié dans les *Œuvres diverses* sous le titre : « Les Passages défendus, Quatrième défense, ou De l'antiquité de la religion chrétienne » (pp. 364-368 de l'édition de 1664) : « Le Christianisme a donc été de tout temps, quoiqu'il ait été longtemps cacheté, et sous les nuages; et que Dieu ne l'ait ouvert aux peuples, ni laissé luire à clair dans le monde, qu'au terme qu'il avait précisément marqué dans les Oracles de sa parole. Il y a toujours eu des Chrétiens, quoiqu'ils n'aient pas toujours été appelés de cette façon... L'Église des Juifs n'était point une autre Église que la nôtre : leurs prophètes sont aujourd'hui nos historiens; et nous sommes les suivants et les domestiques de celui dont ils ont été les avant-coureurs et les trompettes. L'Agneau a été immolé dès le commencement du monde. Le premier Adam a espéré le second : il a cru en Jésus-Christ, et dans l'assurance qu'il a eue que le Juste naîtrait de sa race, il s'est consolé de la perte de son innocence, Abraham a vu de loin le jour du Seigneur, et s'en est réjoui vingt-quatre siècles avant sa venue. Isaac a vu le même jour, après avoir perdu les yeux, et prenant Jacob pour Ésaü. Moïse a été chrétien, et saint Paul dit de lui que l'opprobre de Jésus-Christ lui fut plus précieuse que les richesses d'Égypte. Isaïe priait les nuées de pleuvoir le juste, et la terre de germer le Sauveur, et les autres prophètes le demandaient avec tant d'impatience, qu'il semblait quelquefois qu'ils se plaignissent des longueurs

et des remises dont Dieu usait à l'endroit des hommes... Il n'y a point deux Religions, parce qu'il n'y a point deux Sauveurs, ni deux Paradis. On ne nous enseigne point une seconde vérité, différente de la première. Nous n'avons point d'autres connaissances que les premiers hommes, mais nous les avons plus nettes et plus distinctes ; et toute la différence qu'il y a pour ce regard entre nous et eux, c'est que notre foi a pour objet le passé, et que la leur avait l'avenir. » Certes, il est fort possible que Pascal ait pris là l'idée de son fragment ; toutefois, une comparaison attentive des deux textes montre que Pascal suit pour l'essentiel le chapitre XI de l'*Épître aux Hébreux*, tout en étoffant son développement d'autres souvenirs bibliques.

2. Cf. *Genèse, III*, 15 : « Je mettrai aussi inimitié entre toi et la femme, entre ta semence et la semence d'icelle, icelle te brisera la tête, et tu lui épieras le talon » (paroles de Dieu au serpent).

3. Cf. *Épître aux Hébreux*, XI, 13 : « Tous ceux-ci sont trépassés en foi, n'ayant reçu les promesses, mais les ayant vues de loin, et saluées. »

4. *Genèse*, XLIX, 18 : « Seigneur, j'attendrai ton salutaire. »

5. *Épître aux Hébreux*, XI, 26-27 : « Estimant l'opprobre de Christ plus grandes richesses que les trésors qui étaient en Égypte, car il avait égard à la rémunération. Par foi, il laissa l'Égypte, ne craignant point la fureur du roi car il tint ferme comme voyant celui qui est invisible. »

6. Cf. Montaigne, *Essais*, I, 23, p. 192 : « Si est-ce que la fortune, réservant toujours son autorité au-dessus de nos discours, nous présente aucune fois la nécessité si urgente, qu'il est besoin que les lois lui fassent quelque place. » Le « rond » est probablement une marque que Pascal avait faite sur son exemplaire des *Essais*.

266

1. Cf. saint Augustin, *De la Genèse contre les Manichéens*, I, XXIII : « 35. Je lis dans le texte entier des divines Écritures comme six âges laborieux de l'humanité... ; et ces six époques ont de la ressemblance avec les six jours, pendant lesquels Dieu a fait l'œuvre de la création rapportée par l'Écriture. Les premiers temps, en effet, où le genre humain commence à jouir de la lumière, peuvent parfaitement être comparés au premier jour dans lequel Dieu créa cette lumière. Cet âge était comme la première enfance du monde ; l'humanité que nous pouvons, dans son développement successif, considérer comme un seul homme, naissait et paraissait à la lumière comme lui, parcourant son premier âge, c'est-à-dire la première enfance. Ce premier âge du monde s'étend depuis Adam jusqu'à Noé... 36. Le matin du second jour commence au temps de Noé ; c'est le second âge où commence celui qui précède l'adolescence, et il s'étend jusqu'à Abraham... 37. Un nouveau matin commence à Abraham, et alors vient le troisième âge semblable à l'adolescence de l'homme... 38. Ensuite revient le matin, avec le règne de David, quatrième âge semblable à la jeunesse... 39. Le matin suivant

commence à la captivité de Babylone... C'est l'âge de l'homme mûr... 40. Enfin le dernier matin apparut à la prédication de l'Évangile par Notre Seigneur Jésus-Christ et là se termine le cinquième jour. Avec lui commence le sixième, dans lequel apparaît la vieillesse de l'homme ancien. » Cf. fr. 503.

269

1. A la fin de la dixième *Provinciale*, Pascal reproche aux casuistes jésuites d'avoir « déchargé les hommes de l'obligation *pénible* d'aimer Dieu actuellement » (éd. Cognet, p. 189) et d'avoir déclaré que « cette dispense de l'obligation *fâcheuse* d'aimer Dieu est le privilège de la loi évangélique par-dessus la judaïque » (p. 190). « On va même jusqu'à prétendre que *cette dispense d'aimer Dieu est l'avantage que Jésus-Christ a apporté au monde.* C'est le comble de l'impiété » (p. 191).

270

1. Sur le sens à donner ici au mot « ennemis », voir fr. 252.

272

1. Cf. Grotius, *De veritate religionis christianae*, II, 9 : « Si nous considérons attentivement les clauses expresses que Moïse a apposées à l'Alliance légale, nous verrons qu'il n'y a promis que des biens temporels, et dont la jouissance ne passe pas les bornes de cette vie. C'est une terre fertile, une maison bien fournie, des victoires, une vie longue et pleine de vigueur, une postérité nombreuse, héritière de tous ces avantages. »

273

1. Ce fragment est de la main de Nicole. Tourneur refuse l'attribution à Pascal. Pour Lafuma, au contraire, le rôle de Nicole se serait borné au déchiffrement et à la transcription d'un brouillon de Pascal.

274

1. Cf. *Première Épître aux Corinthiens*, I, 21-23 : « Car puisqu'en la sapience de Dieu le monde n'a point connu Dieu par sapience, il a plu à Dieu par la folie de la prédication sauver les croyants. Car aussi les Juifs demandent signes, et les Grecs cherchent sapience. Mais quant à nous, nous prêchons Christ crucifié, qui est scandale aux Juifs, et folie aux Grecs. »

275

1. Cf. *Genèse*, V et XI.

277

1. Cf. Grotius, *De veritate religionis christianae*, I, 15 : « S'il [Moïse] fait des fautes, il veut bien les publier. »

2 « Qui me donnerait que tous prophetisent! » (*Nombres*, xi, 29, Pascal cite d'après Vatable. Voir fr. 695, n. 1).

3. *Nombres*, xi, 14.

278

1. D'après la *Genèse*, Lamech aurait eu cent cinquante-six ans à la mort d'Adam, Sem quatre-vingt-quinze ans à la mort de Lamech et Jacob cinquante ans à la mort de Sem.

278 bis

1. Le papier qui porte ce fragment est collé sur la Première Copie, à la place que nous lui donnons ici. C'est Jean Mesnard qui a reconnu dans ce feuillet intercalaire un autographe de Pascal.

280

1. Le P. Boucher (*Les Triomphes de la religion chrétienne*, II, 9) met dans la bouche du libertin cette objection : « Mais pourquoi y a-t-il tant de confusions dans les livres de la Bible, où l'on voit plusieurs discours sans aucun ordre [...]? »

2. Cf. Montaigne, *Essais*, III, 5, p. 154 : « *Amor ordinem nescit* » (« l'amour ne connaît pas d'ordre »); citation de saint Jérôme, *Lettre à Chromatius*.

3. Cf. la préface de Robert Arnauld d'Andilly aux *Œuvres chrétiennes et spirituelles* de Saint-Cyran : « A l'imitation de saint Paul et de saint Augustin, il a beaucoup plus suivi l'ordre du cœur, qui est celui de la charité, que non pas l'ordre de l'esprit, parce que son dessein n'a pas été tant d'instruire que d'échauffer l'âme. »

283

1. « Je répandrai mon esprit » (Joël, II, 28, cité par saint Pierre dans le discours du jour de la Pentecôte, *Actes des Apôtres*, II, 17).

285

1. Dans la Préface à l'édition de Port-Royal, Étienne Périer explique ce fragment. Voir p. 54.

286

1. Cf. fr 221, n. 2.

287

1 Cf Jérémie, xxv, 12 « Et quand septante ans seront accomplis, je visiterai le roi de Babylone et cette gent, dit le Seigneur, sur leurs iniquités, et la terre des Chaldéens, et la mettrai en déserts éternels »

2. Cf. Jérémie, XXIX, 14 : « Aussi je serai trouvé de vous, dit le Seigneur. Et je ferai retourner votre captivité, et vous rassemblerai de toutes gens et de tous les lieux où je vous ai envoyés, dit le Seigneur. »

289

1. C'est l'hérésie des Eutychiens.
2. Contre les Juifs et les Ariens.

290

1. Les idées que Pascal développe dans ce fragment constituent l'aboutissement d'une réflexion dont les premiers linéaments se trouvent dans la lettre qu'il écrivait en juin 1652 à la reine Christine de Suède : « J'ai une vénération toute particulière pour ceux qui sont élevés au suprême degré ou de puissance, ou de connaissance. Les derniers peuvent, si je ne me trompe, aussi bien que les premiers, passer pour des souverains. Les mêmes degrés se rencontrent entre les génies qu'entre les conditions; et le pouvoir des rois sur leurs sujets n'est, ce me semble, qu'une image du pouvoir des esprits sur les esprits qui leur sont inférieurs, sur lesquels ils exercent le droit de persuader, qui est parmi eux ce que le droit de commander est dans le gouvernement politique. Ce second empire me paraît même d'un ordre d'autant plus élevé que les esprits sont d'un ordre plus élevé que les corps, et d'autant plus équitable qu'il ne peut être départi et conservé que par le mérite, au lieu que l'autre le peut être par la naissance ou par la fortune » (*Œuvres complètes*, éd. Mesnard, t. II, p. 924).

2. Peut-être faut-il expliquer l'insertion de cette théorie des trois ordres dans le projet d'apologie par l'influence d'un passage de Grotius (*De veritate religionis christianae*, I, 2) : « On sait qu'il est de la nature des choses inférieures de ne pouvoir bien comprendre celles qui sont d'un ordre plus élevé et plus éminent. Les bêtes ne comprennent point ce que c'est que l'homme : beaucoup moins peuvent-elles pénétrer ses actions, et découvrir de quelle manière il établit et gouverne les États, mesure le cours des astres, et sait voyager sur la mer. Certes la vue même de ces beaux avantages de l'homme sur la bête devrait bien lui faire conclure que celui de qui il les a reçus est pour le moins autant au-dessus de lui qu'il est lui-même au-dessus des bêtes... »

3. Le rapprochement s'impose avec un écrit mathématique de Pascal, la *Sommation des puissances numériques*, qui fait partie des annexes du *Traité du triangle arithmétique*, et que l'on peut dater de 1654. Dans la conclusion de ce petit traité, Pascal écrit : « Dans le cas d'une grandeur continue, des grandeurs d'un genre quelconque, ajoutées, en tel nombre qu'on voudra, à une grandeur d'un genre supérieur, ne l'augmentent de rien. Ainsi les points n'ajoutent rien aux lignes, les lignes aux surfaces, les surfaces aux solides, ou, pour employer le langage des nombres dans un traité consacré aux

nombres, les racines ne comptent pas par rapport aux carrés, les carrés par rapport aux cubes, les cubes par rapport aux carrés-carrés, etc. Donc les degrés inférieurs doivent être négligés comme dépourvus de toute valeur » (*Œuvres complètes,* éd. Mesnard, t. II, pp. 1271 sq).

4. D'après Plutarque (*Marcellus,* 14), il était parent du roi Hiéron; toutefois, Cicéron (*Tusculanes,* V, 23) parle d'Archimède comme d'un homme obscur.

5. Cf. Saint-Cyran, *Lettres chrétiennes et spirituelles,* I, xxvi, p. 179 : « Comme un seul esprit et une seule âme surpasse en excellence et en valeur une multitude de corps, quelque beaux qu'ils soient, ainsi un seul péché spirituel surmonte souvent en malice une multitude de péchés corporels. »

292

1. Cf. Grotius, *De veritate religionis christianae,* III, 7 : « Quand on récuse des témoins parce qu'on les croit de mauvaise foi, on est obligé de donner quelques raisons de ce soupçon, et de dire par quels motifs ils ont pu se laisser aller au mensonge et à la fourbe. Or c'est ce qu'on ne peut pas faire en cette rencontre. »

2. Charron (*Les Trois Vérités,* II, 6) indique que les évangélistes ont écrit « à la barbe des ennemis mortels et jurés de leur maître, qu'ils avaient fait mourir, et les leurs, gens puissants, qui ne cherchaient qu'à mordre sur eux, et les ont persécutés à la mort, dont ils eussent trouvé la juste occasion, s'il y en eût ».

294

1. « Lis ce qui a été révélé, examine ce qui a été accompli, déduis ce qui doit être accompli. » Ce programme d'étude des prophéties a sans doute été inspiré par saint Augustin, *Lettre* 137-3, 4, n. 16 : « *Haec omnia sicut leguntur praedicta, ita cernuntur impleta, atque ex his jam tot et tantis quae restant, exspectantur implanda* (« de même qu'on lit toutes ces choses qui ont été prédites, de même on examine celles qui ont été accomplies, et d'après celles qui restent, si nombreuses et si grandes, on attend celles qui doivent être accomplies »).

2. Pascal résume ici un argument de Grotius (*De veritate religionis christianae,* III, 9) : « Après que le Christianisme fut partagé en une infinité de sectes, à peine s'en est-il trouvé qui n'ait reçu tous les Livres du Nouveau Testament; et s'il y en a eu qui en rejetaient quelques-uns, ils ne contenaient rien qui ne se trouvât dans ceux qu'elles admettaient. »

295

1. Jérémie, xxix, 10.

296

1. On interprète traditionnellement comme une première expression du mystère de la Trinité ce passage de la *Genèse* (XVIII, 1-2) : « Derechef le Seigneur s'apparut à lui en la plaine de Membré, et icelui était assis à l'entrée de son pavillon en la chaleur du jour. Lors ayant jeté sa vue, trois personnages se présentèrent devant lui : et lui les ayant aperçus courut au devant d'eux dès l'huis de son pavillon, et adora en terre. »

2. Il s'agit, semble-t-il, du combat de David contre Goliath (*Premier Livre de Samuel*, XVII).

3. Cf. *Pugio fidei*, IIᵉ partie, chap. v, § 8 : « *Messias saepissime dicitur David.* »

297

1. Charron, dans *Les Trois Vérités* (II, 6), dit que les auteurs des évangiles étaient des « gens simples, sans art ni suffisance, du tout incapables de les forger, ni bâtir un corps entier d'histoire, et moins inventer une si grande sagesse, prudence, et suffisance, qui se trouve aux faits, dits, demandes, réponses, paraboles de Jésus ».

2. Luc, XXII, 41-44 : « Adonc il s'éloigna d'eux environ un jet de pierre et s'agenouillant priait. Disant Père, si tu veux, transporte cette coupe de moi . toutefois que ma volonté ne soit point faite, mais la tienne. Et un ange de Dieu s'apparut à lui, le confortant. Et lui, étant en angoisse, priait plus instamment, sa sueur devint comme grumeaux de sang découlant en terre. »

3. *Actes des Apôtres*, VII, 58-59 : « Et lapidaient Étienne invoquant et disant, Seigneur Jésus, reçois mon esprit. Et s'étant mis à genoux, il cria à haute voix, Seigneur ne leur impute point ce péché. Et quand il eut dit cela, il s'endormit au Seigneur. »

298

1. L'empereur Caius Caligula avait donné à Pétronius, gouverneur de Syrie, l'ordre de placer sa statue dans le temple de Jérusalem. Flavius Josèphe (*Antiquités judaïques*, liv. XVIII, XI, 791) rapporte l'événement et décrit ainsi la réaction des Juifs : « Cependant plusieurs de notre nation allèrent trouver Pétrone à Ptolémaïde pour le conjurer de ne les point contraindre à faire une chose si contraire à leur religion, et lui dirent que s'il était absolument résolu de mettre la statue de l'empereur dans leur Temple, il devait commencer par les tuer tous, puisque tandis qu'ils seraient en vie, ils ne souffriraient jamais qu'on violât les lois qu'ils avaient reçues de leur admirable Législateur, et que leurs ancêtres et eux avaient observées depuis tant de siècles. » Philon en parle beaucoup plus amplement dans la *Legatio ad Caium*, qui est le récit des faits et de l'ambassade à Caligula, dont il fit lui-même partie

2 *Genèse*, XLIX, 10 « Le sceptre ne sera ôte de Juda, ne le Duc de sa

cuisse, jusques à ce que celui qui doit être envoyé vienne. » La Bible de
Louvain traduit littéralement la Vulgate, qui fait un contresens pour le
passage cité par Pascal (la Bible de Jérusalem traduit : « le sceptre ne
s'éloignera pas de Juda, ni le bâton de chef d'entre ses pieds »).
   3. Daniel, VII, 23-27.

299

   1. Cf. Grotius, *De veritate religionis christianae*, III, 14 : « Pour ce qui
regarde quelques circonstances de fort peu de poids, et qui ne regardent pas
le fond des choses, s'il y a quelque contrariété, il est très possible qu'il y ait
une manière commode et sûre de la lever... Je dirai même qu'à le bien
prendre, ces diversités sont à quelque égard avantageuses à nos auteurs, et
qu'elles sont tres propres à dissiper le soupçon qu'il y eût de la collusion
entre eux, et qu'ils eussent conspiré à nous en faire accroire... »

301

   1. Macrobe, *Saturnales*, II, 11 : « Ayant appris que, parmi les enfants au-
dessous de deux ans dont Herode, le roi des Juifs, avait ordonne le massacre
en Syrie, le fils de ce prince avait été tué lui aussi, il [Auguste] s'écria :
J'aimerais mieux être le porc d'Hérode que son fils. » Cf. fr. 633.

303

   1. Cf. Charron, *Les Trois Vérités*, II, 9 : « Certes si la religion chrétienne
est vaine et fausse, il faut que les disciples de Jésus et les premiers chrétiens
aient voulu tromper le monde, et décevoir la postérité, ou qu'eux-mêmes
aient été déçus. » Pascal propose une nouvelle réponse à l'objection, que
Charron réfutait d'une manière embrouillée et peu convaincante. Grotius
répond lui aussi à l'objection (*De veritate religionis christianae*, III, 5) :
« Mais n'avançons rien sans preuve, et faisons voir que ces auteurs ont su ce
qu'ils disaient, et qu'ils n'ont rien dit que ce qu'ils croyaient véritable : qu'en
un mot ils n'ont eté ni trompés, ni trompeurs. »

304

   1. « Toutes les nations viendront et l'adoreront » (*Psaume* XXI, 28).
   2. « C'est peu de chose que tu me sois serviteur, pour susciter les lignees de
Jacob et pour convertir ceux qui sont delaisses d'Israël. Voici, je t'ai donné
pour lumiere aux Gentils, afin que tu sois mon salut jusques au bout de la
terre » (Isaie, XLIX, 6).
   3. « Demande-moi, et je te donnerai les gens pour ton heritage, et pour ta
possession les bouts de la terre » (*Psaume* II, 8).
   4. « Tous les rois l'adoreront » (*Psaume* LXXI, 11).
   5. « Les faux témoins soi élevant m'interrogeaient choses, lesquelles je ne

savais pas » (*Psaume* XXXIV, 11). On voit traditionnellement dans ce texte et dans les deux suivants l'annonce de la passion du Christ.

6. « Il donnera la joue à celui qui le frappe » (Jérémie, *Lamentations*, III, 30).

7. « Ils m'ont donné du fiel pour nourriture, et m'ont abreuvé de vinaigre en ma soif » (*Psaume* LXVIII, 22).

305

1. Cf. Isaïe, II, 18 : « Le Seigneur sera seul elevé en ce jour-la, et les idoles seront totalement brisees. »

2. Cf. Malachie, I, 11 : « Car depuis le soleil levant jusqu'au soleil couchant, mon nom est grand entre les Gentils, et en tout lieu est sacrifice, et nette oblation offerte à mon nom. »

3. Pascal avait d'abord écrit : « des animaux qui sont tous à lui. » Cf. *Psaume* XLIX, 9-10 : « Je ne prendrai point les veaux de ta maison, ni les boucs de tes troupeaux. Car toutes les bêtes des forêts sont à moi, les juments, et les bœufs qui sont ès montagnes. »

306

1. Cf. Isaïe, II, 3 : « Il nous enseignera ses voies et nous cheminerons par ses sentiers. »

307

1 Cf. fr. 143 et note.

308

1. Grotius, énumérant les prédictions des livres du Nouveau Testament (*De veritate religionis christianae*, III, 9), mentionne celles « de l'entrée des nations étrangères dans l'Église (Matthieu, VIII, 2; XII, 21; XXI, 43), ... du siège et de la ruine de Jérusalem et du Temple (Matthieu, XXIII, 38; XXIV, 16; Luc, XIII, 34; XXI, 24), et des malheurs effroyables qui devaient tomber sur les Juifs (Matthieu, XXI, 33, XXIII, 34, XXIV, 20) ».

2. Cf. Matthieu, XXI, 38-41 « Mais quand les laboureurs virent le fils, ils dirent entre eux Cestui-ci est l'héritier, venez, mettons-le à mort, et nous aurons son héritage. Et l'ayant pris, le jetèrent hors de la vigne, et le tuèrent. Quand donc le seigneur de la vigne sera venu, que fera-t-il à ces laboureurs-là ? Ils lui dirent il les détruira malheureusement comme méchants, et louera sa vigne à d'autres laboureurs, qui lui rendront les fruits en leurs saisons »

309

1 Jérémie, XXXI, 34 « Et l'homme n'enseignera plus son prochain, ni l'homme son frere, disant Connais le Seigneur, car tous me connaîtront depuis le plus petit jusques au plus grand, dit le Seigneur »

2. Joël, II, 28 : « Et après ces choses, je répandrai mon esprit sur toute chair ; et vos fils prophétiseront, et aussi vos filles. »

3. Jérémie, XXXII, 30 : « Et donnerai la crainte de moi en leur cœur, afin qu'ils ne se retirent plus de moi. »

310

1. Cf. Daniel, II, 34-35 : « Tu la voyais ainsi, jusques à ce qu'une pierre fût coupée sans mains, d'une montagne, laquelle frappa la statue en ses pieds de fer et de terre, et les mit en pièces. Adonc furent ensemble rompus le fer et la terre, l'airain, l'argent, et l'or, et furent réduits comme en poudre de l'aire d'été, et furent ravis du vent, et ne fut plus leur lieu trouvé ; mais cette pierre qui avait frappé la statue devint une grande montagne, laquelle remplit toute la terre. »

2. Cf. Aggée, II, 8 : « Celui qui est désiré de toutes gens viendra, et remplira cette maison de gloire, dit le Seigneur des armées. » Dans ce chapitre, le prophète Aggée exhorte à reconstruire le Temple.

311

. Isaïe, XIX, 19 : « En ce jour-là, sera l'autel du Seigneur au milieu d'Égypte. »

315

1. Osée, III, 4-5 : « Car les enfants d'Israël seront plusieurs jours sans roi, et sans prince, et sans sacrifice et sans autel, sans Éphod, sans Teraphim. Et après les enfants d'Israël se retourneront, et chercheront leur Seigneur leur Dieu, et leur roi David. Et auront crainte du Seigneur, et de sa bonté ès derniers jours. »

2. Isaïe, XLVIII, 5 « Je t'ai prédit longtemps devant, et te l'ai montre paravant qu'ils vinssent, que par aventure tu ne dises Mes idoles ont fait ces choses. »

3. Flavius Josèphe rapporte dans les *Antiquités judaïques* (liv XI, chap. VIII) la rencontre d'Alexandre et du grand-prêtre des Juifs, Jaddus. Voici le détail qui a sans doute retenu l'attention de Pascal « Ce souverain pontife lui fit voir ensuite le livre de Daniel dans lequel il était écrit qu'un prince grec détruirait l'empire des Perses, et lui dit qu'il ne doutait point que ce ne fût lui de qui cette prophétie se devait entendre. »

318

1 Cf. Grotius, *De veritate religionis christianae* V, 15 « Toutes ces marques qui caractérisaient le temps du Messie firent tant d'impression sur les Juifs du temps de Jésus-Christ et sur les peuples voisins, et elles produisirent une attente si ferme et si constante que plusieurs d'entre eux regardèrent Hérode comme le Messie »

2. Il s'agit de Barcosba, ou Barchocheba, « qui sous l'empire d'Hadrien se dit être le Messie, et qui trompa les plus éclairés » (Grotius, V, 18).

3. Pascal pense vraisemblablement à Judas le Gaulonite, que nomme Grotius en même temps que Barchocheba (V, 18), à moins qu'il ne se souvienne du *Pugio fidei*, où il est question de Barcosba et d'un autre faux messie que Raymond Martin ne nomme pas autrement.

4. Tacite et Josèphe sont cités par Grotius (III, 15), qui les trouve en accord avec la tradition chrétienne. Ailleurs (II, 2), Grotius mentionne les témoignages de Suétone et de Tacite.

5. Pascal a écrit « Grecs », et on ne sait trop s'il faut lire « 3 périodes » ou « les périodes »; on voit mal à quoi Pascal ferait allusion. En revanche, si l'on admet que Pascal a écrit « Grecs » par un de ces lapsus qui ne sont pas rares chez lui, l'enchaînement logique avec le reste du fragment apparaît, et l'on peut adopter l'explication de Philippe Sellier (*Pascal et saint Augustin*, pp. 431-432) : « Trois époques se partagent l'histoire : avant la Loi, sous la Loi, sous la Grâce. » Il est clair que les Juifs ne peuvent pas accepter cette division.

319

1. Sur les sources de ce fragment, voir Philippe Sellier, *Pascal et saint Augustin*, pp. 447-448.

2. Toutes ces prophéties sont analysées par Raymond Martin dans le deuxième livre du *Pugio fidei* : la prophétie de Daniel sur les quatre monarchies (chap. v), le Messie viendra avant la fin du second temple (chap. vi), la prophétie de Jacob sur le sceptre de Juda (chap. iv), la prophétie de Daniel sur les soixante-dix semaines (chap. iii).

3. Cf. saint Augustin, *De la véritable religion*, III : « Que si ce que Platon eût pu dire alors est arrivé véritablement, [...] si on enseigne maintenant cette doctrine à tous les peuples de la terre, [...] si on n'admire plus maintenant des millions de jeunes hommes et de vierges, qui méprisent le mariage et qui vivent dans la continence. [...] si dans tous les endroits de la terre où il y a des hommes, on promet et on s'oblige de garder ces maximes pour entrer dans la religion chrétienne, [...] s'il y a un si grand nombre de personnes qui les suivent, que les îles qui étaient autrefois désertes, et les plus affreuses solitudes, sont remplies de toutes sortes de personnes ayant abandonné les richesses et les honneurs de ce monde pour consacrer toute leur vie au service du seul Dieu véritable, [...] pourquoi demeurerons-nous encore dans l'assoupissement de nos ignorances et de nos erreurs?... »

4. Pascal pense à *La Vie contemplative*, où Philon parle des Thérapeutes, anachorètes de Haute-Égypte. Plusieurs Pères voyaient en ces Thérapeutes des chrétiens.

321

1 « Nous n'avons pas d'autre roi que César » (Jean, xix, 15)

322

1. Pascal a pu trouver une très longue discussion sur ce problème dans le *Pugio fidei*, IIe partie, chap. iii.

323

1. Cf. fr. 295.

324

1. Cf. Charron, *Les Trois Vérités*, II, 8 : « Dès le temps d'Auguste, et à la belle arrivée de Jésus-Christ, les oracles sont demeurés muets, ne répondant plus à ceux qui les consultaient et leur sacrifiaient. Les esprits et démons sont chassés, forcés de se retirer et se taire. Porphyre, Juvénal, Lucien, Celse, Julien l'Apostat s'en plaignent fort, en cherchent la cause, et ne la peuvent trouver. Plutarque en a fait un traité exprès, où il se morfond pour en trouver la cause : et entre autres choses raconte la mort du grand Dieu Pan, qui apporta tant de cris et hurlements, de pleurs et gémissements par les Iles, et côtés de la mer Méditerranée, qui advint sous l'empereur Tibère. »

326

1. Voir fr. 207, n. 3.

327

1. Jérémie, xxiii, 5-8 : « Voici, les jours viennent, dit le Seigneur, et je susciterai à David un juste germe, et régnera comme roi, et il sera sage, et fera justice, et jugement en la terre. En ces jours-là Juda sera sauvé, et Israël habitera en confiance; et appelleront de ce nom, le Seigneur notre juste. Pour ce voici les jours qui viennent, dit le Seigneur, qu'ils ne diront plus : le Seigneur vit, qui a mené les enfants d'Israël hors de la terre d'Égypte. Mais le Seigneur vit, qui a tiré hors, et a fait venir la semence de la maison d'Israël, de la terre d'Aquilon, et de toutes les terres auxquelles je les avais chassés et habiteront en leur terre. »

2. Isaïe, xliii, 16-19 : « Ainsi dit le Seigneur, qui a donné voie en la mer, et ès eaux courantes le sentier. Lequel a tiré hors le chariot et le cheval; l'armée et puissance robuste, ils sont tous ensemble endormis, et ne relèveront pas; ils sont froissés comme le lin, et sont éteints. N'ayez point souvenance des choses précédentes, et ne regardez point les choses anciennes. Voici, je fais choses nouvelles, et maintenant naîtront, vous les connaîtrez certainement. Je mettrai la voie au désert, et les fleuves au lieu solitaire. »

3 Voir fr. 309, n. 3

328

1. Isaïe, v, 2.
2. « Peuple incrédule et contredisant » (*Épître aux Romains*, x, 21, citant Isaïe, lxv, 2).
3 Malachie. iii, 1.

329

1 II *Chroniques*, vii, 14 : « J'élèverai le trône de ton royaume ainsi que j'ai promis à David ton père, disant : l'homme ne sera ôté de ta lignée, lequel ne soit prince sur Israël. »
2. Jérémie, xxxiii, 20-21 : « Le Seigneur dit ainsi : Si mon alliance peut être faite vaine avec le jour, et ma paction que j'ai faite avec la nuit, tellement que le jour et la nuit ne soient plus en leur temps. Aussi mon alliance pourra être vaine, avec David mon serviteur, tellement qu'il n'y ait aucun de ses fils qui soit régnant en son trône. »

331

1 Pascal, empruntant ce détail à la *Genèse* (xlviii, 14), a écrit « Joseph » par inadvertance. Il s'agit de la bénédiction des enfants de Joseph par Jacob. Pascal raconte toute la scène dans le fragment 450.
2. Cf. saint Augustin, *La Cité de Dieu*, XVI, 42 : « L'aîné a été le type des Juifs, le cadet des chrétiens. Et comme Jacob les bénissait, mettant sa main droite sur le cadet qu'il avait à sa gauche, et sa gauche sur l'aîné qu'il avait à sa droite, leur père ne pouvant souffrir cette méprise, il avertit Jacob comme la corrigeant, et lui montrant qu'il était l'aîné. Mais lui ne voulut pas changer ses mains, et lui dit : Je sais ce que je fais, mon fils, je sais ce que je fais celui-ci sera chef d'un peuple et très grand, mais son puîné sera plus grand que lui, et sa lignée s'étendra à une multitude de nations. Et ces deux promesses celui-ci sera sur un peuple, celui-là sur plusieurs, déclarent encore ceci. Y a-t-il rien de plus clair, sinon que par ces deux promesses le peuple et tout l'univers sont préfigurés dans la semence d'Abraham, celui-là selon la chair, celui-là selon la foi? »

340

1 Cf *Épître aux Romains*, xii, 5 : « Ainsi nous qui sommes plusieurs sommes un corps en Christ, et chacun sommes membres l'un de l'autre. »

341

1 On lit en marge de la Première Copie, sans doute de la main de Nicole « Commencement des membres pensants. »
2 C'est là un thème trop répandu pour qu'on puisse lui attribuer une

origine précise. Il est possible toutefois que Pascal se souvienne d'Épictète (*Propos*, II, 10) : « Quelle est donc la profession du citoyen ? De ne préférer point son intérêt particulier, de ne délibérer de rien, comme étant abstrait et séparé du reste, mais ni plus ni moins que si la main et le pied avaient de la raison, et pouvaient entendre à quoi la nature les a préparés, jamais ne se voudraient mouvoir autrement, ni désirer, sinon ayant égard et rapportant tout à la commodité de tout le corps. »

3. Cf. Descartes, *Les Passions de l'âme,* art. 10 : « Car ce que je nomme ici des esprits ne sont que des corps, et ils n'ont point d'autre propriété sinon que ce sont des corps très petits et qui se meuvent très vite, ainsi que les parties de la flamme qui sort d'un flambeau ; en sorte qu'ils ne s'arrêtent en aucun lieu, et qu'à mesure qu'il en entre quelques-uns dans les cavités du cerveau, il en sort aussi quelques autres par les pores qui sont en sa substance, lesquels pores les conduisent dans les nerfs, et de là dans les muscles, au moyen de quoi ils meuvent le corps en toutes les diverses façons qu'il peut être mû. »

342

1. Pastiche d'Épictète.

343

1. Cf. Raymond de Sebonde, *Théologie naturelle*, CCXLVII : « D'être en sa particulière volonté c'est être en prison, en servitude, en la sujétion tyrannique du diable parmi la misère, le vice, la douleur, la tristesse et la semence de tous maux : et en être hors et sous la volonté de Dieu c'est être au vrai pays de sa naissance, c'est être en toute liberté délivré de toute captivité et tyrannique puissance du péché, garni des vrais trésors, biens et richesses, accompagné de toute bonté, vertu, et saine conscience et comblé d'un solide contentement, satisfaction et liesse : car la propriété en la volonté c'est le dernier mal-être, et la communauté c'est le bien-être souverain. »

345

1. Charron, après avoir opposé religion et superstition, écrit : « Ne faut toutefois mépriser et dédaigner le service extérieur et public, auquel il se faut trouver, et assister avec les autres, et observer les cérémonies ordonnées et accoutumées, avec modération, sans vanité, sans ambition, ou hypocrisie, sans luxe ni avarice ; et toujours avec cette pensée, que Dieu veut être servi d'esprit, et que ce qui se fait au dehors est plus pour nous que pour Dieu, pour l'unité et édification humaine que pour la vérité divine » (*La Sagesse,* II, 5).

346

1. Cf. Montaigne, *Essais*, III, 12, p. 347 : « Ruineuse instruction à toute police, et bien plus dommageable qu'ingénieuse et subtile, qui persuade aux peuples la religieuse créance suffire, seule et sans les mœurs, à contenter la divine justice. L'usage nous fait voir une distinction énorme entre la dévotion et la conscience. »

347

1. Voir fr. 269.

348

1. Charron définit ainsi les « formalistes » : « Les formalistes s'attachent tout aux formes et au dehors, pensent être quittes et irrépréhensibles en la poursuite de leurs passions et cupidités, moyennant qu'ils ne fassent rien contre la teneur des lois, et n'omettent rien des formalités » (*La Sagesse*, I, 41).

2. Cf. *Actes des Apôtres*, xv, 5-10.

349

1. Philon appelle le judaïsme « une nouvelle République chérie et aimée de Dieu » et « la vraie et naïve République » (*Premier Livre de la Monarchie*, dans *Les Œuvres de Philon Juif*, traduites par Frédéric Morel, Paris, 1619, t. I, p. 670).

2. *Premier Livre des Chroniques* (ou *Paralipomènes*), xix, 13 : « Sois conforté, et besognons vaillamment pour notre peuple, et pour les villes de notre Dieu. Et le Seigneur fasse ce qui lui semble bon. »

352

1. Cf. *Première Épître aux Corinthiens*, xii, 12-27 : « Car comme le corps est un, et a plusieurs membres, mais tous les membres de ce corps qui est un, ja soit qu'ils soient plusieurs, sont un corps, en telle manière aussi est Christ. Car nous sommes tous baptisés en un Esprit pour être un corps, soient Juifs, soient Gentils, soient serfs, soient francs; et sommes tous abreuvés d'un même Esprit. Car aussi le corps n'est point un membre mais plusieurs. Si le pied dit : Je ne suis pas la main, je ne suis point donc du corps, n'est-il point du corps pourtant?... Si tout le corps est l'œil, où sera l'ouïe? Si tout est l'ouïe, où sera le sentiment? Mais maintenant Dieu a posé un chacun membre au corps ainsi qu'il a voulu. Car si tous étaient un membre, où serait le corps? Mais maintenant il y a plusieurs membres, toutefois il n'y a qu'un corps... »

2. « Celui qui est adjoint au Seigneur est un même esprit » (*Première Épître aux Corinthiens*, vi, 17).

353

1. Cf. saint Augustin, *La Cité de Dieu*, XIV, 28 : « Donc deux amours ont bâti deux cités; savoir la terrestre l'amour de soi-même jusques au mépris de Dieu; et la céleste l'amour de Dieu jusques au mépris de soi-même. »

354

1. Cf. Hobbes, *Le Corps politique*, IIe partie, I, 18 : « Et comme la raison nous enseigne qu'un homme qui ne s'est pas assujetti aux lois, ni obligé par pacte à aucun autre, est libre de faire ou de ne pas faire, et de délibérer de tout ce qu'il voudra, durant que chaque membre de son corps demeurera dans l'obéissance à la volonté du tout, puisque cette liberté n'est rien autre chose que la puissance naturelle qu'il a de s'en aider dans la nécessité, sans laquelle il serait dans un aussi misérable état qu'un corps inanimé, aussi elle nous apprend qu'un corps politique, de quelque sorte qu'il soit, qui n'est par aucun pacte obligé ni soumis à quelque autre, doit être en sa liberté, et aidé dans toutes sortes de fonctions par chaque membre : ou au moins ses membres ne doivent pas lui résister. Car autrement la puissance d'un corps politique (dont l'essence consiste dans la non résistance des membres) serait nulle ni d'aucune utilité. »

356

1. Cf. Matthieu, XXII, 37-40. « Tu aimeras le Seigneur ton Dieu de tout ton cœur, et de toute ton âme, et de toute ta pensée. Cestui est le premier et le grand commandement. Et le second semblable à icelui est : tu aimeras ton prochain comme toi-même. De ces deux commandements dépendent toute la Loi et les prophètes. »

359

1. Saint Thomas, *Somme théologique*, Ire section, IIe partie, question 113 art 10 : « Il faut répondre au second argument qu'il n'y a pas miracle toutes les fois qu'une chose naturelle est mue contrairement à son inclination; autrement on ferait un miracle en échauffant de l'eau ou en jetant une pierre en l'air, mais il y a miracle quand une chose se fait contrairement à l'ordre de la cause propre qui est naturellement établie pour la produire. Or, il n'y a pas d'autre cause que Dieu qui puisse justifier l'impie, comme il n'y a que le feu qui puisse échauffer l'eau. C'est pourquoi la justification de l'impie étant l'œuvre de Dieu n'est pas miraculeuse sous ce rapport. »

360

1. « Incline mon cœur, ô Dieu, en tes témoignages » (*Psaume* CXVIII, 36)
Pascal cite d'après le *Bréviaire*, où ce verset est utilisé comme repons de
Tierce tous les dimanches; voir Philippe Sellier, *Pascal et la liturgie*, p. 30.

362

1. Cf. Joël, II, 28 : « Et après ces choses, je répandrai mon esprit sur toute
chair : et vos fils prophétiseront et aussi vos filles : vos anciens songeront
des songes, et vos jouvenceaux verront des visions. » Le texte latin du début
de ce verset est cité dans les fragments 122 et 283, et la référence en est
mentionnée dans le fragment 454. Voir aussi le fragment 309 : « Vos fils
prophétiseront. » L'attention de Pascal a pu être attirée sur ce verset par
l'usage qu'en fait la liturgie, comme l'indique Philippe Sellier; mais il faut
aussi rappeler que saint Pierre le cite dans son discours du jour de la
Pentecôte (*Actes des Apôtres*, II, 17) et que les *Actes* tiennent une place
privilégiée dans la méditation de Pascal.

363

1. Les Massorètes sont les docteurs juifs qui ont établi le texte de l'Ancien
Testament, en notant par des points la prononciation des voyelles.

364

1. La dispersion des Juifs a rendu impossible la falsification des livres de
l'Ancien Testament. L'argument vient de Grotius (*De veritate religionis
christianae*, III, 17) : « Mais peut-être ont-ils été corrompus depuis Jésus-
Christ dans des endroits importants. C'est ce qu'on ne saurait prouver, et
c'est même ce qui paraît tout à fait incroyable. Les Juifs, dépositaires de ces
livres, étaient répandus presque par toute la terre. » Il est possible que
Pascal se souvienne aussi de Charron (*Les Trois Vérités*, II, 5) : « Et ne peut
être objecté ni seulement imaginé que l'on ait forgé, feint ni introduit ces
prophéties en faveur du christianisme : car au contraire, l'on les a reçues et
prises des mains des plus jurés et capitaux ennemis d'icelui, les Juifs et les
Gentils vrais témoins et gardiens des livres prophétiques, dont ils sont
appelés libraires des chrétiens. »

365

1. « La fascination de la frivolité » (*Sagesse*, IV, 12). Dans son
commentaire du *Livre de la Sagesse*, Jansénius explique ainsi cette
expression : « *La fascination de la frivolité*, c'est-à-dire l'ensorcellement ou
l'obscurcissement du jugement par lequel les bagatelles et les choses frivoles
de ce monde paraissent, aux yeux de l'esprit resserrés comme par un

maléfice, dignes de plus d'amour et d'admiration que cela n'est vrai. »
L'expression est souvent citée par les écrivains de Port-Royal.

    2. Cf. fr. 307.

371

    1. Cf. *Genèse,* III, 15.
    2. Cf. fr. 278.

375

    1. Le Recueil original conserve ce fragment sous la forme d'une copie souvent attribuée à Domat; il y est précisé : « Mademoiselle Périer a l'original de ce billet. » Gilberte cite en effet ce texte dans *La Vie de Monsieur Pascal,* après avoir montré combien son comportement était conforme aux principes qu'il y expose : « Non seulement il n'avait pas d'attache pour les autres; il ne voulait pas non plus que les autres en eussent pour lui. Je ne parle point de ces attachements criminels et dangereux, car cela est grossier et tout le monde le voit bien; mais je parle des amitiés les plus innocentes, et dont l'amusement fait la douceur ordinaire de la société humaine. C'était une des choses sur lesquelles il s'observait le plus régulièrement, afin de n'y point donner lieu, et d'en empêcher le cours dès qu'il en voyait quelques apparences. Et comme j'étais fort éloignée de cette perfection, et que je croyais que je ne pouvais avoir trop de soin d'un frère comme lui, qui faisait le bonheur de la famille, je ne manquais à rien de toutes les applications qu'il fallait pour le servir et lui témoigner en tout ce que je pouvais mon amitié. Enfin je reconnais que j'y étais attachée, et que je me faisais un mérite de m'acquitter de tous les soins que je regardais comme un devoir; mais il n'en jugeait pas de même, et comme il ne faisait pas, ce me semblait, assez de sa part extérieurement pour répondre à mes sentiments, je n'étais point contente... Mais le mystère de cette conduite de réserve à mon égard ne m'a été parfaitement expliqué que le jour de sa mort, qu'une personne des plus considérables par la grandeur de son esprit et de sa piété, avec qui il avait eu de grandes communications sur la pratique de la vertu, me dit qu'il lui avait fait toujours comprendre comme une maxime fondamentale de sa piété, de ne souffrir jamais qu'on l'aimât avec attachement, et que c'était une faute sur laquelle on ne s'examinait pas assez, qui avait de grandes suites, et qui était d'autant plus à craindre qu'elle nous paraît souvent moins dangereuse. Nous eûmes encore après sa mort une preuve que ce principe était bien avant dans son cœur; car, afin qu'il lui fût toujours présent, il l'avait mis de sa main sur un petit papier séparé que nous avons trouvé sur lui, et que nous avons reconnu qu'il lisait souvent. Voici ce qu'il portait : " Il est injuste qu'on s'attache à moi, quoiqu'on le fasse avec plaisir... " » (Pascal, *Œuvres complètes,* éd. Mesnard, t. I, pp. 631-632).

377

1. Cf. *Entretien avec M. de Saci :* « Il me semble que la source des erreurs de ces deux sectes est de n'avoir pas su que l'état de l'homme à présent diffère de celui de sa création ; de sorte que l'un, remarquant quelques traces de sa première grandeur, et ignorant sa corruption, a traité la nature comme saine et sans besoin de réparateur, ce qui le mène au comble de la superbe ; au lieu que l'autre, éprouvant la misère présente et ignorant la première dignité, traite la nature comme nécessairement infirme et irréparable, ce qui le précipite dans le désespoir d'arriver à un véritable bien, et de là dans une extrême lâcheté. »

378

1. Cf. saint Augustin, *Confessions,* I, 1 : « Vous nous avez faits pour vous ; et notre cœur est toujours dans l'agitation et dans le trouble jusqu'à ce qu'il soit au point de ne chercher son repos qu'en vous. »

379

1. Cf. saint Augustin, *Confessions,* VI, 1 : « J'étais dans les ténèbres et dans l'aveuglement, et je marchais au travers des précipices. Mais comment aurais-je pu vous trouver, puisque au lieu de vous chercher dans mon cœur, dont vous êtes le Dieu, je vous cherchais hors de moi ? J'étais même tombé au plus profond de l'abîme, puisque j'avais perdu jusqu'à l'espérance de trouver la vérité. »

380

1. Cf. Charron, *Discours chrétiens,* I, p. 2 : « L'homme désire naturellement et sur toutes choses connaître la vérité, et ne peut connaître Dieu, ses œuvres, les secrets de nature, les ressorts et mouvements de son âme, l'état et disposition des parties secrètes et intérieures de son corps, et tout cela il ne peut. »

382

1. Salomon est considéré par Pascal comme l'auteur de l'*Ecclésiaste.* Cf. fr. 65. Charron, à propos de la condition misérable de l'homme, écrit (*Sagesse,* I, 37) : « Job, un des plus suffisants en cette matière, tant en théorique qu'en pratique, l'a fort au long dépeint, et après lui Salomon, en leurs livres. »

385

1. Cf. fr. 122.

387

1. « Heureux celui qui a pu. » Voir fr. 56, n. 4.
2. « Heureux de ne s'étonner de rien. » Voir fr. 56, n. 5.
3. Cf. Montaigne, *Essais*, II, 12, p. 318 : « Il n'est point de combat si violent entre les philosophes, et si âpre, que celui qui se dresse sur la question du souverain bien de l'homme, duquel, par le calcul de Varron, naquirent 288 sectes. » L'édition de 1652 donne le chiffre de 280. Cf. fr. 444.

388

1. Cf. Montaigne, *Essais,* II, 12, p. 284 : « Les philosophes... ont ce dilemme toujours en la bouche pour consoler notre mortelle condition : Ou l'âme est mortelle, ou immortelle. Si mortelle, elle sera sans peine; si immortelle, elle ira en amendant. Ils ne touchent jamais l'autre branche : Quoi, si elle va en empirant? et laissent aux poètes les menaces des peines futures. Mais par là ils se donnent un beau jeu. »

389

1. Cf. fr. 528.
2. Jacques Vallée, sieur des Barreaux, est un libertin notoire. Tallemant des Réaux lui consacre une de ses *Historiettes,* où il rapporte (ed. Adam, t. II, p. 33) : « Bien loin de s'amender en vieillissant, il fit une chanson où il y a :

> *Et, par ma raison, je bute*
> *A devenir bête brute.*

Il prêche l'athéisme partout où il se trouve, et une fois il fut à Saint-Cloud chez là du Ryer passer la semaine sainte, avec Mitton, grand joueur... » C'est sans doute par l'intermédiaire de Damien Mitton que Pascal a connu des Barreaux, ou du moins la chanson à laquelle il fait allusion.

392

1 Cf. Corneille, *Médée,* II, 5, vers 635-636 :

> *Souvent je ne sais quoi qu'on ne peut exprimer*
> *Nous surprend, nous emporte, et nous force d'aimer...*

Et *Rodogune,* I, 5, vers 359-362 :

> *Il est des nœuds secrets, il est des sympathies*
> *Dont par le doux rapport les âmes assorties*
> *S'attachent l'une à l'autre et se laissent piquer*
> *Par ce je ne sais quoi qu'on ne peut expliquer.*

2 Cette réflexion sur Cléopâtre, qu'on retrouve sous une forme abrégée

dans les fragments 42 et 183, a sans doute été suggérée a Pascal par le souvenir de *La Mort de Pompée* de Corneille; le principal personnage féminin en est Cléopâtre, et il y est fait souvent mention de la beauté de Cléopâtre et de ses conséquences politiques.

396

1. Cf. fr. 178.

TABLE

PENSÉES

FRAGMENTS TRANSMIS
PAR LA PREMIÈRE COPIE

COLLECTION FOLIO

1665.	Yann Queffélec	*Le charme noir.*
1666.	Zoé Oldenbourg	*La Joie-Souffrance*, tome I.
1667.	Zoé Oldenbourg	*La Joie-Souffrance*, tome II.
1668.	Vassilis Vassilikos	*Les photographies.*
1669.	Honoré de Balzac	*Les Employés.*
1670.	J. M. G. Le Clézio	*Désert.*
1671.	Jules Romains	*Lucienne. Le dieu des corps. Quand le navire...*
1672.	Viviane Forrester	*Ainsi des exilés.*
1673.	Claude Mauriac	*Le dîner en ville.*
1674.	Maurice Rheims	*Le Saint Office.*
1675.	Catherine Rihoit	*La Favorite.*
1676.	William Shakespeare	*Roméo et Juliette. Macbeth.*
1677.	Jean Vautrin	*Billy-ze-Kick.*
1678.	Romain Gary	*Le grand vestiaire.*
1679.	Philip Roth	*Quand elle était gentille.*
1680.	Jean Anouilh	*La culotte.*
1681.	J.-K. Huysmans	*Là-bas.*
1682.	Jean Orieux	*L'aigle de fer.*
1683.	Jean Dutourd	*L'âme sensible.*
1684.	Nathalie Sarraute	*Enfance.*
1685.	Erskine Caldwell	*Un patelin nommé Estherville.*
1686.	Rachid Boudjedra	*L'escargot entêté.*
1687.	John Updike	*Épouse-moi.*
1688.	Molière	*L'École des maris. L'École des femmes. La Critique de l'École des femmes. L'Impromptu de Versailles.*
1689.	Reiser	*Gros dégueulasse.*
1690.	Jack Kerouac	*Les Souterrains.*
1691.	Pierre Mac Orlan	*Chronique des jours désespérés*, suivi de *Les voisins.*
1692.	Louis-Ferdinand Céline	*Mort à crédit.*
1693.	John Dos Passos	*La grosse galette.*
1694.	John Dos Passos	*42e parallèle.*
1695.	Anna Seghers	*La septième croix.*
1696.	René Barjavel	*La tempête.*
1697.	Daniel Boulanger	*Table d'hôte.*

Impression Bussière à Saint-Amand (Cher),
le 28 octobre 1986.
Dépôt légal : octobre 1986.
1ᵉʳ dépôt légal dans la collection : mai 1977.
Numéro d'imprimeur : 3068.
ISBN 2-07-036936-6. /Imprimé en France.